D0403122

De overgave

Boeken van Arthur Japin bij De Arbeiderspers:

Magonische verhalen (1996)
De zwarte met het witte hart (roman, 1997)
De vierde wand (verhalen, 1998)
Magonia (verhalen en filmscenario, 2001)
De droom van de leeuw (roman, 2002)
De vrouwen van Lemnos
(choreografisch scenario, 2002)
Een schitterend gebrek (roman, 2003)
Alle verhalen (2005)
De klank van sneeuw (twee novellen, 2006)
De grote wereld (Boekenweekgeschenk, 2006)
De overgave (roman, 2007)

Bezoek ook de website www.arthurjapin.nl

Arthur Japin

De overgave

Roman

Uitgeverij De Arbeiderspers
Amsterdam · Antwerpen

Eerste druk september 2007

Omslagontwerp: Nico Richter
Omslagillustratie: Cynthia Ann Parker met Topsannah, Panhandle-Plains Historical Museum, Canyon, Texas

ISBN 978 90 295 6529 5 / NUR 301
www.arbeiderspers.nl

Voor Benjamin Moser
die mij naar het hart van Quanah reed

Inhoud

DEEL EEN
De prijs van grond
9

DEEL TWEE
Zaad in de winter
111

DEEL DRIE
Gods adem
241

Nawoord 355

Stamboom 361
Tijdbalk 362
Kaart 367

Deel een

De prijs van grond

I

Die ene dag. Mensen vragen altijd alleen maar naar die ene dag. Alsof ik er geen andere heb geleefd. Of ik me die nog herinner, durven ze soms te vragen. Jazeker, ik herinner mij die dag. Ik herinner hem mij zoals andere mensen van mijn leeftijd zich een heel leven herinneren. Geen wonder, ik bén die vierentwintig uur. Alles wat ik nu nog denk en droom en doe, werd daarbinnen bepaald. Wat ik voor die ochtend ben geweest, verloor iedere waarde; wat er na die nacht nog van mij over was, kon nergens anders nog belang aan hechten. Ik heb altijd gezegd dat met die dag alles begonnen is en alles ophield.

En nu, op de valreep, dient zich een vervolg aan.

Had ik gezegd dat ik die kerel niet wil zien, dat ik het verdom oude wonden open te rijten en hem dus niet zal ontvangen, dan was alles gebleven zoals het was. Zoals ik het ken. Zoals ik het begrijp. Maar hij is er al. De oude miss Croney kwam het me vertellen, helemaal over haar toeren. Gisteravond is hij in de stad gearriveerd, net na zonsondergang, en hij heeft vannacht boven The Whistle gelogeerd met twee van zijn vrouwen. Hij draagt een driedelig zwart pak, een gouden horlogeketting en een dasspeld in de vorm van de ster van Texas. Mijnheer wel. Elegant steunt hij op een slanke wandelstok, maar van onder zijn bolhoed hangt zijn haar in lange zwarte vlechten.

'Die mond van hem,' Croney gruwde ervan, 'zo verbeten, de hoeken tot aan de kaken neergetrokken, zoiets grimmigs heb je nooit gezien.'

'Dacht je?' bromde ik.

'En zijn ogen dan, die blik, o God, die vernietigende blik!' Ze sloeg haar handen voor haar gezicht, maar ik geloof niet dat ze zich realiseerde wat ze zei.

Als je haar moet geloven heeft de stad er de hele nacht van gegonsd en heeft niemand een oog dichtgedaan. Vanochtend vroeg heeft zich in de hoofdstraat een groepje verzameld dat met het uur uitdijt, wachtend tot de vreemdeling zich laat zien.

'Dus jij wist dat hij zou komen?' vroeg Croney. Die had zich natuurlijk van de nieuwsgierigen losgescheurd in de hoop dat mijn reactie nog groter vuurwerk zou opleveren, en nu klonk ze beteuterd. 'En dat het om jou is, dat weet je ook?'

'Er komen hier zo veel mensen om mij een keer te zien.'

'Maar hij! Kom nou, ik bedoel... uitgerekend hij!'

Ik had zelf niet kunnen denken dat een dag als deze ooit zou aanbreken, dus waarom zou een ander het begrijpen? Granny Parker ontvangt de aanvoerder van de Comanche! Ze denken dat het een vergissing is. Dat ik krankzinnig ben geworden, of erger: week. Dat de regering erachter zit. Dat de politiek mij tot een gebaar wil dwingen. Niemand dwingt mij nog. Al heel erg lang laat ik mij nergens meer toe dwingen. Ik heb gezegd dat hij kan komen. Ik heb er zelfs om gevraagd. Ik wil hem zien, ja. Ik wil hem in zijn ogen kijken. Kijken of het waar is wat ze zeggen, dat het mijn eigen ogen zijn.

Zo komen dit soort dagen nou eenmaal. Wen d'r maar aan. Ze naderen, onvermijdelijk en onherroepelijk, als de ochtend waarop een kind voor het eerst zijn eigen schaduw ontdekt. Het draait zich om en wil het niet geloven.

Eerst trekt het één been op en dan het andere, het steekt zijn armen in de lucht, springt in de rondte en zet het op een rennen, maar het is te laat. Die lange zwarte lijs volgt hem voortaan overal en laat in dit leven niet meer los.

Laat het verleden rusten, van alle slechte raad moet deze wel de meest nutteloze zijn. En degene die ik het vaakst heb gehoord: 'Wat gebeurd is, is gebeurd, Granny Parker, laat toch!' Niet dat ik niet zou willen, geloof me, maar het heeft geen zin. Iets wordt in gang gezet en het leidt ergens toe. Al dat afscheid dat ik indertijd heb moeten nemen leidt me vandaag naar een ontmoeting. Een dasspeld met de ster van Texas! Zo gaat dat dus. Die dag heeft geleid tot deze, meer is het niet. De eerste heb ik overleefd. Hoe zou deze zwaarder kunnen zijn?

'Die ouwe is keihard,' zeggen ze. Ze bedoelen het als compliment. Taai zijn is hier een verdienste. Ze prijzen mij gelukkig, alleen omdat ik er nog ben. Volhouden wekt ontzag. Overleven dwingt respect af. Ze benijden me omdat ik nooit klaag. Als je zo oud bent als ik kun je met twee dingen nog bewondering oogsten: niet zeuren en doorademen. Ondertussen prijzen de mensen vooral zichzelf gelukkig dat ze mij niet zijn; dat hun nog een toekomst wacht en iemand om lief te hebben. Op zondag bidden ze dat het ze bespaard blijft ooit te moeten worden zoals ik. Voor de kerkgangers ben ik als een van die voorstellingen van de hel waarmee katholieken hun tempels behangen om gelovigen godsvrucht aan te jagen. Na de dienst knikken ze me allemaal vriendelijk toe. 'Hoe gaat het vandaag, Granny Parker?' Ik grom iets met mijn lippen stijf opeen. Ik doe geen moeite om te lachen. Dat heb ik wel geleerd. Als je één keer naar ze lacht willen ze je naar huis rijden, en onderweg proberen ze het verleden op te rakelen. Dank je feestelijk. Voor het verleden heb ik een ander niet nodig. Ik hou ze liever op afstand. Soms knik ik naar iemand, als het echt niet anders kan, maar meestal speel ik dat ik ze niet goed zie. Nog zo'n zegen van de ouwe dag. Ze lachen om mijn chagrijn. 'Dat heeft haar al die jaren op de been gehouden,' zeggen ze achter mijn rug, half vertederd, half vals, 'die weerbarstigheid! Heb je d'r zien zitten? God, wat was de cactus vandaag weer stekelig!' Zo is het. De scherpste cactus met de dikste huid overleeft de rest omdat geen mens er in de buurt durft te komen. Elke zondag krijg ik zin om hun vraag gewoon eens te beantwoorden. Ze zouden zich geen raad weten als ik zou beginnen te vertellen hoe het vandaag eigenlijk met Granny Parker gaat.

Ik leid een simpel leven. Wat kan ik anders? Onderhand zie ik eruit als Joice Heth, die door het hele land tentoongesteld wordt omdat ze anderhalve eeuw oud is. Maar ik klaag nooit. Niet omdat ik niet zou willen, maar omdat iedereen me vóór is. Zodra mensen mij zien beginnen ze mijn lot te bejammeren. Ze pakken mijn handen en fluisteren aangedaan dat ik toch maar dankbaar mag zijn dat ik nog een leven héb om te leiden. Dankbaarheid betekent voor iedereen iets anders.

Allemaal zijn ze bang voor de dood. Ze weten niet dat er een tijd komt dat die laatste vijand een vriend wordt op wiens komst je nauwelijks kunt wachten. Daar moest ik zondag in de kerk maar eens van getuigen. Het moet toch voor veel mensen een opluchting zijn te horen dat er een dag komt dat je kunt stoppen met hollen; het kan je niet meer schelen: je houdt stil, draait je om en hoeft enkel nog met je armen over elkaar te gaan zitten wachten tot die maaier eindelijk met zijn zeis komt aangesukkeld.

Zo heb ik jaren gewacht, levensmoe werd ik ervan,

maar hij is nog altijd niet gekomen. De dood heeft zijn kans gehad en laten lopen. In zijn plaats dient zich nu iemand anders aan en daardoor... Het is ineens alsof... Ik weet het niet. Ineens lijkt sterven mij eerder iets voor anderen. Alsof mijn wachten op de dood voorbij is. Natuurlijk nadert hij. Hij kruipt mijn kant op, net als altijd, maar ik zit niet langer zomaar voor hem klaar. Hij is te laat voor zijn afspraak. Onverwacht doet zich nu iets voor, iets wat ik eigenlijk nog mee wil maken. Gebrek aan nieuwsgierigheid, zeg ik, is doodsoorzaak nummer één. En er ís nog iets wat ik wil weten. Ik wil het met mijn eigen ogen zien. Het staat te gebeuren en ik ben niet van plan er vlak daarvoor tussenuit te knijpen. Na decennia van droogte is er tegen ieders verwachting in weer een knop ontsproten aan de stekelpeer. Ik ben gewoon benieuwd te zien of er nog genoeg sap in het ouwe kreng zit om hem ook tot bloei te brengen.

Ik merk het aan mijn dromen. De gebruikelijke blijven komen. Daar kun je gif op innemen. Ze herhalen zich volgens het vaste patroon. Maar daartussen, af en toe, is het soms alsof er ergens een deur openwaait. Er valt licht binnen. Alsof iemand ergens achter mijn rug een luik heeft geopend. Ineens werp ik schaduw. Op de muren van mijn dromen heb ik mijn eigen silhouet ontdekt. Ineens zie ik niet alleen meer wat er zich allemaal in mijn eigen hoofd afspeelt, maar de laatste dagen ben ik daar ook zelf in aanwezig. Tussen al die gezichten kom ik dan gewoon even voorbij. Misschien was dat altijd al zo, maar ik had er nooit eerder bij stilgestaan. En als ik zelf in mijn dromen rondloop, zou ik daarin dan ook niet zelf kunnen uitmaken waar ik heen ga? De eerste keer dat ik het binnenvallende licht opmerkte, durfde ik er niet naar te kijken, zo onwennig was het. Bijna ongepast. Alsof het een verraad was aan al die sombere beelden die mij al zo lang zo trouw bezoeken. Wat ze ook zijn, donker, wreed houvast, ze zijn van mij, en er is altijd moed voor nodig om iets los te laten. Een paar nachten geleden was ik zover. Ik heb mij naar het licht gekeerd en ben op de opening toe gestapt. Verder durf ik niet, maar ik kan erdoor naar buiten kijken.

Er is daar leven.

Tegelijkertijd dringen zich overdag af en toe nieuwe herinneringen op. Ze zijn erg ongepast. Zo zie ik de laatste tijd heel duidelijk Old Bet, de olifant van Hackaliah Bailey. De afgezaagde slagtanden, de hoornachtige huid. Tussen de plooien zit opgedroogde modder. Ik hoor haar trompetteren, zo luid alsof ze in de kamer staat. Er hangt een smaragdgroen kleed over haar rug. Ze tilt haar voorpoot op. Ik heb dat stomme beest maar één keer in mijn leven gezien, toen ik nog klein was en aan de hand van mijn moeder mee mocht naar de stad, maar ik zie die kop scherper dan die van mijn eerste man, naast wie ik vijftien jaar heb gelegen. Het dier doet haar behoefte, zwaarder, zoeter dan paardenvijgen; alsof ik het weer ruik, zo komt alles terug. Maar vraag me hoe John rook, mijn twéédé man, John Parker, mijn grote lief, en bij God ik weet het niet; dat enorme lijf van hem, de geur van geluk, ik kan hem niet meer vinden, die zweem van veiligheid waarvoor ik toch alles wel zou willen geven! In plaats daarvan verschijnt Old Bet. Het dier gaat zitten en steekt de voorpoten in de lucht. Bailey knoopt het een groot laken voor alsof het een servet is. Hij beloont het met iets lekkers. Dat bakbeest kijkt me aan. Een meisje met een viool klimt aan haar oren omhoog. Ze stapt op het groene kleed en begint te spelen. De olifant danst. En al die tijd blijft ze mij aankijken. Het onderste ooglid hangt zo droevig, maar de muziek speelt door.

Bijtijds je verstand verliezen, dat is in dit leven het enige recept voor geluk. Misschien is het dan eindelijk zover en ben ik kinds aan het worden, want telkens als ik aan Old Bet denk is het of ik meer lucht krijg – vraag me niet wat het betekent, het is alsof mijn adem een uithoek van mijn longen bereikt waar hij in geen jaren is geweest. En iedereen maar denken dat ik in mijn schommelstoel hele dagen vroom en dankbaar zit te wezen!

Ik mag mezelf er dan tegenwoordig weleens op betrappen dat ik grinnik, maar zo lollig is het niet. Mijn geheugen heeft besloten mij dingen uit mijn jeugd terug te bezorgen. Nou ja, vooruit dan! Tot nu toe gaat het goed. Maar God weet wat het nog meer gegijzeld houdt. Zo meteen trekt het iets uit de kast wat ik daar met goede reden in had weggeborgen. Dat soort verrassingen, daar ben ik niet van gediend. Na die bewuste dag heb ik mijn geheugen met alle geweld weer in het gareel gedwongen en ik ben niet van plan mijn greep nou nog te laten verslappen. Wanneer je alles kwijt bent, is het rustiger te denken dat het voor altijd is verloren. Alles liever dan het idee dat er misschien ergens nog iets rondhangt waar je niet bij kunt.

Old Bet steigert als een paard. Ze gaat op haar achterpoten staan. Alsof je een huis ziet omvallen! Het meisje met de viool klautert op haar kop. Ze slaat net zo lang met een ijzeren haak tegen de lange snuit tot ook die recht overeind staat. Achter dat enorme lijf ligt, aan de overkant van de straat, de winkel van Hurlbut. In het grote raam waarachter de ijzerwaren liggen uitgestald, zie ik mezelf weerspiegeld: ik sta aan de hand van mijn moeder, met open mond. Ik moet een jaar of negen zijn. Ongeveer zo oud als Cynthia Ann was toen wij Fort Parker bouwden. En er is meer: hetzelfde haar, bollewangenhapsnoet met precies zulke kuiltjes in de mondhoeken als die van haar, kan dat waar zijn of haal ik ons nu door elkaar?

Inmiddels heeft Hackaliah Bailey een grote trom voorgebonden en een hoed met rinkelbellen op zijn hoofd gezet. Aan zijn mond heeft hij een trompet en hij bespeelt alles tegelijk. Zo gaat hij voorop en Old Bet volgt. Het meisje gaat rond met de pet. Moeder stopt een cent in mijn hand. Als ze verder trekken loopt iedereen achter het spektakel aan.

Wij niet.

Wij gaan naar huis.

Moeder bezweert me niets tegen vader te zeggen over wat wij hebben meegemaakt. Ze is altijd bang voor hem gebleven. God wil niet dat wij ons vermaken, en als het per ongeluk toch gebeurt moeten wij ons plezier met vasten compenseren. Ook dit keer, anderhalve week maar liefst, want we zijn amper thuis of ik val hem om zijn hals en flap alles eruit, zo geweldig heb ik het gevonden, al die pailletten, de dansende mensen, en midden op straat lag een drol als van een reus!

Mijn vader noemde zichzelf diepgelovig. Wie ben ik om daaraan te twijfelen? Mijn leven lang hebben mensen zoals hij als vliegen om mij heen gehangen. Van nabij heb ik gezien hoe zij zich vastklampen aan overtuigingen en ceremonies. Als zij zeker waren geweest van hun zaak hadden ze wel aan zichzelf genoeg gehad. Dan hadden ze niet elke zondag bij elkaar hoeven komen, dacht ik altijd, om luidkeels te getuigen van iets wat iedereen die daar aanwezig was allang hoorde te weten. Meer dan wat ook was mijn vader bang. Midden onder het eten, waarbij wij eigenlijk niet mochten praten, kon hij je vastgrijpen.

'Wij worden allemaal veroordeeld,' snikte hij, 'vergeet je dat niet? Het enige wat wij nu nog kunnen doen is strafvermindering verdienen.' Dit idee greep hem soms zo aan dat hij niet verder kon eten.

Als jongeman was hij naar Amerika gekomen om werk te zoeken. Sterk was hij niet. Hij zou het nooit hebben gedurfd als iemand hem niet had verzekerd dat God hem als schild zou dienen. De hele oversteek heeft hij doodsangsten uitgestaan, maar daarna heeft hij nooit meer honger gekend. Toen hij eenmaal aan land was heeft hij zich aan God vastgeklampt. Die stond hem op te wachten, zei hij weleens, zoals iemand staat te wachten op een verloren familielid, zonder de moed op te geven en met open armen. Ik weet niet hoe ik me dat moet voorstellen. Naar mij heeft het geloof nooit een vinger uitgestoken.

Alles heeft mijn vader in dienst van de kerk gesteld, elke gedachte, iedere ademtocht. Dit was uit dankbaarheid zei hij, maar mij deed het denken aan de manier waarop mensen hun angst bezweren door altijd met dezelfde voet uit bed te stappen of iets af te kloppen tegen een stuk hout. Mijn vader hoopte dat hem, door maar elke dag op tijd te bidden en ons de juiste stukken uit de Bijbel voor te lezen, verder avontuur en nieuwe armoede bespaard zouden blijven.

Hij kon eenvoudig niet geloven dat een mens wanneer zijn leven ervan afhangt, zelf tot het bovenmenselijke in staat is. Had hij tijd van leven gehad dan had ik hem dat kunnen bewijzen, eigenhandig, maar toen mijn eigen vuurproef kwam was hij al jaren dood.

Uiteindelijk zijn zijn angsten hem lelijk opgebroken. Ik was veertien. Ik had genoeg van dat leven zonder vrolijkheid. Wat ik wel mocht, wat ik niet mocht, alles werd bepaald door mijn vaders twijfel, en wat ik nodig had was zekerheid. Die vond ik in de liefde.

Tenminste, ik vond Richard Duty.

Daar moest ik het mee doen.

En dat deed ik ook.

Met Richard kon je lachen. Dat trok me vooral, want bij ons thuis werd hardop lachen gezien als een uitdaging aan God je harder aan te pakken. Richard was lief voor me. Hij zei dat hij van me hield. Dat was me genoeg.

Natuurlijk begreep ik dat wij zondigden. Dat maakte het alleen maar aantrekkelijker. Soms deden we het gewoon in huis, terwijl mijn vader en moeder in de voorkamer zaten en dachten dat we uit de Bijbel lazen. Stiekem wilde ik eigenlijk wel dat ze ons zouden betrappen, zodat ze zouden begrijpen dat ik anders was, vrijer was, dat ik hun angsten niet deelde, dat ik dorst te doen wat ik wilde, ik wel, dat ik mijn lichaam durfde te geven waar het om vroeg, mijn hart waarnaar het zo verlangde.

Toen bleek dat ik zwanger was, wilde ik het mijn vader zelf vertellen. Ik trilde van de zenuwen. Tegelijk sidderde ik van opwinding omdat ik mijn leven eindelijk in handen had. Enkel het genoegen waarmee ik hem meedeelde dat ik een vrouw was geworden voelde zondig, verder niets. Ik denk zelfs dat het om dit moment was dat ik Richard Duty zijn gang met me had laten gaan. Ik zette me schrap. Ik dacht dat mijn vader zijn riem zou loshalen en mij zou afranselen, zoals toen ik twaalf was en een paar boerenknechten mij hadden overgehaald net als zij alles uit te doen en duikertje met ze te komen spelen in de rivier. In plaats daarvan liet hij zich in zijn stoel zakken en keek naar buiten. Misschien huilt hij, dacht ik, of wil hij laten weten dat ik voor hem niet meer besta, maar dat was het niet. Zoiets vereist moed. Nee, hij schaamde zich gewoon te erg om mij nog aan te durven kijken.

'Dat laat ik me in het hiernamaals nog eens uitleggen,' mompelde hij alleen, 'waarom mensen vrolijk worden als ze een heel groot beest met een servet om zien.'

Hij had gelijk. Die olifant heeft meer voor mijn geloof betekend dan mijn vader. Het is zonde dat ik het zeggen moet, maar alle preken en getuigenissen hebben mij nooit een glimp van het paradijs getoond. Old Bet wel.

Dat beest hield een belofte in. De gekleurde stenen die op haar hoofdstel waren geplakt onthulden een andere werkelijkheid die tot op dat moment voor mij verborgen was geweest. De manier waarop ze fonkelden in de zon was voor mij het bewijs dat er iets prachtigs bestond voorbij de wereld die ik kende. Elke flikkering leek de knipoog van een ongekende mogelijkheid. Ineens kon ik me voorstellen dat er meer was, heel veel meer en mooier ook, iets groters waarvan mijn eigen leven maar een afspiegeling is. In het voorbijgaan gaf Old Bet een beetje jeu aan de armoede, zoals het licht dat tegenwoordig mijn dromen binnenvalt. Ze stond als een huis. Kalm ging ze haar weg, onverzettelijk. Zacht en sterk tegelijk. Dat iets zo verpletterend kon zijn en tegelijk zo majestueus! Die houding leek mij iets om na te streven. Een reden om vol te houden. Om te zoeken naar dingen die verder liggen dan ik kan kijken. Ineens zag ik ze fonkelen achter de dingen van alledag. Beter kan ik het niet uitleggen; dat vreemde dier, zo lelijk eigenlijk en log, sprak meer tot me dan alle woorden. Die olifant gaf me iets wat belangrijker voor mij was dan mijn vaders geloof, dat mij als twijfel voorkwam. Old Bet gaf me hoop.

Zie, ik wist het wel. Dit is nou precies waar ik bang voor was toen ik hoorde dat hij me zocht, die vent, die Quanah, mijnheer de grote *chief* van de Comanche-indianen, en dat hij me wilde spreken. Over het verleden. Je moet verdomme ook maar durven. Ik wist dat er van alles naar boven zou komen. Dat geheugen van mij is net een bijenkorf, je wroet erin omdat je behoefte hebt aan iets zoets, maar je verstoort de hele broedkoek. Van het ene moment op het andere kun je het venijn niet meer van je af slaan en ben je aan het rennen voor je leven.

Wat had hij gedacht, dat ik het allemaal nog weet? Ik weet zat. Heus. Van alles zoemt er rond, maar hoe het in elkaar past? Sommige dingen ben ik helemaal kwijt, goddank, andere zijn door de jaren vervormd geraakt. Gelukkig wel. Op een gegeven moment heb je ze te vaak opnieuw beleefd. Wanneer de beelden maar om je heen blijven zwermen, in de nacht opdoemen of overdag, tijdens de preek zelfs of midden in een gesprek, begin je ze ongemerkt te verzachten, te verluchtigen, stukje bij beetje probeer je ze te kleuren, te verdringen, te verkleinen. Je moet wel. Maar bepaalde momenten krijg je niet weg. Die blijven altijd helder. Ik zou ze kunnen navertellen zonder ook maar een kleinigheid te vergeten. Juist die kleine dingen, daar hou je je aan vast. Er kan nu eenmaal in een leven iets gebeuren wat te groot is om het in zijn geheel te bevatten.

Zo was er die bewuste dag een mier die om me heen liep. Ik lag op de grond en kon me niet bewegen, maar hij bewoog voor twee. Zo'n klein kreng, waarvan ik er duizenden heb doodgedrukt. Als ik een mierenhoop ontdekte, goot ik er kokend water in, zo ben ik dat van kinds af aan gewend. Maar deze nam het me niet kwalijk. Hij was helemaal alleen en bleef maar om me heen scharrelen. Telkens tot aan mijn arm en weer terug. Naar mijn borst, opnieuw rechtsomkeert, even een rondje, om dan weer met een aanloop op mijn arm af te stormen. Ik zie hem nog gaan. Hij keek naar me met zijn kop in zijn nek alsof ik een berg was die hij moest beklimmen. Ik draaide mijn gezicht naar hem toe zo ver als ik kon. Het idee dat we elkaar aankeken stelde me gerust. Die mier en ik. Alsof wij even groot konden worden. Af en toe liep hij een eindje weg, maar nooit lang en nooit te ver. Heb jij dan geen vriendjes waar je heen moet? dacht ik. Heb jij geen familie die jou mist? Op een gegeven moment kroop hij tegen mijn haren op, die over de grond lagen uitgespreid. Dat kleine miertje! Hij kon ook geen kant meer op. Ik lag in een grote rode plas die steeds verder naar alle kanten uitdijde. Voor dat arme kreng moet het een zee hebben geleken. Maar hij was slim, die kleine! Hij balanceerde boven het stroperige vocht als een van die koorddansers boven de Wabash tijdens de Crawford County Fair! Wie heeft ooit zoiets gezien? Net zo handig als hij klein was! Tot het ineens alsnog misging. Hij aarzelde. Hij wankelde. Hij gleed weg en kon geen houvast vinden. Ik was als de dood dat hij zou vallen, maar nee, op het laatste nippertje greep hij zich beet. Ondersteboven bungelde hij aan mijn haar. 'Hallo,' zei ik de hele tijd, 'hallo.' Zo buitelde hij maar en klauterde daar op en neer. Later heb ik weleens gedacht dat het die mier was, en die mier alleen, waardoor ik die dag heb overleefd.

Dit is wat ik me ervan herinner.

En het was nog wel zo'n schitterende ochtend! Gods adem, zou John zeggen, blies onze kant op.

*

Voor ons begon het toen een jongen van het volk die op het punt stond man te worden zijn familie verliet en de vlakten op reed. Bij een bron bond hij zijn paard vast en liet het achter. Zonder eten of drinken beklom hij een tafelberg, die uit het zand oprees als een enorme afgehakte boomstronk. Boven hurkte hij neer. Naar alle kanten overzag hij de hemel en tot in de verte de weerspiegeling daarvan: de vlakten en de dieren die daar jaagden. Stofkolommen zwirrelden op en sleepten zich voort over het land. Ze dansten rond elkaar, tollend naar de hemel zoals de wervelingen waaruit ooit de eerste mens tevoorschijn is gekomen. De zon ging onder. Het werd koud, maar de kou deerde hem niet. Hij kreeg honger, maar hij was niet gekomen om naar zijn lichaam te luisteren. Hij kreeg dorst, maar in de zeventien jaren van zijn leven was hem geleerd lange afstanden en grote perioden te overbruggen zonder water. De hele nacht zong hij uit volle borst magische liederen die hem door wijze mannen waren geleerd voor de overgang die hem nu te wachten stond. Alle driehonderd spreuken die hij kende sprak hij in het juiste ritme. Zijn stem droeg ver. Hij wekte de wolven, die zijn broeders waren, en hun neven de coyotes maakte hij onrustig. Hij lokte de zon uit haar schuilplaats en de ochtend begon koperrood als zijn huid. De lucht vlamde op en uit het westen naderden de voorouders. Zij hadden de jongen gehoord en kwamen, zoals beloofd, met de wolken. Met velen waren ze, dicht opeen en donker. Zodra ze boven hem hingen riep hij hen aan, en zolang hij aan het woord was bleef hij in hun schaduw.

Hoe hij werd genoemd, vroegen ze hem.

'Peta Nocona,' antwoordde hij, en hij vertelde dat hij deze dag de rituelen zou voltooien die hem een man zouden maken. Dit stemde hen vrolijk, trots dat zij zouden voortleven in alweer een nieuwe generatie. Overal in de omgeving hadden deze nacht zonen van het volk zoals Peta Nocona in afwachting van hun zegen gezongen en gevast. Hij hief zijn armen en vroeg zijn voorouders om een teken waaruit hij zijn toekomst zou kunnen aflezen, maar zij hadden haast en trokken over.

Hun schaduw gleed over de vlakte naar het oosten en liet de jongen in verwarring op de berg achter. De zon keerde terug en deed zijn huid gloeien, maar hij voltooide de rituelen teleurgesteld omdat hij bij zijn stam zou moeten terugkeren zonder enig bericht. Zoiets was niet eerder gebeurd. Zijn hart zakte in zijn maag. Beschaamd stond hij op om af te dalen naar zijn paard, toen vanuit de verre wolken een adelaar tevoorschijn dook. De vleugels breeduit streek het machtige dier langs de hemel, kalm en statig heersend over zijn eigen domein. Driemaal cirkelde hij boven Peta Nocona's hoofd. Daar verloor hij een lange, zilvergrijze veer, die naar beneden dwarrelde.

De jongen ving hem op voor hij de grond raakte en bond hem in zijn haar. Dit was zijn eerste tooi.

Plotseling zwenkte de vogel, die zijn prooi gevonden had, en spreidde zijn klauwen voor de aanval. De jongen zag hoe zijn paard, dat de schaduw van de roofvogel had gezien, steigerde, en hij moest toezien hoe het zich daar beneden uit alle macht probeerde los te rukken. Het hinnikte zo van angst dat het op de berg te horen was. De hoeven schuurden over de stenen, de le-

ren teugels waarmee het dier zat vastgebonden trokken strak, het hoofdstel sneed in de huid totdat die bloedde. Door te roepen probeerde de jongen de vogel af te leiden, maar die bleef rustig boven het paard staan bidden, alsof hij overwoog erbovenop te duiken en het met één haal van zijn klauwen van alle angst te verlossen. Daar ging hij al, op de eerste valwind naar beneden. Precies op dat moment joeg, verschenen uit het niets, een bliksem door de blauwe hemel. Zonder donder of geraas trof de schicht de vogel midden in zijn vlucht. Krijsend vloog de adelaar in brand. Even leek hij te drijven op de wind die rond hem wakkerde, maar ten slotte stortte hij, zijn vlammende vleugels gespreid, naar de aarde.

Peta Nocona sloot een ogenblik zijn ogen om het wonder tot zich door te laten dringen. Toen hij ze weer opende zag hij dat zijn paard zich eindelijk had losgewerkt en in galop de vrijheid koos. Beneden aangekomen leste de jongen zijn dorst bij de bron. Hierna zat hij nog lange tijd bij de smeulende hoop veren, wel dankbaar dat hij toch een teken had gekregen, maar zonder te begrijpen wat hiervan de bedoeling zou kunnen zijn.

2

'Voel je dat?' vroeg John toen we de plek hadden bereikt waar we ons fort zouden bouwen, niet ver van de bovenloop van de Navasota. Bij oostenwind kon je er de rivier horen stromen. Tot laat in het voorjaar hield die de verstikkende hitte uit de vlakte tegen. Dan, van de ene dag op de andere, begon het water te verdampen, zo snel dat je het uit de bedding omhoog kon zien wolken. Het verstoof over de velden langs de oever, die door deze warme mist altijd levensvatbaar bleven.

'Alsof God dat kostbare vocht hoogstpersoonlijk met gebolde wangen in onze richting blaast!' Hij greep me bij mijn middel en drukte zich tegen me aan. 'Gods adem staat onze kant op!'

Ons gebied strekte zich uit tot diep in de vallei van de Brazos en besloeg de hele vertakking van het stroomgebied van de Sterling. Na jarenlang onderhandelen met James en Silas, twee van Johns zonen uit zijn eerste huwelijk, had de Texaanse overheid het ons dan eindelijk toegekend. Het land was volledig onbewoond, open en uitgestrekt. Het lag precies op de grens tussen de zwarte prairie en het laatste bos, zodat rondom nog bomen stonden, naast eiken ook walnoot, es en zoete gom. Daartussen wemelde het van wild. In de lage begroeiing langs de rivier en de kreken hielden zich altijd kuddes herten op en zo veel kalkoenen dat er geen eind aan kwam.

Overal in die omgeving hadden we kunnen neerstrijken, maar John Parker was een man die geloofde dat zijn opwellingen hem direct vanuit de hemel werden ingefluisterd. In alle jaren van ons huwelijk heb ik hem er niet een zien negeren.

Hoe wild ze ook waren, in al zijn ingevingen heb ik hem gesteund. Altijd. Tenslotte was zijn liefde voor mij ooit net zo onberedeneerd geweest. Ik was nog getrouwd. En hij heeft keurig gewacht, dat is waar, maar uiteindelijk heeft hij gedaan wat zijn gevoel hem ingaf en me aangesproken, brutaal als een hond, zonder dat een van ons beiden daar ook maar een dag spijt van heeft gehad. Ach Here, John en zijn ingevingen, hou me tegen voor ik erover begin!

Wij zijn een ruw volk van snelle meningen met een gekarteld oordeel over alles en iedereen. De minste vergissing kan hier fataal zijn. Iedere vreemdeling kijken wij diep in de ogen voordat we hem een kans geven. Zoiets is minder ingewikkeld dan je denkt. Anderen doorzien is een aangeboren handigheid die bij de meeste mensen inslaapt, omdat ze in een beschermde omgeving verkeren. Zonder dreiging doezelt ze weg als een oud wijf, maar inslapen doet ze nooit, het kreng, bij de minste dreiging wordt ze weer alert. Dat gebeurt, geloof me, bij iedereen die in Texas zijn hachje moet zien te redden. Iedere man, iedere vrouw die besluit voorbij de grens van de beschaving te trekken komt er vanzelf achter dat hij zijn verstand beter thuis had kunnen laten. Van overal komt het gevaar, en zonder waarschuwing. Redeneren wordt je dood. Het is overleven op intuïtie of anders niet. Geloof me, bij een leven als dit moet je niet te lang stilstaan.

Ik heb instincten ontdekt waarvan ik in ons mooie huis in Illinois niet had kunnen vermoeden dat ik ze had. John bezat ze als geen ander. Ik geloof niet dat ik ooit een man heb gekend, zelfs niet mijn eerste echtgenoot, die mensen zo feilloos kon aanvoelen. Vrouwen zo goed als mannen. Zelfs van een afstand kon hij mensen inschatten. Grofweg wist hij of ze goed of slecht in de zin hadden en bij die laatste vaak ook de aard en oorsprong van hun woede. Binnen een half jaar na ons huwelijk merkte ik dat ik hem mijn stemmingen niet meer hoefde te vertellen, omdat hij ze al had geraden. Soms was hij ongemerkt al begonnen op mijn angsten of onzekerheden in te praten voordat ik zelf goed en wel doorhad wat de reden was geweest van mijn nervositeit. Dat noem ik een man! Geen wonder dat John dacht dat zo'n gave onmogelijk van binnenuit kon komen, maar wel van boven moest zijn uitgedeeld.

Toen John het teken gaf dat dit de plek was waar wij kamp zouden maken en waar we tot het eind van onze dagen zouden blijven, was ik de eerste van het hele konvooi die van de wagen sprong. Ik heb het nu over het voorjaar van 1835. We waren gebroken. Anderhalf jaar was er al verstreken. Na bij Chester de Mississippi te zijn overgestoken en Illinois achter ons te hebben gelaten, na heel Missouri te hebben doorkruist, Arkansas Territory te zijn doorgetrokken en Louisiana, na kampementen aan de Angelina, de Colorado en de Brazos, was ik gewoon dankbaar dat we dit onbekende land, waar nooit een fatsoenlijk mens geweest was, niet nog verder in hoefden te trekken, zoals oorspronkelijk het plan was, naar de kolonie van de Robertsons.

Op dat moment stond ik nauwelijks stil bij de plaats die was gekozen. Wat had dat ook voor nut gehad? Geen sterveling kan in de toekomst kijken. En dan, het was ook zo'n lieflijke plek! Zover je kijken kon zag je de laatste *bluebonnets* nog op de velden. Trouwens, al hadden er zwaveldampen gehangen en de vlammen van de hel aan onze kuiten gelikt, dan nog hadden we ons de taferelen die zich daar binnen een jaar zouden afspelen onmogelijk kunnen voorstellen.

Ik liep langs de rij wagens naar Lucy, mijn dochter, die met twee andere vrouwen en de kleinste kinderen in de middelste en dus veiligste kar reisde. We knoopten onze rokken op en begonnen de zeilen en de potten uit te laden. We sleepten ze naar de rivier zodat we vers water hadden en zetten daar de keuken op terwijl mijn man met zijn zonen het terrein verkende en de omtrek van de palissade begon uit te zetten. De Kelloggs ontfermden zich over de ossen en de paarden. Zij bonden de ezels aan een boom en lieten hun koeien grazen. De jongere mannen van de andere families trokken eropuit om de eerste bomen te kerven die ons bouwmateriaal zouden worden en Rachel, mijn kleindochter, bekommerde zich, hoewel zij nog zoogde, samen met mijn dochter Lizzie om de jonge kinderen, zoals altijd. De kleinsten lieten ze met hun ledenpoppen spelen of met de kuikens, en de grotere konden in hun Bijbel lezen en daaruit teksten overpennen.

Alleen Cynthia Ann, die daar met haar negen jaren net tussen viel, was niet bij de les te houden. Die ging er liever opuit met de vlieger die ik onderweg voor haar had gemaakt van een paar twijgen en een stuk tentdoek. De eerste weken hadden wij die steeds samen opgelaten, rennend als twee gekken, maar inmiddels kon ze het zelf en lukte het haar uitstekend hem in haar eentje in de lucht te houden. Uren kon ze daarmee zoet zijn en ik wist dan waar ze was, want altijd zag je wel ergens het geel met wit geverfde doek door de lucht dansen, en nooit ver uit de buurt, want ze was niet bij me weg te slaan, die meid. Altijd zo geweest.

Ik zie haar nog komen aanhuppelen door het veld, steeds bijna kopje-onder in het hoge gras, hetzelfde veld dat een jaar later zou worden vertrapt. Ze stak haar handen op toen ze ons gevonden had en steeds sneller holde ze de helling af naar de rivier. De zoom van haar rok propte zij achter haar riem en ze stond erop haar moeder en mij te helpen. Lucy draaide een kip de nek om en gaf die aan het meisje om te plukken. Tegen de tijd dat iedereen aan het eind van de middag weer samenkwam stond de maaltijd klaar op de achterkleppen van de wagens. Drieëntwintig monden hadden wij te voeden.

Onze groep bestond in die tijd voornamelijk uit drie families. De grootste daarvan vormden de afstammelingen van mijn man, de Parkers, gevolgd door de Kelloggs en de Plummers. Omdat ze onderling en vanouds door allerlei huwelijken waren verbonden, voelde het echter alsof wij één waren, een gevoel dat door de vele gevaren en de wildernis nog werd versterkt. Zo waren Silas en James, de zonen van John, getrouwd met Lucy en Martha, dochters uit mijn eerste huwelijk – net als Lizzie, mijn derde kind –, terwijl Martha's eigen dochter Rachel weer de vrouw van Luther was, de jongste jongen van Plummer.

Kortom, de bloedlijnen liepen door onze familie alsof ze waren vervlochten door een bezopen kantklosster met sint-vitusvingers. Op gewone dagen dacht geen van ons erover na, maar op verjaardagen en feesten kwam het wel voor dat we bij elkaar moesten gaan zitten om de gezinskluwen te ontwarren. Voor het gemak noemde iedereen mij Granny, ook mijn dochters en zelfs degenen aan wie ik niet verwant was. Een tijdlang heb ik nog geprobeerd dat tegen te houden. Granny! Ik vond mezelf al haast te jong om de moeder van Martha te zijn, laat staan dat ik zin had om voor iedereen maar omaatje te spelen, maar het was hartelijk bedoeld. Nadat Duty, mijn eerste echtgenoot, was gestorven, vond ik in de schoonfamilie van mijn dochters alle steun, en bij John Parker eerst begrip, daarna weer hoop en ten slotte een nieuwe liefde. Ik had de leeftijd van zijn oudste kinderen. Hij had mijn vader kunnen zijn. Maar John was zelf weduwnaar, herkende mijn verdriet en wist wat ervoor nodig was om mij weer bij het leven in te lijven. Op de 21ste maart van 1825, toen hij en ik elkaar ten overstaan van God voor eeuwig trouw beloofden en Hem zwoeren elkaar bij te zullen staan in zowel de beste als de slechtste tijden, werden onze familie en schoonfamilie één. Sindsdien waren onze levens net zo verweven als ons lot.

Geen mens trekt naar het Westen zonder vlammende noodzaak. Je hoopt er óf je lijf óf je ziel te redden, anders ga je zulk gevaar niet aan. Natuurlijk is John hier gekomen met een opdracht. Er zijn er genoeg die hebben beweerd dat het hem enkel ging om het gewin. Ik hoop dat ze goed branden. Die grond die is van ons geworden, ja, dat klopt, laat iemand me in mijn gezicht durven zeggen dat we die niet met ons bloed hebben verdiend. Voor een stuk aarde zou toch geen levende ziel willen ondergaan wat wij hebben moeten meemaken. Voor niks niet. Nee, ik zeg: wat John gedaan heeft, heeft hij enkel gedaan uit overtuiging. Om zijn geloof te verbreiden en anders niet. Die man hield van ons. Zou hij ons de beschermde gebieden uit hebben geleid als zijn ziel er niet om had geschreeuwd?

Maar dan nog, wanneer je voor de zoveelste keer zo'n eindeloze vlakte voor je ziet, waarvan je weet dat je er wekenlang doorheen zult moeten trekken zonder enig idee wat zich daarachter bevindt... Op zulke momenten is het verdomd moeilijk te geloven dat God voor zondaars in het hiernamaals nog iets ergers in petto heeft.

Dit land! Wat moet je ervan zeggen? Hoe kan iemand die er nooit geweest is zich zoiets voorstellen? Het is als in dat oude liedje van de duivel die een lap grond krijgt om zijn eigen paradijs te maken; alles wat smerig en vuil is ziek en venijnig, brengt hij er samen; iedere plant en elke struik geeft hij netels en doornen, woedende kracht aan alle dieren. Ratelslangen en tarantula's laat hij los, muskieten en schorpioenen. Voor iedere zandkorrel is er een vlo. Zelfs de haren op de tenen van de duizendpoot maakt hij nog giftig. Het vee schept hij woest en ontembaar, de hoorns van de stieren extra lang en puntig. Ten slotte maakt hij de kou zo bitter en onverwacht dat ganzen met hun poten in het opvriezende water gevangen kunnen raken, en de hitte zo verzengend dat struiken er spontaan ontbranden. Wanneer alles naar zijn zin is overziet de duivel voldaan de verschrikkingen van zijn paradijs en noemt het Texas.

Geen dag brengt een mens het er hier van af zonder beten, steken, wonden of blaren. En toch verwachtten wij heil van deze plek. Of in elk geval hadden wij, misschien juist vanwege alle gruwelen, verwacht er wat hoop te kunnen brengen. En al die tegenspoed hadden wij ook kunnen overwinnen als de dreiging alleen van het land was uitgegaan. Maar het land had een volk. Dit vormde een groter gevaar dan alle andere samen omdat deze zwaarste beproeving ons niet door de duivel was voorbereid, maar door God zelf.

Dat volk, de Comanche, schrikte ons niet af. Wij kwamen hun per slot Zijn woord brengen. Toen wij het laatste fort achter ons lieten wisten we wat we deden. De uiterste nederzettingen lagen in die tijd nog honderden mijlen ten zuiden en ten oosten van de ware Comanchería. Vóór ons hadden alleen de Spanjaarden zich daar gewaagd, een halve eeuw eerder. Zij stichtten een handelspost, waar ze in ruil voor hun goederen genadeloos zijn afgeslacht.

Toen onze karavaan bij de resten van dat dorpje aankwam trokken we zwijgend door de hoofdstraat. Van de kerk stond alleen het stenen portaal overeind, daarachter de resten van een zwartgeblakerd kruis. Het beeld van de gekruisigde was naar buiten gesleept. Zwaar verminkt lag het voor onze wielen dwars over de weg in het stof. Door vijf man moest het naar de kant worden gesleept voordat we verder konden. Wij hielden onze blikken strak vooruit. Ons doel lag veel verder.

De militairen hadden ons voor gek verklaard. Ze hebben duidelijk laten weten dat zij ons in geval van gevaar met geen mogelijkheid te hulp zouden kunnen komen. Geen kolonist had zich ooit zo ver in het land van de Comanche willen vestigen als mijn John. En wij met hem.

Ik kan niet zeggen dat we niet wisten waartoe dit volk in staat was. James was al eerder met Silas in deze contreien op verkenning geweest. Toen maakte hij deel uit van de reddingsploeg die Josiah Wilbarger heeft teruggevonden. Wilbarger was na een verschrikkelijke overval al opgegeven toen een jong meisje, dat hem in haar droom had gezien, de mannen smeekte nog één keer uit te rijden. Die rit troffen ze hem aan precies zoals hij aan haar was verschenen: in de kruin van een oude eikenboom, naakt en van top tot teen bebloed. Daar had de ongelukkige zich schuilgehouden nadat zijn scalp door een krijger van de Comanche tot op de schedel was weggesneden en in triomf meegevoerd. Wilbarger overleefde het. Het enige wat hij er uiteindelijk aan overhield was dat hij nooit kon uitgaan zonder een beverbonten hoedje. De gelukkigste man van Amerika noemden zij hem.

Geluk betekent voor iedereen iets anders.

De Parkers zijn nooit bang geweest voor indianen. Johns vader en grootvader hadden tegen ze gevochten van Georgia en Tennessee tot Illinois, en zonder uitzondering hadden zij hun vijanden verslagen. Dit stelde me gerust.

Dat de Comanche gevaarlijker waren dan de stammen die verder naar het noorden leefden wisten wij ook. Silas kende talloze verhalen die nog veel gruwelijker waren dan dat van Wilbarger. Daarover werd ook openlijk gesproken. John vond het belangrijk dat ieder van ons wist waar hij aan toe was. Bovendien, zei hij, zou God ons offer des te meer waarderen als Hij begreep dat wij er goed van waren doordrongen welk risico wij liepen. De ergste voorvallen werden dus niet voor ons, zelfs niet voor de kinderen, verzwegen. Maar als je iets hoort dringt het minder tot je door dan wanneer je het meemaakt.

Ondanks dit alles hebben wij nooit de mening gedeeld van andere kolonisten, die de Comanche niet als mensen zagen maar als dieren en graag verkondigden dat iedere indiaan of Mexicaan die op hun pad kwam moest worden geveld als bomen in een bos. Later, nadat wij hen dan eenmaal goed hadden leren kennen, had ik moeite mij ons oorspronkelijke gevoel over dit volk te herinneren, maar toch... Als wij hen niet van begin af aan als mensen hadden gezien, mensen met een hart en een ziel zoals die van ons, dan hadden wij toch zeker nooit al die moeite genomen hen te komen bekeren? En daarbij, onderweg zagen wij genoeg voorbeelden van vreedzame indianen om goede hoop te houden. We zijn Arapaho's tegengekomen die – net als veel Wichita – met kolonisten in harmonie leefden. Bij Fort Brown verbleven zelfs enkele Comanche altijd in nabijheid van de militairen, die hen in ruil voor bemiddeling voorzagen van water en voedsel. Hierdoor kregen sommigen al hoop op een duurzaam bestand dat een eind zou maken aan het bloedvergieten.

Ach, ik lieg. Natuurlijk was ik als de dood. Toen nog wel. Ik had alleen geleerd het niet te tonen. Ik beet op de binnenkant van mijn wangen, ik drukte mijn nagels in de palm van mijn hand tot het bloed erin stond, en wanneer er niemand in de buurt was, sloeg ik net zo lang met mijn handen tegen een rots tot de tranen in mijn ogen sprongen. Tranen verzuipen de angst. Dat had ik al vroeg geleerd. Ze zuigen alle aandacht die je naar buiten had gericht weer naar binnen. Een mens kan niet huilen en bang zijn tegelijk. Hetzelfde geldt voor troosten. Niks beter tegen je eigen zenuwen dan die van een ander.

Die eerste nacht aan de Navasota, op de plek waar ons fort moest komen, overnachtten we in onze wagens. De mannen sliepen bij de mannen, de vrouwen bij de vrouwen en de kinderen bij hun moeders. Dit waren we de hele reis al zo gewend. John was zelf een man van sterke driften. Hij wist als geen ander dat je bepaalde natuurlijke aandrang alleen kunt intomen met strakke teugel en een harde zweep. In zijn preken vergeleek hij onze karavaan wel met de ark van Noach en de eindeloze vlakten met de uitzichtloze golven van de zondvloed. Als alle dieren tijdens die reis hadden gepaard, hield hij ons voor, zou de boot zeker onder het gewicht van alle pasgeborenen zijn gezonken. Maar de beesten hadden zich ingehouden totdat zij hun bestemming zagen, en eenzelfde goddelijke zelfbeheersing verlangde John van ons. Tot ons fort gebouwd was en sterk genoeg om ons van daaruit te weren, moesten wij beweeglijk blijven en altijd klaar om te vluchten. Zuigelingen zouden ons kunnen ophouden en in gevaar brengen. Daarom hield John de mannen en vrouwen in de nacht gescheiden. Dit was niet altijd afdoende, want tweemaal hebben wij onderweg een miskraam moeten begraven, en Rachel had in februari, kort voordat wij Texas binnentrokken, de kleine James Pratt gebaard.

Zij en Luther waren bang geweest dat John in woede zou ontsteken, maar ik kende hem. Bij de aanblik van zijn eerste achterkleinkind smolt hij weg. Hij was een van die mannen die ontzettend hun best doen ruw en toornig te lijken, terwijl onder hun gefronste wenkbrauwen hun ogen glimmen van voldoening. Je zag onder zijn baard zijn wangen bollen van pret. Even leek het erop dat hij zich zou vermannen en stichtelijk van wal wilde steken. Zijn vinger priemde al in de lucht toen ik zijn blik ving. Daarop liet hij schuldbewust zijn hand zakken en besloot het kleintje dan maar op te pakken. Toen het mormel leek te lachen en probeerde zijn overgrootvader bij zijn dikke rode neus te grijpen was het iedereen duidelijk dat elke vermaning van de baan was. En bovendien, John had de jonge mensen moeilijk kunnen berispen voor een overtreding die hij zelf, oud en wijs, met enige regelmaat beging. Ondanks zijn jaren hield hij de driften van een jongeman. Ik had die opnieuw in zijn lendenen doen ontbranden, fluisterde hij me vaak toe, een wapenfeit waarop ik me tegenover de andere vrouwen schaamteloos beroemde. Het gevolg was dat ik ondanks het regime zo om de week gewekt werd door het overhellen van de wagen en het kraken van de veren wanneer mijn man en minnaar zich niet langer kon beheersen en in het holst van de nacht naar binnen klom.

'Of had je verwacht dat de geboden van een sterveling even dwingend konden zijn als die van onze Heer?' bromde hij op een nacht toen ik hem met zijn ondeugd plaagde. 'Prijs je liever gelukkig, vrouw, dat ik je zo'n machtig argument voor Zijn verhevenheid in handen geef.'

Toen ik midden in die eerste nacht op ons nieuwe land aan de Navasota mijn wagen voelde overhellen, dacht ik dus dat hij het was. Ik had al gehoopt dat hij onze aankomst met mij zou komen vieren. De rust die in ons hart kwam nu onze tocht ten einde leek, deed ons lichaam smachten naar ontlading. Ik trapte mijn laken van me af, deed mijn haar omhoog en rolde op mijn buik, zoals hij het graag had. Maar in plaats van zijn grote handen en zijn schurende lust voelde ik twee kleine lijfjes.

Cynthia Ann kroop bij me, en omdat ze haar moeder had beloofd over haar kleine broertje te waken had ze kleine John maar meegenomen. Hij viel meteen in slaap, maar mijn meisje rilde. Ze verborg haar gezicht tussen mijn borsten, alsof ze ergens van geschrokken was.

'Wat nou dan toch? Hartje van me!'

Ze wilde het eerst niet zeggen. Ik wiegde haar een tijd.

'Is dit echt de plek waar we gaan blijven?' vroeg ze uiteindelijk.

'Dit is hem,' lachte ik. 'Ja hoor engel, hier is het, dit is echt de plek.'

Ze slikte en zweeg.

'Opa heeft het je toch uitgelegd? Hier gaan wij wonen. Allemaal. Morgenochtend beginnen ze te bouwen. Jij krijgt vast een mooi bed, denk je niet? Naast het mijne, lieve schat van me, dan kun je elke nacht bij me kruipen als je wilt. Vind je het niet heerlijk hier met de rivier? Als je nou goed luistert, luister eens, dan kun je de vissen horen. "Welkom Cynthia Ann!" roepen ze. "Kom je morgen met ons zwemmen, meisje? Kom je samen met ons spelen?" Hoor je het dan niet? O nee, je hebt gelijk, nou zwijgen ze ineens. Gek, ik hoorde ze daarnet toch duidelijk, die donderstenen!' Zo ratelde ik verder maar ze leek het niet te horen.

'Ik ga hier niet zwemmen,' onderbrak ze me boos. 'Nooit ga ik hier zwemmen. En wonen ga ik hier ook niet. Wij zouden een eigen land krijgen, dat heeft opa ons beloofd. Dat het geluk hier voor het oprapen ligt, dat heeft hij gezegd. Hij zei het, niet zomaar één keer heeft hij dat gezegd, maar elke week, elke zondag weer. Maar hier ligt nergens iets zo ver je kijken kan, dat zie jij toch ook, Granny, geluk al helemaal niet!'

'Misschien is het een soort geluk dat je niet zomaar kunt zien,' probeerde ik, 'maar geluk waarin je moet geloven.'

'Ik geloof opa nooit meer. Nooit meer! Een eigen land zouden wij krijgen. Hij vergist zich. Dat kan niet anders. Het is niet hier. Hier is niks. Wil jij het hem niet zeggen? Dat hij zich vergist. Een land heeft wegen en boerderijen en kinderen om mee te spelen en buren die langskomen om appels met stroop uit te delen. Ik heb genoeg land gezien om te weten hoe land eruitziet. En dit is geen land. Die hele reis,' en ze begon ineens te snikken, 'die hele reis!'

Ik suste haar en aaide haar en zonder ophouden drukte ik kussen op haar voorhoofd, op haar wangen, op haar handen, ik kneedde ze zoals ze dat altijd lekker vond, maar ondertussen sloeg mijn hart op hol. Haar twijfel had in mij iets aangestoken wat dwars door mijn geloof woekerde en elk houvast probeerde te verzwelgen. Anders kan ik het niet uitleggen. Ineens viel ook mij alles zó tegen. Zomaar ineens, omdat ik het door haar ogen zag. Deze plek, dit hele bestaan. Reizen geeft zo veel meer hoop dan aankomen. En griezelig mengde mijn onverwachte paniek zich met een hunkering naar John, pervers, die in mij laaide zoals ik die nooit eerder had gevoeld. Alsof hij en ik nog maar een enkele nacht hadden te gaan, nog maar één nacht om alles van elkaar te weten te komen, elkaars lichaam te verkennen, elkaars gedachten te raden. Alsof ons niet meer dan een paar uur restte die wij nu gedwongen werden zonder elkaar door te brengen. Ineens dacht ik iets wat ik nooit eerder had gedacht: dat ik mijn verstand zou verliezen als ik hier ooit zonder hem zou moeten verder leven. En tegelijk was ik woedend op hem – ik kan het niet verklaren –, woedend! Alsof hij mij alles had afgenomen. Waarom kwam hij me niet opzoeken? Voelde hij mijn onrust niet? Ik had zijn lichaam nodig om mij troost te geven, om me gerust te stellen, om mijn zinnen te verzetten, mijn gedachten af te leiden, maar hij kwam niet! Het gemis liet mij zo akelig leeg achter dat ook ik, net als het kind, met stille stoten naar lucht begon te happen. Ik zoog mijn wangen naar binnen en beet erop uit alle macht.

'Het is al goed,' hoorde ik Cynthia Ann ineens zeggen. 'Morgen, Granny, morgen gaan we met de vissen zwemmen.' Ze haalde haar kleine vingers een paar keer als een kam door mijn haar, zoals ze wel deed wanneer ze het mocht vlechten. 'Als we het hier nergens kunnen oprapen dan moeten we maar zonder geluk gelukkig zien te worden.'

3

En ik maar denken dat die tocht naar onze onbekende bestemming het zwaarste was wat ik in mijn leven zou moeten volbrengen.

Kun je zien hoeveel ik van leven wist.

Niet dat ik iets heb laten merken. Nooit, de hele weg lang niet. Als mijn kop onder de spanning dreigde te bezwijken, leidde ik mezelf af door mijn lijf zwaarder te belasten. Klagen kwam niet in me op. Dan pakte ik liever een kind dat niet meer verder kon en nam het op mijn schouders. Ik zong om het te kalmeren. Dat gaf ons allebei moed. Als ik dit avontuur maar tot een goed einde breng, dacht ik, dan begint mijn leven.

Het enige wat begon, toen wij onze plek aan de Navasota eenmaal hadden gekozen, was de bouw van het fort. Het was een kwestie van dagen voordat onze omzwervingen, die bijna twee jaar hadden gekost, mij begonnen voor te komen als een vrolijke familiepicknick.

Het dagelijkse ritme van de trektocht had plaatsgemaakt voor een ploegendienst. Zwoegen en zwijgen, meer was het niet. Wilden we het overleven dan moesten we onze verdediging snel opzetten, voordat de indianen er lucht van kregen dat wij niet op doorreis waren maar ons in hun gebied wilden vestigen. Iedere volwassene kreeg twee taken, één voor overdag, een andere voor de nacht. Zelfs de zondagsrust werd hieraan opgeofferd. Na een korte preek waarin John ons werk omschreef als eredienst aan Hem, vroeg hij ons de schoppen en de bijlen weer op te pakken. De kinderen werden zo veel mogelijk ontzien, maar konden op elk uur worden ingezet voor losse en onvoorziene klussen. Ze bleven in de buurt van hun ouders en hielpen met de aan- en afvoer van materialen. Zo werkten we door, ook op het heetst van de dag, wanneer de zon blaren trok dwars door je kleding heen, en in de nacht, waarin we bij maanlicht werkten of anders met kleine olielampen, om zo min mogelijk aandacht te trekken. Geen moment kon je er namelijk zeker van zijn dat je niet vanaf de heuvels, vanuit de vlakte of de bosschages in de gaten werd gehouden of misschien door een zwemmende verkenner vanuit de rivier werd bespied.

Soms verstarde ik ineens, zo zeker dacht ik dan te voelen dat ik werd bekeken, al had ik met geen mogelijkheid kunnen zeggen door hoeveel man of waarvandaan. Dan rechtte ik mijn rug, zo beheerst als ik kon, en staarde strak in de verte, alsof ik ze aankeek. Dit gaf mij wat moed, net te doen alsof ik ze ontdekt had en nu op mijn beurt hen bespiedde. Zo bleef ik staan, terwijl ik mijn hart uit alle macht weer in zijn ritme dwong. Hooghartig keek ik terug, brutaal, ook al was het hoogstwaarschijnlijk naar niets.

Tussendoor werden we geacht een paar uur slaap te vinden, maar vaak schoot dat erbij in. Van mij en Lucy werd bovendien verwacht dat we de maaltijden op vaste uren opdienden en een extra stuk vlees om middernacht, ook al hadden wij een hele dag staan graven of zagen. Onze handen lagen door het veldwerk zo open dat wij de pannen alleen konden aanpakken als we onze wonden met repen katoen omwikkelden. Zo had iedereen iets en niemand deed daar moeilijk over. Het moest immers gebeuren. De veiligheid van onze kinderen hing ervan af. Ik zette mijn schouders eronder, want als het fort eenmaal staat, dacht ik, dan begint mijn leven.

Eerst moest het terrein worden geëffend. De bestaande begroeiing diende te worden gerooid en geruimd. Grote stenen werden met vereende krachten uit de grond getrokken, kleine verzameld en in jutezakken weggedragen. Overal klonk het splijten en vergruizen van stukken rots tot ook die als puin konden worden afgevoerd. Heuvels werden afgegraven en gaten opgevuld. Na zes vergeefse pogingen werd bij de zevende water gevonden. Er werd een put geslagen, die van binnen met planken werd verstevigd en daarna verdiept en gezuiverd moest worden door het opbaggeren van duizenden emmers modder. Eiken werden omgehakt en gespleten, de takken tot brandhout versnipperd, de delen tot planken gezaagd en geschaafd. Ladders werden gebonden en stellingen opgetrokken. Ondertussen werden ceders van knoesten ontdaan en staken in de grond gedreven, zodat er zo snel mogelijk een begin kon worden gemaakt met de palissade die ons moest gaan beschermen. De grond waarop onze hutten zouden rusten werd aangeplempt en de staketsels opgezet. Kapotte assen en hoefijzers die wij in de jaren van onze reis hadden opgespaard werden ondertussen omgesmolten en tot spijkers, ankers en beitels geslagen. Hiermee begon de opbouw van de woonkwartieren. Het is ontzagwekkend hoeveel gewillige handen voor elkaar kunnen krijgen onder een bezielende leiding. Binnen twee weken staken de omtrekken van het fort af tegen de hemel, die geel zag van het zand dat wij met ons werk deden opwaaien.

Tegelijk moesten we nabijgelegen velden zaairijp maken en gewassen vinden waarmee we onszelf tot de eerste eigen oogst zouden kunnen voeden. Knollen, zaden en vruchten werden naar het fort gebracht, gezuiverd en op zout of suiker ingemaakt, zodat wij voorraad zouden hebben in geval van een belegering. Ook werden er drijfjachten gehouden, waarna bizons, herten en gaffelantilopen werden geslacht, gevild en ingelegd. De huiden werden geschraapt en gelooid. Een deel daarvan werd tot grote lappen aaneengenaaid, zodat ze ons als vloer- en dakbedekking konden dienen. De rest bewaarden we om op een later tijdstip schoenen, hoeden, zadels en weitassen van te maken. Voor ons vee, dat ons van melk en vers vlees voorzag, werd een plek gevonden om te grazen en voor de paarden en de muildieren werden stallen opgericht en een drenkplaats, waarover we een zeildoek spanden dat hen tegen de zon moest beschermen. Ondertussen ging het gewone werk ook door. De vulling van alle strozakken moest worden ververst vanwege de wantsen en de juten hulsels werden elke dag gespoeld om de luizen te verzuipen. Er moesten voortdurend kleren versteld worden, die door het vele werk snel sleten, en zieken moesten worden verzorgd. Drie van ons werden te grazen genomen door slangen die door ons werk uit hun schuilplaatsen waren verjaagd en doelloos en woedend over het terrein schoten, soms hele nesten tegelijk. Bij hun slachtoffers werd het gif weggesneden. Beten van schorpioenen, waarvan er heel wat meer waren, zogen we alleen uit om ze daarna met azijn te ontsmetten. Regelmatig moesten vrouwen en mannen die door de hitte waren flauwgevallen worden bijgebracht met netels en natte kompressen. Blaren smeerden we in met zalf die we vijzelden uit cactusblad en bepaalde waterplanten. De meeste sneden konden we met linnen binden, op twee na, waarvan ikzelf de huid met naald en garen weer bijeenbracht. Echte ongelukken bleven ons bespaard, al maakte Silas op een namiddag een lelijke smak toen hij op het dak aan het werk was, en verloor David Faulkenberry, die zich onderweg bij ons had aangesloten, door zijn eigen stommiteit twee vingers bij het zagen.

Mijn enige zorg had ik om Rachel, die zienderogen verzwakte. Het meisje, net zestien, droeg haar zoontje in een doek tegen haar borst, maar ze wilde zich niet minder nuttig tonen dan de rest. Misschien voelde ze zich schuldig of was ze bang dat ze ons met alle extra zorg voor haar kleintje in gevaar zou brengen. In plaats van zich zo kort na haar bevalling een beetje te ontzien zette ze zich juist met dubbele kracht in. Dit was een stommiteit waar geen mens voordeel bij had, want binnen de kortste keren brak het haar op. Steeds weer dreigde ze door haar benen te zakken, zodat een ander zijn werk moest neerleggen om haar in de schaduw te brengen. Er moest water voor haar worden gehaald en de verzorging van de pasgeboren James kwam een tijd voor andermans rekening. Toen ik op een ochtend in haar wagen klom om iets te pakken en zag hoeveel moeite het haar kostte van haar stromatras omhoog te komen, heb ik haar verboden voorlopig ook nog maar iets te doen. Dit ging niet zonder slag of stoot. Ik moest haar flink onderhouden over de eerste verplichting die een moeder heeft: sterk zijn voor haar kind. Pas nadat ik haar in geuren en kleuren had geschilderd hoe dat wezen voor onze ogen zou wegkwijnen als zij de geest zou geven, gaf Rachel haar verzet op. Ik kleedde haar en zag haar borsten. Die waren ingevallen en door het kleintje paars gezogen, omdat er niets meer uitkwam. Ik zoette wat van de melk die ik had gestremd met de maag van het kalf dat Benjamin die zondag had geslacht en speende daarmee de kleine James Pratt, waarna we urenlang geen kind meer aan hem hadden.

Die tijd benutte ik door Rachel mee naar de rivier te nemen. Alle mannen waren aan het werk, zodat wij ongezien zouden kunnen baden. We vonden een plek stroomopwaarts voorbij de eerste bocht. Daar was de oever hoog, zodat wij volledig uit het zicht van het fort waren en ook onze onderkleding konden afleggen. Rachel had mijn steun nog nodig om de helling af te komen, maar de koeling deed haar goed, zoals ik had gehoopt. Zachtjes kneedde ik haar hals en rug en voelde haar lichaam onder mijn aanraking ontspannen. Ik waste haar haren, zij de mijne. We lieten ons een eindje meedrijven en zwommen terug. Ik dacht wel aan de anderen, die verderop zo aan het zwoegen waren, maar de weldaad deed ook mij zo goed dat ik geen haast maakte. Ik hield mezelf voor dat het in ieders belang was dat Rachel zo snel mogelijk de handen weer uit de mouwen zou kunnen steken en dat zij door deze behandeling vast en zeker snel zou herstellen.

Ik vouwde mijn vuisten samen en sloeg er uit alle macht mee op het water om haar nat te spatten. Het meisje gilde van schrik, maar daarna verscheen er een lach op haar gezicht zoals ik die in geen tijden had gezien. Zij nam wraak door op mijn schouders te duiken, zodat ik kopje-onder ging. Zo stoeiden wij een tijd, gierend van plezier. We stonden tot ons middel in het water. Rachel maaide met haar armen. Ik deed mijn best de plenzen af te weren die door die grote handen van haar werden opgeworpen als door de schoepen van een waterrad, toen zij ineens verstijfde met haar blik strak gericht op de oever achter mij.

Haar schrik was zo plotseling dat de glimlach op haar gezicht was versteend. Even dacht ik dat het bij het spel hoorde, maar toen liet ze zich langzaam tot aan haar hals in het water zakken. Behoedzaam draaide ik me om en stond oog in oog met een groep van acht gewapende Comanche.

Zij zaten roerloos te paard en staarden naar ons zoals wij naar hen. Dit duurde zeker enkele minuten. Al die tijd bleef ik hen strak aankijken. Elk moment kon iemand nu het initiatief nemen en ik wilde niet dat zij het zouden zijn, dus ik vermande me. Ik kon Rachel niet zien, maar hoopte dat zij genoeg wilskracht had.

'Ik ga aan wal,' sprak ik zonder me naar haar toe te draaien, 'kom mee.'

'Ik ben naakt,' antwoordde ze, zonder dat haar stem brak.

'Ik soms niet? Het zijn volwassen mannen, ze hebben vaker vrouwen gezien.'

Ik waadde naar de kant, mijn blik niet minder trots dan die van onze belagers. Ik kwam uit het water, maar Rachel volgde mij niet.

'Ik kan niet,' zei ze fluisterend. 'Ik schaam me.'

Intussen stond ik voor alle ogen te kijk.

'In hetzelfde tenue moet je op een dag voor God verschijnen,' beet ik haar toe, 'denk je dat een stel wilden hogere eisen aan je kleding stelt?'

Daarop hoorde ik beweging in het water. Zodra het meisje naast me stond, pakte ze mijn hand.

Een van de mannen lachte en zei iets tegen zijn vrienden. We moesten onszelf dwingen om niet weg te hollen. Zo kalm mogelijk liepen we naar onze kleren, die we over een struik hadden gehangen. De katoen bleef stroef en strak aan onze natte huid plakken, maar we lieten het zitten zoals het viel en verdeden geen moeite aan knopen en strikken. In onze open hemden begonnen we langzaam in de richting van het fort te lopen. De ruiters volgden. Ze kwamen ons zo te na, dat ik de warme flank van een van de paarden tegen mijn huid kon voelen trillen.

Halverwege dacht ik dat Rachel zou bezwijken, zo snel, zo benauwd ademde ze, maar zij hield stand. Zodra het fort in zicht kwam hield de groep halt. Wij liepen verder, ook al vreesde ik dat zij ons elk moment met hun pijlen in de rug zouden treffen. Wij bereikten de anderen echter ongeschonden. Zodra iedereen gealarmeerd was reden onze mannen uit om de Comanche uit ons gebied te verjagen en zo nodig te doden, maar die waren de kreek in gereden en daar liepen hun sporen dood.

Direct werd de bouw van de woonhutten stilgelegd en alle mankracht aangewend om de omheining te sluiten. Hiervoor waren nog twee weken nodig, maar toen omsloot deze muur, gebouwd van scherpe spiesen, twaalf voet hoog, dan ook een gebied van anderhalve morgen waarbinnen wij ons veilig wisten. Hierop maakten wij voor onze paarden een kraal en een kooi voor het kleinvee, zodat wij een belegering zonder honger zouden kunnen doorstaan. Er was een grote poort op het zuiden en een smalle deur op het zuidwesten, waardoor we in geval van nood de velden konden bereiken zonder onze verdediging te openen. Op twee hoeken waren uitzichtposten en bastions van waaruit we bij een aanval konden vuren.

Men ging er helemaal van uit dat de groep die ons had gevonden verkenners waren die met versterking zouden terugkomen, want nog nooit hadden Comanche een vaste nederzetting ongemoeid gelaten, maar wij hebben geen van hen ooit teruggezien.

Tegen de binnenmuur werden zes blokhutten neergezet. Ze waren klein en laag, maar hadden allemaal een schoorsteen. Bedden zaten aan de muur gespijkerd. De vloer bestond uit aangestampte aarde. Daarin moesten we met zijn allen wonen totdat onze kolonie zou zijn uitgebreid met andere families, waarvan er sommige al op weg waren. De Anglins, de Nixons en de gebroeders Frost waren de eersten die arriveerden. Zodra we met genoeg waren om onze positie te versterken begon de bouw van boerderijen in de buurt. Tot die tijd leefden John en ik met onze naasten in de hutten. Het leven binnen de muren was niet ruim. Alleen bij toerbeurt konden echtparen zich in de slaapruimte samen terugtrekken, iets waarover na de eerste gêne gewoon afspraken werden gemaakt en waarvoor vaste uren werden afgesproken. Deze benauwing werd meer dan goed gemaakt door de weidsheid van ons land. Duizenden vruchtbare hectaren, allemaal van ons, lagen rondom te wachten op onze ploegen.

Waarom zou ik niet van dat land houden? Het was onze beloning. We hadden het verdiend.

Niet dat ik er meteen thuis was. Zolang er gebouwd werd en wij nog aan de rivier kampeerden bleef ik een vreemde, iemand die het land niet kent en er niet thuishoort. Het ongemak en de angst schrikken me niet af, maar ze hielden mij klein en mijn ambities in toom. Overweldigd door de natuur en nietig tegenover God voelde ik stil ontzag voor de wilden die jaar in jaar uit in deze ruigte wisten te overleven. Ik wist niets van hun methodes en was eigenlijk wel benieuwd. Zij kenden geheimen waarmee wij, die deze nieuwe manier van leven nog helemaal moesten ontdekken, ons voordeel hadden kunnen doen. Onwerkelijk, het idee dat wij deze verlatenheid voortaan zouden delen, zij en ik. Ik kon me soms nauwelijks voorstellen dat ik hier zou overleven.

De avond waarop de poorten van Fort Parker voor het eerst van binnenuit vergrendeld konden worden, begon het al meer te voelen als een thuis. Iedereen was opgelucht en er werd feestgevierd. Ik raakte overweldigd door een dankbaarheid zo groot dat ik van gekheid niet wist op wie ik die moest richten. Ik viel iedereen om de hals, maar was me er ook goed van bewust hoeveel ik zelf aan dit geluk had bijgedragen. De langverwachte bescherming werkte weldadig, alsof je je op een koude nacht in een deken wikkelt. Ik voelde me verantwoordelijk voor de gebouwen en verbonden met de grond, niet alleen binnen de palissade maar tot in de verste uithoeken van ons bezit. Het duurde niet lang of ik begon schoonheid te ontdekken waar ik eerst alleen gevaar zag. Het huilen van een wolf, het loerend grijnzen van een lynx, alles waarvan ik eerder gruwde kon mij nu ineens raken. Ik begon eropuit te trekken, altijd gewapend, want na onze ontmoeting tijdens het baden liep niemand meer zonder geweer. Ik kon rijden als een kerel en had, zoals de meeste vrouwen, een scherper oog. Om de paar dagen trok ik eropuit om het land te leren kennen dat van ons was. Hoe meer ik zag, hoe meer ik ervan hield. Ik ontdekte dat er tussen de barsten van de gedroogde aarde roze bloempjes groeien die tegen alle verwachting in voedsel weten te trekken uit de steen. In de poelen van de drooggevallen kreken, leerde ik, krioelt het van het leven. Ik zag adelaars nestelen en haviken en leerde de geluiden onderscheiden van de phoebe en de kardinaalvogel. Ik herkende de towhee aan het geluid dat hij maakt als hij voedsel zoekt tussen de dorre bladeren, en niet ver van het fort ontdekte ik een struik met grote oranje en paarse kelken waaruit kolibries komen drinken. Zodra het even kon, begaf ik me tussen het fluistergras. De halmen groeien midden op de prairie en kunnen hoger worden dan een mens. Wanneer de wind erdoorheen blaast zou je zweren dat je stemmen hoort. Uren bracht ik zoet met niets anders dan daartussen te liggen en te luisteren. Zonder zorgen aan mijn hoofd was mijn ziel vrij om alle kanten op te vliegen. Ik hoorde in het geritsel woorden zoals mensen die naar de wolken kijken vormen zien. Ze zijn er niet en toch herken je ze. Het was een spel, maar ik gaf me er met hart en ziel aan over. De woorden die ik meende op te vangen stelden me gerust zoals een kind kalmeert van de sussende geluidjes van zijn moeder: ze hoeven niets te betekenen om effect te hebben. Daarbij kwam het nooit bij mij op dat er niet alleen voor míjn oren gefluisterd werd. Dat er misschien verderop in het gras iemand lag die ze ook kon horen. Op zulke momenten leek het ondenkbaar dat deze grond aan iemand anders dan aan mij kon toebehoren. Ik vergat de Comanche niet, integendeel. In het open veld was ik altijd op mijn hoede en luisterde ik lange tijd of ik ergens iets hoorde voordat ik een vallei binnenging.

Op al mijn tochten ben ik maar één keer op een indiaan gestuit. Het was een man alleen, die terugkwam van de jacht. Hij had een ocelot gevangen, die hij achter zijn paard meesleepte. Ik hield mij schuil, maar hij had mij al ontdekt en kwam zien wie ik was. Wij keken elkaar in de ogen. Dat was genoeg om mij gerust te stellen. Ik liet mijn geweer zakken en we reden uiteen. Die avond pas, toen mijn opwinding ging liggen, drong het tot mij door dat hij mij net zo goed als een indringer moet hebben gezien als ik hem.

Die zomer herinner ik mij als mijn gelukkigste. Voor het eerst in jaren stond John zich wat ontspanning toe. Hij liet zich meevoeren naar de plekken die mij dierbaar waren geworden. Ik geloof dat het hem ook plezier deed te zien hoe ik na de lange uitputting opleefde. Ik had mijn haren bijgeknipt, kamde ze weer regelmatig uit en nam de moeite de vlechten telkens een beetje anders op te draaien. Van fris linnen had ik een nieuwe jurk genaaid. Van sap dat ik aan het blad van de agave onttrok bereidde ik een zalf, die ik met sleutelbloemen en honing parfumeerde. Hiermee waste ik me haast elke avond.

De opleving die mijn verschijning bij de oude man teweegbracht, maakte me vrolijk. Alle plezier waarvan ik vreesde dat het door de hitte van Texas was ingedroogd, vloeide in mij terug. Eerlijk gezegd herinner ik me van die maanden weinig meer dan dit ene beeld, maar alle geluk is erin samengebald: John en ik liggen in elkaars armen onder de struik met de kelken naar de kolibries te kijken. We houden ons doodstil om ze niet af te schrikken, maar iedere keer als er een komt aangevlogen, stoten we elkaar aan en piepen van plezier.

Het is niks en het is alles. Meer stelt geluk nu eenmaal niet voor. Ik heb het gekend, daar gaat het om. Gek dat het op het geheugen zo veel minder indruk maakt dan ellende.

Ook de anderen namen hun beloning voor het harde werk. Ik denk dat we het plezier in elkaar aanwakkerden. Zelfs degenen die de afgelopen weken hadden gewanhoopt – en van hen waren er genoeg – en die we het uit hun hoofd hadden moeten praten de terugtocht in hun eentje te wagen, leken nu tevreden met de uitkomst van de hele onderneming, en ze hadden beste hoop voor de toekomst. Geen zondag lieten we meer voorbijgaan zonder viering. Ons geloof in God versterkte ons geloof in onszelf en andersom. Wij richtten dan grote maaltijden aan, waarbij iedereen aanzat. Toen de Anglins en de Nixons ons bereikten werd daarbij ook gedanst, want zij hadden een tamboerijn meegenomen. Samuel Frost speelde viool, waarbij zijn broer Robert hem begeleidde op een varkensblaas.

Die zomer heeft Cynthia Ann leren dansen. Van mij. Ik heb haar de passen van de jig voorgedaan en met haar handen op mijn heupen leidde ik haar door de quadrille. Ook zij leek haar teleurstelling van onze aankomst hier vergeten. Die engel hoste onvermoeibaar tot haar konen ervan gloeiden. Een eigenaardig gevoel voor ritme had ze. Na een tijdje leek het of ze alles om zich heen vergat. Dan liet ze me los en ging haar eigen gang. Ze stampte met haar voeten en schudde met haar buik. Ik was weleens bang dat ze zich zou bezeren, zo tolde ze rond. Ze wierp haar hoofd in haar nek, schudde met haar lange haren – vraag me niet waar ze het vandaan haalde –, terwijl ze een lied zong met allemaal onzinwoorden op een zelfbedachte melodie. Iedereen lachte, maar zolang ze bezig bleef had ze dat niet door. Ik was gewoon jaloers op het gemak waarmee ze alles kon vergeten alsof ze een andere wereld binnen was gedanst. Heb ik dat op die leeftijd ook zo gekund? vroeg ik me af.

Cynthia Anns dansen eindigden altijd abrupt, ook al speelde de muziek gewoon door. Als ze stopte had ze altijd een paar tellen nodig om tot zichzelf te komen. Merkte ze dat er nog iemand om haar zat te lachen dan werd ze kwaad. Het dansen was haar ernst. Zij wilde dat wij haar optreden serieus namen, maar dat was echt te veel gevraagd.

Overdag kregen de kinderen een aantal uren les voordat ze het veld op gingen. Het ging naast bijbelkennis vooral om praktisch onderricht dat hun in het latere leven van nut kon zijn. Omdat ikzelf een beetje kon schrijven onderwees ik het alfabet, en als ze aanleg toonden las ik een stuk met hen in de psalmen of ik deed hun voor hoe je een brief kon maken. Regelmatig kwam een van de mannen in onze klas om te vertellen. Dat kon gaan over de landbouw, over plekken die hij had bezocht of over opmerkelijke dingen die hij in zijn leven had meegemaakt.

Op een dag was het de beurt aan mijn schoonzoon, Martha's man James. Hij zou iets uitleggen over onze politieke situatie. Dat we ons in een land bevonden, vertelde hij, dat van niemand was, maar dat iedereen wilde hebben. De Texanen, die, zoals wij, het land met grote moeite op de natuur aan het veroveren waren, vonden dat het aan niemand anders dan henzelf zou moeten toebehoren. Maar de Mexicanen beschouwden het ook als hun eigen bezit. Het Amerikaanse leger bood geen bescherming omdat het geen conflict met Mexico aandurfde. James roemde grote mannen als Travis en Houston, die streefden naar onafhankelijkheid. Intussen, zei hij, was ons land van niemand anders dan van ons. Hij sprak over indianen die hij had ontmoet. De kinderen luisterden beleefd, maar wilden liever het verhaal van de gescalpeerde Wilbarger horen. Als toegift bracht hij het met alle bombarie van een spookverhaal. Elke keer als het hem lukte de kinderen met een onverwachte gruwel te verrassen, glunderde James helemaal. Maar het vertellen viel hem zwaar, dat zag ik wel. Terwijl hij de pijn beschreef die de man had moeten lijden, verstarde hij. Zijn toon werd meer verbeten, naarmate hij de gebeurtenis levendiger oprakelde. Fel sprak hij over de daders, alsof het hemzelf was overkomen. Daarbij bezigde hij woorden die misschien gewoon zijn onder mannen in een saloon, maar voor kinderen ongeschikt. Ik gebaarde dat hij zich beter in acht moest nemen. Dat deed hij, maar de rest van de les bleef hij geëmotioneerd. Ik had spijt dat ik hem gevraagd had voor de klas te komen, maar de kinderen vonden het prachtig en hielden hem langer bezig dan voorzien. Vooral over onze indianen wilden ze van alles weten, hoe die aten, hoe die reden, welke goden ze aanbaden. Er was in de klas niet één kind dat niet benieuwd was naar de dag waarop het zelf een Comanche zou ontmoeten.

'Zo worden ze genoemd,' zei James, 'maar zo noemen ze zichzelf niet. In hun eigen taal komt die naam niet voor. Die is ze gegeven door de andere stammen en betekent "iedereen die altijd maar met mij wil vechten".'

Hij stak zijn hand vooruit, kronkelend en glibberend als een slang, het gebaar dat stammen maken als zij elkaar willen laten weten dat er Comanche in de buurt zijn.

De kinderen gilden van opwinding terwijl ze het gebaar uitprobeerden. Ik bedankte James en liet hem naar zijn werk terugkeren. De rest van de ochtend heb ik gebruikt om zijn verhaal aan te vullen. Ik vertelde hun dat ikzelf twee keer indianen tegen was gekomen en dat ik beide keren niets te vrezen had gehad. Ik voegde eraan toe dat deze indianen zichzelf gewoonweg 'volk' noemen.

'Niet hét volk,' zei ik, 'maar een volk, omdat ze weten dat zij hier niet alleen wonen. Het zou goed zijn als wij dat ook onthouden.'

Net als ik kenden de Comanche de bloemen die bloeien tussen de scheuren van de opengebarsten aarde. Zij hielden van de vlakten zoals ik ervan hield. Ze wisten van ons bestaan en lieten ons met rust. Door de tirade van James kreeg ik bijna behoefte voor dat volk op te komen, maar ik hield me in en liet de kinderen gaan. Ze renden over de binnenplaats en probeerden elkaar te laten schrikken door het gebaar te maken van de aanvallende slang.

Ik prentte mezelf in dat het onmogelijk was genegenheid te voelen voor wilden die zo gevaarlijk waren. Ik hou van de wolven die 's nachts naar de blauwe maan huilen, maar als ik er een tegenkom schiet ik hem neer.

Hoe langer de indianen ons met rust lieten, hoe meer we durfden te geloven dat ons geluk ook na die zomer voorgoed het onze zou zijn. Dat was een misrekening, ook al kwam het gevaar niet van de vlakten maar uit Mexico.

Na een jaar gevangenschap in Mexico-Stad was onze generaal Austin vrijgelaten. Het regime had hem gebroken. Hij had zich erbij neer moeten leggen dat de regering van Texas voorlopig in Mexicaanse handen bleef. Onder hoeveel vlaggen onze staat ook heeft bestaan, op dat moment waren alle inwoners, ook al kwamen wij uit de Verenigde Staten, bij wet Mexicanen.

Eind september vertrok James met zijn broer Daniel naar San Felipe om ons te vertegenwoordigen op een raadpleging van de voorlopige regering. Een woeste bijeenkomst was dat, die een maand duurde. Hij werd gehouden in een werkende maïsmolen, zodat de gedelegeerden zich alleen schreeuwend verstaanbaar konden maken. Er werd geschoten en gevochten en zo veel gedronken dat zelfs mannen als Bowie en Sam Houston tijdens de vergadering laveloos over de grond rolden. De uitkomst was teleurstellend: er werd voor gekozen dat onze gebieden bij Mexico zouden blijven en dat wij kolonisten onze onenigheden maar met de centrale regering moesten uitvechten.

Het enige goede kwam tot stand dankzij een voorstel van Daniel: er werden drie contingenten soldaten gehuurd tegen een dollar vijfentwintig per dag. Zij moesten de streken beveiligen waar het Amerikaanse leger niet wilde komen. Silas werd aangesteld als leider van deze groep. Zij noemden zich de Texas Rangers en zouden patrouilleren tussen de rivieren de Brazos en de Trinity.

Hiermee leek de veiligheid van Fort Parker verzekerd. Daniel en James waren leden van de vredesmacht, maar de Mexicanen bleken vastbesloten ons tot de laatste man van ons land te verjagen. Ze stuurden de verschrikkelijke Antonio López de Santa Anna op ons af, die werd gevreesd omdat hij in de gebieden waar hij doorheen trok, opgezweept door opium, geen enkele ziel in leven liet.

Dat monster stak in januari 1836 met zevenduizend man de Rio Grande over.

4

Steen en gruis. Meer zie je niet als je over de vlakten uitkijkt. Je ervaart alleen de leegte. Dat er op elke meter planten en dieren worstelen om te overleven, daar denk je niet bij na. Omdat je ze niet ziet. Overal liggen sporen van de bizons die er gisteren overheen zijn gehold, en toch waan je je alleen. Als hun gedreun is weggestorven, lijkt de rust die rest je eindeloos.

Zo lijkt mijn leven mij nu vooral wachten. Eentonig zijn de dagen. Het wordt steeds moeilijker me voor te stellen dat het anders is geweest, dat het leven ooit op hol is geslagen en over mij heen is gedenderd. Overal vind ik daarvan de sporen en toch, het is vandaag de dag zo stil.

Dat hier zó gestreden is dat dit meisje en die moeder, deze jonge vrouw en dat secreet allemaal in dit ene lichaam hebben gewoond... Mijn gevoel wil mijn verstand maar niet geloven. Ik ken ze wel. Als ik mijn ogen dichtdoe zie ik ze nog voor me, zoals ik de gezichten van overleden vrienden voor me zie. Hun avonturen zijn sterke verhalen geworden die ik oprakel als iemand daarop aandringt. Ik heb met ze meegeleefd. Altijd. Ik heb ze raad gegeven. Een van hen heb ik eigenhandig voor de poorten van de hel weggesleept. Ik heb hun wonden verzorgd en hun kinderen getroost. Ik kan aan ze denken. Ik kan over ze vertellen. Maar dat ik het zelf was? Dat ik dat ben die hun levens heeft geleefd? Ik weet het, maar ik voel het nergens.

Maakt het nog iets uit? Elke dag lijkt tegenwoordig op de vorige. Steen en gruis. Alleen daarmee heb ik te maken. Wie mij hier dag in dag uit ziet zitten suffen kan zich toch ook niet voorstellen welke weg daarvoor moest worden afgelegd?

Maar kniel eens neer, druk je oor tegen de rots. Die hoeven! Ze komen deze kant op. Vanuit de verte zwelt opnieuw het dreunen van de aarde aan.

*

Eind februari 1836 trokken we naar Washington-on-the-Brazos, waar op 1 maart de conventie begon. Nu Mexico onze onderhandelingspogingen beloonde met de moorddadige intocht van Santa Anna moesten wij kolonisten onze positie herzien.

De gedelegeerden kwamen samen in een gebouw dat nog niet af was en aan alle kanten open. De noorder blies. Iedereen stond te bibberen van de kou, maar wij lieten geen vergadering verstek gaan. Omdat alle stemmen golden, hadden wij in Fort Parker alleen de mannen achtergelaten die nodig waren om het te verdedigen. De rest was allemaal meegekomen in de hoop op vrede en nieuwe onderhandelingen, maar wij vonden nauwelijks gehoor. De algemene roep was om de wapens op te nemen en terug te slaan. De gemoederen liepen zo hoog op dat iedereen leek te vergeten hoe armetierig ons leger was. Nu het gevaar uit Mexico zo acuut was, leek het voor de meesten bijzaak dat wij in de regio nog andere vijanden hadden.

Een of andere kerel bood aan voor ons met de indianen te gaan onderhandelen en te proberen hen voor één keer aan onze zijde te laten strijden, maar hij werd weggehoond. Liever raapte men zelf een regiment bij elkaar dan de wilden om hulp te vragen.

Uiteindelijk werd er een onafhankelijkheidsverklaring opgesteld en een regering gevormd, en Sam Houston werd tot bevelvoerder van de manschappen gebombardeerd.

De volgende ochtend werd ik gewekt door iets wat nog het meest leek op een langgerekte scheet. Dit bleek het eerste reveille. Nergens had ons mooie leger een trompet kunnen vinden, dus hadden ze iemand die beweerde dat hij de melodie wel uit zijn bolle wangen kon blazen tot sergeant benoemd. Toen ik het doek van de wagen wegsloeg, zag ik het heerschap nog staan met zijn rechterhand als toeter voor zijn mond. Daarop kwamen onze soldaten aanhobbelen, maar ik stond eerder dan zij op het exercitieterrein om eens te kijken in welke handen mijn toekomst nu eigenlijk lag. Uniformen waren er niet. Ieder had zijn eigen geweer meegebracht. Jonge mannen waren in de minderheid. Het gros van de strijders was rond de veertig, ongewassen en ongeschoren. Omdat ze bang voor de kou waren, droegen ze dikke jassen die in de weg zaten wanneer ze wilden aanleggen. Stram van het paardrijden hadden de meesten van hen moeite een wandeltempo bij te houden.

'Hoe schat u onze kansen in?' vroeg iemand naast me.

De roep om halt te houden drong tot de achterste gelederen te laat door, zodat die tegen de voorste op liepen. Hierna aarzelden verschillenden van onze jongens welke richting met 'rechtsom' kon worden bedoeld.

De kerel naast me schoot in de lach en ik kon mezelf alleen goed houden door hem bestraffend aan te kijken. Ik herkende hem. Het was de man die met de indianen had willen onderhandelen.

'Ik verwacht altijd veel van mensen die goede hoop houden,' sprak ik streng, 'en helemaal niets van degenen die daar de spot mee drijven.'

'Ik spot nooit met iets wat levens in gevaar brengt, zeker niet dat van mijzelf. En nog minder als het iemand als u in gevaar kan brengen.'

Hij was in de twintig. Ik had zijn moeder kunnen zijn. Het gaf dus geen pas zijn flirt te belonen.

'Als u mij zo graag wilt verdedigen, help dan mee, doe wat en ga zelf in dienst.'

'Dat heb ik aangeboden. Ze willen me niet.'

'O,' zei ik, 'dan zijn ze toch wijzer dan ik dacht. Ik krijg ineens weer hoop.'

'Er is hier bijna geen mens die mij graag mag.' Hij lachte brutaal. 'U lijkt me iemand die moet weten hoe dat voelt.'

Het is onuitstaanbaar hoe ik vertederd raak door mannen die mij kwaad proberen te krijgen.

'Ik heb zelf ook goede hoop,' ging hij verder. 'Ik hoop dat u en ik vrienden kunnen worden.'

Hij nam zijn hoed af en stelde zich voor als Holland Coffee.

'Holland Coffee? Wat is dat nou voor soort naam?'

'Het soort dat zich makkelijk laat onthouden. Ik heb een handelspost in de buurt van Taylor. Vraag het wie je wilt en ze weten me te vinden: Holland Coffee aan de monding van Cache Creek. Als u eens voorraden nodig hebt...'

'Cache Creek?' vroeg ik kribbig, omdat zijn flirt een verkooppraatje bleek te zijn. 'Dat is indiaans gebied. Wat komt u hier dan doen?'

'Ik ben door Sam Houston uitgenodigd. En u?'

'Ik? Ik ben hier op uitnodiging van president Andrew Jackson,' schertste ik, omdat ik dacht dat hij loog. Dat bleek ik mis te hebben. Om me niet verder in verlegenheid te brengen deed mijnheer Coffee of hij mijn opmerking niet had gehoord.

'Ik sta met veel indianen op goede voet,' legde hij uit. 'Ik spreek een aantal van hun talen. Het was Houstons idee dat zij ons tegen Mexico van nut zouden kunnen zijn. Ze kennen het terrein en het zijn nietsontziende strijders. Helaas heeft dat plan het niet gehaald en staan we er alleen voor.'

'Geen wonder dat het leger u niet wil,' haalde ik uit, omdat zijn praatjes mij begonnen te irriteren. 'Een indianenvriend? Hoe zouden wij u ooit kunnen vertrouwen?'

Holland Coffee zette zijn hoed weer op. Hij stond op het punt weg te lopen, maar bedacht zich. Hij hield nog even in om mij op mijn plaats te zetten.

'Overigens,' zei hij, 'ik heb president Jackson ontmoet in kamp Holmes. Hij wilde graag dat de indianen zich ten oosten van de Mississippi zouden vestigen en vroeg mij voor hem te bemiddelen. Dat verdrag is er gekomen ook, dat heeft hij u vast weleens verteld. Een allervriendelijkst mens, nietwaar?'

Mijn afkeer voor de man stond op het punt door mijn poriën heen te barsten. Ik had zin hem in zijn gezicht te meppen. En ik had het gedaan ook, als er niet ineens commotie was ontstaan.

Van alle kanten werd er geschreeuwd. De poorten werden opengegooid. Een boodschapper kwam aangestoven. Meer dood dan levend zat hij op zijn paard. Houston moest zijn oor naar de man zijn mond brengen om diens boodschap te verstaan: William Travis en James Bowie, die opdracht hadden de Mexicanen in San Antonio tegen te houden tot Houston zijn leger had getraind, waren met honderdvijfentachtig man afgeslacht in de oude missiekerk waarin ze zich hadden verschanst. Santa Anna stond al voor de Brazos. Boven zijn hoofd wapperde een rode vlag ten teken dat geen mens die werd opgepakt in leven zou worden gelaten en dat er nergens toevlucht zou worden geboden.

Binnen enkele minuten was de conventie voorbij. De gedelegeerden vluchtten alle kanten uit terwijl het leger zich bijeenraapte.

Diezelfde dag begonnen de regens. Wij waren pas op weg en niemand wist hoe dicht Santa Anna ons op de hielen zat, zodat John het niet aandurfde onderweg te stoppen, zelfs niet om onze lading beter af te dekken. Hij wilde de paarden niet eens laten inhouden, uit vrees ze van vermoeienis niet opnieuw in draf te zullen krijgen. Maar de buien dreven niet over. Onze spullen, die we inderhaast in de bak hadden gegooid, raakten doorweekt. De quilt die wij met zo veel liefde hadden genaaid, de waardekist die wij met alle zorg hadden beschilderd, maar ook het voer voor de paarden en ons laatste brood. Ik kon het niet uitstaan. Zelfs onze waterschade gunde ik de Mexicanen niet. Ik bundelde mijn woede, sprong van de bok, rende met de wagen mee en klom erachterop weer in, klauterde over de goederen en begon de wagenzeilen aan te sjorren. Toen alles strak gebonden zat, probeerde ik te redden wat ik kon. Ik droogde het tinbeslag van de familiebijbel en depte de marokijnen band. Aan één kant had de wind het vocht tegen de pagina's geslagen. Opdat ze niet zouden verkleven, trok ik ze zo voorzichtig mogelijk vaneen, terwijl ik vanwege alle kuilen en gaten in het veld heen en weer werd gegooid als een mot in een springboon. Tussen de vele bladwijzers die John geplaatst had bij de stukken waarmee hij tijdens zijn preken de mensen graag vreze aanjoeg, vond ik een tekening van Cynthia Ann.

Zij had me die een keer gegeven.

Niks bijzonders.

Het moest Fort Parker voorstellen. Wat bruine krassen om de omheining aan te geven. Rondom was alles geel – dat was de prairie – met daarin een stekelig groen rondje bij wijze van een cactus. Op de voorgrond liep de rivier, helemaal blauw, met daarin een figuurtje dat zijn handen in de lucht hield. Dat moest ik voorstellen, zwemmend met de vissen, die ze om me heen had afgebeeld als zwarte slangetjes. Kortom, het was een vodje zonder waarde. Nu was het nat geworden. De kleuren waren doorgelopen. Ze hadden afgegeven over heel Matteus 22 en, ik weet het niet... Je kon mij amper nog zien staan tussen de blauwe vlekken en er viel nauwelijks nog ergens uit op te maken dat ik mijn armen ooit juichend in de lucht had gestoken en dit, ineens – wat is dat in een mens? –, zo'n onnozelheid brak onverwacht nu mijn moreel. Van het ene moment op het andere zag ik geen enkele hoop meer. Liever was ik ter plekke dood gebleven dan zonder deze tekening verder te moeten. Niet het gevaar te worden afgeslacht, niet de desolate uithoek van de wereld die voorgoed de mijne was, geen angst voor ziekte, honger of ouderdom, geen uitzichtloze onderneming had mij ooit zo aangetast als deze tegenslag van niks. Ik begreep het zelf niet, maar ik kon mijn tranen niet meer keren en liet me gaan alsof hiermee alles was verloren. Zoals een kind kan huilen om het verlies van een oude lap waarop het jaren heeft gesabbeld. Dit is altijd mijn zwakte geweest, dat ik het grote beter kan lijden dan het kleine.

John was zo verstandig mij niet meteen te troosten. Zorgzaamheid doet zulk verdriet alleen maar wortelschieten. Hij riep me terug naar voren om hem te helpen de paarden, die zich van uitputting onwillig toonden, aan de teugel te leiden. Hij nam de ene bij het bit, ik de andere. Zo trokken we samen de kar, die tot driemaal toe vastliep in de modder, tot wij beschutting vonden voor de nacht.

Toen wij tegen elkaar aan lagen wiegde hij me in zijn armen, heen en weer, huid tegen huid, als om te zeggen dat ik mij nu in alle rust zo klein mocht wanen als ik wou, omdat eindelijk zijn aandacht onverdeeld voor mij kon zijn.

'Het maakt niet uit wat ons nog te gebeuren staat,' zei

hij, 'onder alle omstandigheden blijft dit toch het belangrijkste.'

En al die tijd bleef de regen maar striemen. Dit was het begin van een zondvloed die zes weken aan zou houden.

We verspilden niet meer dan een paar uur in Fort Parker. Zodra we al onze dierbaren hadden gealarmeerd en verzameld, graaide ik wat kleren bijeen en een ijzeren geldkistje waarin ik honderd zilveren dollars bewaarde. Wat maar rijden kon, werd volgeladen. Met een aantal vrouwen slachtte ik alle kippen, schapen en geiten. Dit was ons enige proviand. Tijd om ze schoon te maken was er niet, zodat sommige nog bloedend moesten worden ingeladen om later op de wagens te worden ontweid en leeggeschraapt. De grote dieren werden vrijgelaten, zodat ze zelf hun voedsel zouden kunnen zoeken. Verder lieten wij ons huis achter met de borden nog op tafel en het wasgoed aan de lijn.

Sommigen vonden die aanblik ondraaglijk, maar ik prentte hem me goed in. De hele vlucht repeteerde ik telkens waar alles precies stond, zodat ik op een dag de hemden zou kunnen afhalen, opvouwen en keurig wegbergen en ik zó weer aan tafel zou kunnen schuiven en blindelings mijn mes oppakken, alsof ik nauwelijks weg was geweest.

Wij trokken in de richting van de Sabine en de veiligheid van de Verenigde Staten. Wat ik ook zei, niemand wilde de tijd nemen om de poorten achter ons te sluiten.

Het duurde niet lang voordat we andere vluchtelingen tegenkwamen. Tegen de avond raakten de wegen verstopt met honderden gezinnen die naar het Oosten probeerden weg te komen. Het bleef koud en de meeste wagens waren open. De aarde kon het water niet verwerken. Overal vormden zich poelen die diepe kuilen en kleine keien onzichtbaar maakten. Wie zijn wagen daarop stuk reed ging te voet verder met doorweekte kleren en de wind in het gezicht. Wij namen zo veel mogelijk vrouwen en kinderen op, totdat wij hierdoor zelf te diepe sporen begonnen te trekken. Toen ook een van onze wagens vastliep en achtergelaten moest worden, maakten wij plaats voor de zwaksten van onze eigen familie, zoals Rachel, die niet alleen haar kleine James op de arm droeg, maar ook alweer vijf, zes maanden zwanger was.

Enkelen van de vrouwen die wij hadden meegenomen boden aan om dan maar uit te stappen en verder weer te voet te gaan. Kort daarna kwamen twee van hen door uitputting om het leven. In deze contreien is onzelfzuchtigheid een gevaarlijke aandoening.

Maar ook wie daar niet aan leed was niet veilig. Onder de vluchtelingen verspreidden zich buikloop en mazelen. Velen kregen oogzweren en longontsteking en tot overmaat van ramp brak kinkhoest uit. Ook Cynthia Ann en kleine John werden aangestoken, maar James bleef als door een wonder gespaard. Terwijl wij vochten voor het leven van onze kleinkinderen, zagen we andere kolonisten sterven, vooral de oudsten en de allerjongsten. Dagelijks moesten hun lichamen in alle haast langs de weg worden begraven. 's Avonds werd korte tijd een vuur gestookt, waaraan iedereen zich probeerde te warmen en te drogen. Het werd klein gehouden om zo min mogelijk aandacht te trekken. Niet alleen de Mexicanen vreesden wij, maar ook de indianen, want het idee van Holland Coffee dat het in onze vergadering niet had gehaald was door Santa Anna wel uitgevoerd. Mexicaanse agenten hadden inmiddels verschillende stammen tegen ons opgestookt en het verhaal bereikte ons dat Nadaco's, Caddo's en Wichita's samen met Comanche optrokken. Uiteindelijk bereikten we het oude San Antonio-pad, waarover we verder trokken naar de Trinity.

Onderweg kwamen we een regiment tegen dat op weg was naar het front, een bij elkaar geraapt zootje, zonder uniform of regelmaat. Zo goed als zeker marcheerden zij hun dood tegemoet, maar alle wagens hielden stil om hen aan te moedigen. Het gaf ons hoop dat er jongens bereid waren voor ons te vechten. Vrouwen liepen met hen op om ze een kus te geven. Kinderen marcheerden mee op de maat van hun lied:

Laat de zon niet zien dat je geen zin hebt,
Laat de dag je niet betrappen op een traan!

Toen we bij de rivier aankwamen, waren velen van de vluchtelingen zo wanhopig dat er een stormloop ontstond op het pontveer van Robbins om de overkant te bereiken. Met hun redding nabij lieten mensen hun wagens achter en als krankzinnigen renden ze op de schuit af met zijn tienen, met zijn honderden tegelijk. Moeders sleurden kinderen mee, echtparen werden gescheiden, zieken liet men achter. De schipper schreeuwde om de massa tegen te houden en toen dat niet hielp, duwde hij af om erger te voorkomen. Met een lading van meer dan vijfhonderd zielen dreef hij naar het midden van de rivier die door alle regen tot een meer was aangezwollen.

Voor onze ogen zagen wij hoe het schip water maakte. In paniek probeerde een deel van de passagiers weg te komen, waardoor het kapseisde en verloren ging. Goddank konden velen worden gered, terwijl anderen enkele kilometers verderop nog aanspoelden, maar wij moesten erin berusten dat wij de bescherming van de Verenigde Staten niet zouden bereiken.

We maakten kamp op de oever en terwijl John vanaf de bok de overgebleven families voorging in gebed, trok ik eropuit om te zien of er tussen de verse klei nog kruiden overeind stonden die de kinderen door hun ziekte heen zouden kunnen slepen.

De kleine John bleek sterk. Vier dagen had hij nodig om weer kracht te vinden. Zijn zusje was er erger aan toe. Met veel pijn hoestte ze bloed. Toen na een week de koortsen nog niet waren gaan liggen en Cynthia Ann, die al die tijd geen hap had gegeten, ook niet meer wilde drinken, werd ze opgegeven. Lucy bracht die nacht in mijn armen door, te kapot om nog om haar kind te kunnen huilen.

Zodra zij in slaap was, ben ik opgestaan. Ik liep het veld in, zo ver als ik durfde. Daar heb ik om me heen geslagen en gestampvoet en als een razende maar aldoor over mijn gezicht en armen gekrabd en schreeuwend tegen de wolken heb ik dit land vervloekt. Ik voelde me verraden alsof mijn eigen leven mij de oorlog had verklaard. Die gedachte lichtte in mij op, op slag helder, alsof een onbekende vijand zijn masker aftrok en mij zijn gezicht toonde.

Ik was in oorlog met mijn leven en zag de situatie onder ogen: door het voortdurende gevaar was ik aan het veranderen. Het verdriet dat mij steeds weer overviel, telkens van een andere kant, dreef me telkens verder weg bij wie ik was; bij wie ik had willen worden. Zo was het dus: de echte strijd was tussen mij en dit leven dat ik gedwongen was te leiden.

'Afgesproken,' zei ik, 'dit is niet de eerste slag die ik lever; het zal vast niet mijn laatste zijn.' En tegen alle kansen in nam ik me voor dat ik zou triomferen. Het zou nog een lang en ongelijk gevecht worden, waarin alles bleek te zijn geoorloofd, maar aan de afspraak die ik die nacht met mezelf maakte, niet op te geven, daaraan heb ik me tot aan vandaag gehouden.

Ik krabbelde overeind, sneed een stuk van mijn wollen omslagdoek en drenkte het in de rivier. Daarmee ging ik aan Cynthia Anns bed zitten en bevochtigde haar lippen.

Die gingen vaneen, maar drinken wilde ze niet omdat ze haar keel verwond had bij het hoesten. Ik liet een druppel uit de doek in haar mond lopen. En een volgende. Haar lichaam nam ze op zonder dat ze hoefde te slikken. De rest van de nacht wrong ik zo elke minuut wat water van de doek. Ze weigerde het niet en toen ik wegliep om de lap opnieuw te bevochtigen zogen haar lippen als bij een baby die men voortijdig de borst afneemt zachtjes na op niets.

Hierna was het slechts een kwestie van volhouden. De volgende dag lengde ik het water aan met suiker, daarna met honing, toen met bessensap en wei, ten slotte kreeg ik op dezelfde wijze kippenbloed bij haar naar binnen en bouillon. Hieraan onttrok haar lichaam wat het nodig had en mijn lieveling leefde op.

Ondertussen bereikten steeds meer vluchtelingen de oevers van de Trinity. Zo bleven wij op de hoogte van de oorlogshandelingen.

Nadat ze Travis en zijn mannen bij de Alamo hadden afgeslacht, richtten de Mexicanen nog zo'n bloedbad aan bij Goliad. Deze onnodige wreedheden spoorden Houston en zijn mannen alleen maar aan. Hoewel ze al helemaal tot aan de kust waren teruggedreven, besloten ze dat het moorden van onschuldigen moest worden gestopt en gewroken. Zij verschansten zich in het veld tussen de San Jacinto en Buffalo Bayou.

De Mexicanen, die hun op de hielen zaten, trokken de rivier over, waarop Houston de brug liet verwoesten, zodat ze in de val zaten. De vijand was in de meerderheid en iedereen wist dat het een gevecht tot het einde zou worden. Die hele nacht vermoeiden de Mexicanen zich met het oprichten van barricades. De hele volgende ochtend wachtten zij op de aanval en toen die uitbleef, gebeurde het ongelooflijke.

Kort na het middaguur besloten de Mexicanen siësta te houden. Het is om dit soort eigenaardigheden dat we dankbaar zouden moeten zijn dat God ieder volk verschillend heeft geschapen! Nauwelijks lagen zij te slapen of Sam Houston maakte hen wakker. De slag was kort, maar bloedig. Santa Anna werd gevangen en de onafhankelijkheid van Texas, die wij vijftig dagen tevoren zelf hadden helpen uitroepen, was een feit.

Dit alles vond plaats op de 21ste april van 1836. Wij hoorden het nieuws drie dagen later en raakten door het dolle heen. John begon te zingen, iets wat ik hem buiten de kerkdienst nooit eerder had zien doen.

'Zo veel hemel!' zong hij. 'Al dat moois voor een onnozele ziel.' Hij nam Cynthia Ann op zijn schouders en de kinderen dansten om hem heen. Ik pakte kleine John op één arm en baby James op de andere. Zo zwierden we door het kamp en overal vielen andere vluchtelingen ons bij.

'Kijk mij nou in zo'n paradijs,' zongen ze. 'Is het waar, passen er zo veel engelen op mijn wagen?'

Ik geloof niet dat het liedje echt bestond. John plukte de woorden zomaar uit de lucht, maar mensen zongen ze mee alsof ze die deun al jaren kenden. Ze sloten zich bij ons aan. In optocht slingerden we tussen de wagens door. En dansen! Iedereen maar dansen, overal, zo ver je kijken kon! Ouders namen hun kinderen op hun schouders en lieten ze met de vlag zwaaien, waar je ook maar keek wapperde de ster van Texas. Ik had zoiets nog nooit gezien. Dit leek mij wel de vrolijkste dag van heel mijn leven.

Hierna wilden wij zo snel mogelijk naar huis, maar het duurde nog enkele dagen voor wij nieuwe paarden konden kopen. De oude waren ons ontstolen door indianen.

Die hadden het tijdelijke kamp in die korte tijd verschillende malen overvallen, altijd in de nacht. Zonder moeite hadden zij ieder van ons de keel kunnen doorsnijden, maar dat lieten ze na. Geen mens werd aangevallen.

Opnieuw was onze vrees voor de wilden ongegrond gebleken. Ondanks het feit dat men hen had proberen op te hitsen, toonden zij respect voor onze armzalige situatie, haast alsof zij meeleefden, en in alle vrolijkheid was ik ze voor deze menselijkheid bijna uitgelaten dankbaar. Buiten de diefstal van onze rijdieren hebben zij ons in onze ellende nooit enige schade berokkend.

5

Van veraf zagen we de palissade van Fort Parker al oranjegoud oplichten in de laatste zon. Nooit eerder had ons stukje van de wereld mij zo mooi geleken als na de oorlog. Thuiskomen geeft alles glans. Zoals de natuur opleeft na een storm en gewassen sterker ontspruiten aan verschroeide aarde, lijkt alle leven lieflijker na ellende. Zoals een mens zich zijn levenskracht pas bewust wordt wanneer die na een zware ziekte in hem terugvloeit. Ineens zijn je geliefden je liever, je gedachten van groter belang en is je adem puurder dan ooit. Bezittingen van niets lijken goud waard. Je huis voelt veilig als een omhelzing. Je schat de waarde van het leven zuiverder. Helder zie je alles. Je klampt je vast aan je geliefden die je op een haar na was verloren. Je maakt jezelf wijs dat hiervoor alle pijn bijna de moeite waard is geweest. Zo kan een mens zelfs van de diepste put de zin nog inzien. Het wegvallen van iedere dreiging! Dat besef gered te zijn! Ineens voel je alles heel intens, als mensen onder invloed van peyote. Ik zeg: geef je daaraan over. Het leven neemt gauw genoeg zijn loop weer. Herstellen is een weldaad die je nog zult missen.

Na de ontberingen van onze vlucht genoot ik dus volop van ons leven in het fort. Er moest hard worden aangeboot om weer wat regelmaat te vinden, maar ieder van ons was vol goede moed, zodat zelfs de smerigste karweitjes zonder tegenzin werden gedaan. Silas en James werden eropuit gestuurd om zo veel mogelijk van de dieren die wij hadden losgelaten terug te vinden, samen te brengen en naar huis te drijven. Elke ochtend trok Benjamin er met wat mannen op uit om op wild te jagen, zodat wij een nieuwe voedselvoorraad konden aanleggen. Binnen de omheining en aan de twee boerderijen daarbuiten waren nogal wat vernielingen aangericht, sommige door onze eigen honden die we hadden moeten achterlaten. Zij hadden zich gevoed met zandhazen en de buidelratten die afkwamen op de etensresten en de vuile borden die wij in onze haast op tafel hadden laten staan. De honden, twee ouderparen en vijf jongen, hadden onze plaats als bewoners ingenomen. We vonden ze terug in de slaapruimten met de kelen doorgesneden en gevild, een op ieder bed. Op hun strooptocht moeten de dieren zijn verrast door een groep indianen. Ze hadden flink huisgehouden. De hondenvachten konden ze waarschijnlijk gebruiken voor kleding, maar het bleef een raadsel waarom ze de dode dieren over onze slaapplaatsen hadden verdeeld. Dekens waren verdwenen, ander goed kapotgesneden of besmeurd, zodat we alles wat nog restte eerst moesten wassen en herstellen. Twee hutten hadden de overvallers in brand gestoken en ook de keuken van Silas' boerderij was helemaal geblakerd, maar de wanden stonden nog. Wij schraapten ze schoon en namen zo veel mogelijk roet met kokend water af. De daken werden hersteld en nieuw meubilair werd getimmerd, zodat binnen twee weken geen spoor van de indringers meer te vinden was.

Een van de smerigste klussen klaarde ik zelf. Omdat we de latrines voor ons vertrek niet hadden kunnen legen, was er werking in gekomen. Gist en rotting verspreidden een stank die tot uit de verre omtrek ongedierte had gelokt. De massa was in de hitte gaan broeien. Gassen borrelden eruit op. Tussen de uitwerpselen krioelde het van levend onrein. Iedereen meed de plek. Liever dan de beerput aan te pakken deed men zijn behoefte in het open veld. Mannen zijn hierin het meest kleinzielig, maar wie eenmaal een kind heeft moeten baren is wel wat gewend. Van het menselijk lichaam ben ik niet vies en met nufjes die dat wel zijn heb ik geen geduld. Op een ochtend werd het me te gek. Ik drenkte een katoenen doek in jodium en bond die voor. Ik stroopte mijn mouwen op, stopte mijn onderrok achter mijn riem en stapte in de drek. Ik had tevoren niet geklaagd en verwachtte van niemand hulp. Des te verbaasder was ik toen na een klein uur Cynthia Ann naar binnen stapte. Ze verveelde zich en besloot me te helpen, voor de gezelligheid, zoals ze dat gewend was bij het plukken van de bramen of het trekken van bloesemwater. Het maakte haar niet uit wat het was dat wij samen deden, als we maar bij elkaar waren. Ze had mij nageaapt en droeg ook een jodiumdoek om zich te beschermen tegen braken en verstikking. Ik zei haar dat ze beter weg kon gaan omdat ze ziek zou kunnen worden, maar ze luisterde niet, pakte een schep en begon een emmer te vullen. Gezelligheid betekent voor iedereen iets anders.

'Granny, toen jij en opa gingen trouwen, heeft hij jou toen wel gewaarschuwd?'

Een kind naar mijn hart, dat was ze. Het idee dat ze bereid was mij zelfs hier te volgen alleen voor wat gezelschap, zoiets puurs in zo veel vuiligheid te zien!

'Nee,' antwoordde ik, 'ik denk niet dat hij toen wist dat het ooit zover zou komen als vandaag.'

'Maar als hij het had geweten?'

'Wat had geweten?'

'Dit allemaal! Dat jij geen mooie kleren aan kan, dat je nooit in een zacht bed zal slapen, dat niemand ooit zal willen dat ze in jouw schoenen mochten staan. Als je dat allemaal van tevoren had geweten, had jij het dan ook gedaan?'

Ik moest stoppen omdat ik begon te kokhalzen. Praten was in die dampen net een inspanning te veel. Ik probeerde mijn slokdarm te ontspannen.

'En ik?' vroeg ze. 'Wat denk je? Als iemand mij nu zou vertellen wat me later allemaal te wachten staat, zo van dat er veel gevaren zullen zijn en veel stank en honger en allerlei vieze dingen, maar dat hij wel van me hield en dat allemaal, zou ik dan ook zo van iemand kunnen houden dat ik toch ja zou durven zeggen? Ik hoop het maar. Mooi lijkt me dat. Niet, Granny? Wat denk jij nou?'

Ik liep naar buiten, rukte de lap voor mijn gezicht vandaan en haalde een paar keer diep adem. Ik braakte dat de tranen me ervan in de ogen sprongen. Toen ik leeg was ging ik weer naar binnen, maar zolang we verder werkten bleef mijn middenrif zeer doen van het heftig samentrekken. En ondertussen zeurde het maar door, dat idee dat Cynthia Ann daar had gepoot: dat ik mijn leven tekort zou hebben gedaan door mijn hart te volgen. Of nee, niet om mij was dat onbehagen, om háár: dat wij door ons ideaal maar na te jagen ook haar kans op geluk voorgoed hadden vergald. Of toch om alletwee, om haar, om mij – hoe kan ik dat nu nog uit elkaar houden? – voor hetzelfde geld was het om Old Bet, zo taai, zo machtig sterk en toch nooit eens één keer kunnen gaan waar je zou willen!

Zodra de stront was opgeruimd nam ik het meisje mee naar de rivier. Daar kleedden wij ons uit en wasten elkaar. Ik wreef mijn kleindochter in met bladeren van de magnolia en de rest van de dag bleven we zo'n beetje dobberen op de stroom. Wij hadden onze haren losgeknoopt, zodat die konden weken. Breed waaierden ze uit. Dan zwommen wij terug en lieten ons opnieuw gaan. Zo loom waren die dagen en zo vol vertrouwen. In het water was ik licht als zij en net zo vrij en even weer was alles mogelijk. Al spelend vielen we samen, mijn kleindochter en ik, en als er toen iemand vanaf de oever naar ons heeft staan kijken, daag ik hem uit eens met zekerheid te zeggen wie van ons het eigenlijk was die zo hard kon watertrappen dat je de vissen zag vliegen en wie nu wie steeds kopje-onder wist te krijgen.

John Parker. Tja, hoe gebeurt zoiets? Hoe overkomt zo'n leven je? De allereerste keer dat ik hem zag stond hij op zijn preekstoel. Hij donderde en zweepte op. Midden in zijn tirade hield hij soms even stil om zijn woorden onder hun eigen gewicht te laten bezinken. Intussen dwaalde zijn blik door de schuur waarin de samenkomst gehouden werd, om te controleren of zijn gehoor wel diep genoeg tot inkeer kwam. Hoe harder hij tekeerging, hoe nadrukkelijker ik om me heen keek en af en toe eens gaapte. Alles liever dan de ouderling het genoegen te geven dat hij indruk op mij kon maken. Met moeite hield ik mijn verveling vol, want hij had een stem als een klok en gaf zijn woorden een ritme waarop de doden in hun graf nog zouden meewiegen. Maar ik had me nu eenmaal hartig voorgenomen hem niet te mogen en ik gunde hem die dag geen overwinning. Stijf vond ik hem en zelfingenomen met zijn krulbaard en zijn rug, die veel te recht was voor zijn jaren. Zijn gebaren waren sterk en zijn loop veerkrachtig. De hele tijd danste hij maar voor de congregatie heen en weer, van links naar rechts, van voor naar achter, alsof het een spel was waarbij iemand hem ieder moment uit onbekende hoek een bal zou kunnen toegooien die hij wilde vangen. In dat lijf zat te veel leven voor zijn jaren. Elf kinderen had hij ermee verwekt. Nog een godswonder dat hij daarvoor tijd had gevonden tussen het preken door. Of misschien had hij ook in bed gewoon wel doorgepreekt. Die ochtend leek aan zijn vermaningen in elk geval geen eind te komen. De arme vrouw die zijn zonen en dochters had moeten baren zat op de eerste rij gebogen over haar bijbeltje. Zij heette Sallie, net als ik, maar was veel ouder. Ze werd geflankeerd door haar kroost, keurig in het gelid van groot naar klein als soldaatjes van de Heer. Zoals je vaak ziet bij vrouwen van wie alle kinderen die ze baren ook in leven blijven, was zij erg bleek en mager, alsof de nakomelingen hun overlevingskracht aan de moeder hebben onttrokken. Het is een sterk geslacht, de Parkers, en hun levensdrift is ten koste gegaan van haar gezondheid.

Net vroeg ik me af hoe dat moest als die grote, vlezige man met zijn broze echtgenote nog de liefde wilde bedrijven, toen hij zijn hand op mijn voorhoofd legde. Dit deed hij bij iedereen. Hij was in zingen uitgebarsten en liep tussen de rijen door terwijl hij links en rechts zijn hand oplegde. Kort liet hij zijn warme handpalm liggen, dan drukte hij je hoofd met kracht naar achteren. Omdat je als vanzelf terugduwde ontstond uit die botsing van krachten een spiertrilling. Voor je goed en wel doorhad wat er gebeurde, had hij alweer losgelaten. Ik zat nog bij te komen van zijn aanraking toen hij de rest van de aanwezigen al had afgewerkt, dit alles begeleid door zijn vrolijke tenor.

Als man interesseerde John Parker me niet, begrijp me goed. Ik was getrouwd. Zo lang is dat geleden. Wat was ik, amper dertig. Richard leefde nog. Hij zat zelf naast me. Als ik af en toe eens aan John Parker dacht, was dat in de eerste plaats om hem in te schatten als mogelijke schoonvader voor Martha.

Kort tevoren was James, een van zijn zonen, onverwacht bij ons aan de deur gekomen. Doodnerveus was hij. Hij stamelde dat hij bijna negentien was, werkzaam als stalknecht bij de Wilkinsons, net buiten Vincennes, waar hij een dollar in de week verdiende. Hij was maar tijdelijk in de buurt, zei hij, maar gezond en vroom en de zoon van een ouderling uit Crawford County, Illinois, waar onze dochter een warm thuis zou vinden en een grote familie die ze als de hare mocht beschouwen. Nadat hij die hele riedel eruit had was hij zo opgelucht dat hij bijna vergat mijn echtgenoot om Martha's hand te vragen.

Richard en ik hadden allang een kandidaat voor onze oudste dochter op het oog, de zoon van William Henry Harrison, Old Tippacanoe, zoals hij werd genoemd naar de plek waar hij een veldslag had geleverd met de indianen. Hij was de eigenaar van Grouseland, het enige stenen huis in Indiana. Anna, zijn vrouw, was erg op mij gesteld, en regelmatig mochten onze kinderen met de hare spelen. Haar dochtertje was ongeveer zo oud als Lucy en Lizzie, onze twee jongsten. Zij had een poppenservies van porselein, waarmee die dametjes de hele dag zoet waren. Martha en Harrisons jongste jongen konden dan ravotten alsof ze broertjes waren en ze trokken er samen soms urenlang opuit om patrijzen te vangen of te gaan zwemmen in de Wabash. Dit deed de beide kinderen zo goed dat Old Tippacanoe op een dag zelf met een grapje al op een trouwerij had gezinspeeld.

Dit zou een droomverbintenis zijn, maar Richard en ik wilden Martha nog minstens een jaar bij ons houden, liever zelfs twee of drie omdat ik de nadelen van zo'n jeugdhuwelijk maar al te goed kende. Veertien was ze. Te jong om zomaar weg te geven en zeker aan iemand als James Parker, een wildvreemde zonder enig vooruitzicht.

We hoorden de jongeman dan ook beleefd aan en poeierden hem af. Nauwelijks was hij verdwenen of Martha kwam tevoorschijn uit de gang waar ze had staan wachten tot haar aanbidder weg was. Lacherig vertelden we haar wat er was voorgevallen. Ik had er wel plezier in dat mijn kind zo mooi was dat het willekeurige passanten het hoofd op hol bracht.

'Het is toch wat,' speelde ze luchtig, 'ik had geen idee.' Ze wreef haar nagels op aan haar trui en inspecteerde hun glans. 'Ach, hij heeft me weleens aangesproken, ergens onderweg een keer. O ja, en later nog eens bij Culler's Creek en hij leek me zeker niet onaardig, vond je wel?' Zo brabbelde ze, maar ondertussen zag ik het leven uit haar wegtrekken. 'Hij is schoon,' prees zij hem nog, 'en goed opgevoed.' Maar terwijl ze naar woorden zocht, zag je haar paniek gewoon groeien.

Het was een schrik die ik maar al te goed herkende.

Richard was een man. Die had niks door. Maar ik wist meteen hoe laat het was. Martha was in dezelfde val gelopen als ik op die leeftijd. Toen ze zag hoe ik naar haar keek, legde ze zonder door te hebben wat ze daarmee verklapte, haar linkerhand vlak tegen haar middenrif.

'En?' vroeg Martha zo neutraal mogelijk.

'En wat?' bromde Richard.

'Och, ik weet niet, zomaar... die jongeman, wat zeg je er nou van?'

'Wat ik van hem zeg?' Richard keek me aan alsof ze gek geworden was.

Ik haalde mijn schouders op. Het liefste had ik haar tegen me aan willen drukken. Of heel hard slaan. Of allebei. Ik zei tegen mezelf dat ik het in elk geval beter aan moest pakken dan mijn eigen moeder had gedaan. Die gedachte alleen al deed me smelten. Ik wist immers precies wat mijn kind nu dacht en niks anders leek me van belang dan haar te laten weten dat ze er helemaal niet alleen voor stond.

'Ik ben gewoon benieuwd, pappa,' probeerde ze, 'wat je hem precies gaat zeggen.'

'Een slungel die één dollar verdient? Wat denk je dat ik ga zeggen?'

'Ja, jongedame,' onderbrak ik hem stevig, 'wat dacht jij eigenlijk dat jouw vader nu gaat zeggen?'

Ze schrok. Ik zal in mijn zenuwen wel hard hebben geklonken, maar ik kon niet anders en ging op dezelfde toon door als een razende.

'Denk jij er wel bij na hoe ouders kunnen schrikken van zoiets, zoiets onverwachts? En dan zo'n lief gezicht. Zo'n knappe man! Alsof het niet genoeg is dat het zo'n harde werker is, die goed voor je zal kunnen zorgen. En dan verwacht jij dat wij daar een kant-en-klaar antwoord op hebben? Nou goed, dan krijg je dat!'

Richard, eerst blij met mijn bijval, liet zijn mond nu langzaam openzakken.

'Wat dacht je,' riep ik voor hij om uitleg kon vragen, 'het is alleen dat we zo verrast zijn – nietwaar Richard? – maar natuurlijk zegt je vader ja!'

Hij slikte en wou protesteren, maar Martha viel hem al om zijn hals en hij zweeg.

'Zijn welbespraaktheid zal het niet geweest zijn waarmee hij haar heeft overgehaald,' zei ik toen Richard en ik eenmaal in bed lagen, 'en je moet er niet aan denken waarvoor ze dan overstag is gegaan, maar hoe het ook zij, aan die jongeheer Parker zitten we vast.'

Het kostte me die nacht nog heel wat vrouwelijke overreding, maar toen Richard eenmaal inzag dat er geen andere manier was om de schade te beperken, deed hij zijn best te vergeten dat onze dochter Mrs. Harrison had kunnen worden en stemde hij erin toe met mij naar Crawford County te rijden om met de familie van de bruidegom te praten.

Onaangekondigd arriveerden wij bij de Parkers. Van een voorgenomen huwelijk van onze dochter met hun James wisten zij niets en ze deden geen moeite blij verrast te lijken. John wilde ons niet eens ontvangen en stuurde zijn zoon Benjamin om ons af te poeieren. Sommige mensen laten zich afschrikken als hun de voet wordt dwarsgezet.

Zo iemand ben ik niet.

Iedere weerstand maakt mij vastberadener.

Tot dan had de verbintenis me praktisch geleken, vooral om Martha's eer te redden, maar nu ze haar probeerden af te wijzen, werd die kalverliefde van haar en James een halszaak voor me. Wat is dat voor een vader die zijn eigen zoon zijn geluk wil ontzeggen? Een week tevoren had die jongen mij dan misschien een onverantwoordelijke slungel geleken die Martha's toekomst had bedorven, maar in elk geval had hij fatsoenlijk gehandeld en haar ten huwelijk gevraagd. De kille reactie van de Parkers veranderde hem op slag van een van hen in een van ons. Alsof het twee kleuters waren die onder mijn rokken bescherming zochten, zo stond ik klaar om voor ze op te komen.

Met die verbetenheid woonden wij de volgende ochtend de dienst bij waarin John Parker voorging. Ik wist precies wat ik van hem wilde en wat ik van hem vond. Tot hij mij zijn hand oplegde. Eerst even zacht de warmte van de palm tegen mijn voorhoofd, dan ineens de druk opgevoerd, zodat je schrikt. Zo'n goedkope truc! Je halsspieren trillen, zijn armspieren trillen. Even is er strijd. Dan laat hij los en ervaar je de ontspanning als weldadig. Dat is alles. En toch, tot op de dag van vandaag, ik zou zweren dat ik de warmte die uit zijn vingers straalde niet alleen gevoeld heb, maar ook gezien.

'Fraaie voorstelling,' zei ik, want ik laat me niet bedriegen en al helemaal niet door mijn eigen zintuigen. Na afloop van de dienst stond John Parker aan de deur. Hij had voor iedereen die vertrok een persoonlijk woord.

'James is nog een jongen,' sprak de ouderling. 'Van al

mijn zonen is hij het minst volwassen. Dat blijkt alleen al uit het feit dat hij zich het hoofd op hol heeft laten brengen in een streek waar hij maar tijdelijk verblijft. Om een man te worden heeft hij meer tijd nodig. Hij moet nog zo veel dingen leren.'

'De liefde bedrijven in elk geval niet,' zei ik met nadruk. 'Dat schijnt hij aardig onder de knie te hebben.'

Ik had Richard vooruit gestuurd en was zelf als laatste gebleven. Er hingen nog wat mensen rond het erf, maar niemand kon ons horen. Voor de zekerheid trok John me aan mijn arm mee naar binnen en sloot de deur.

'Kennelijk heeft hij die les geleerd in de netten van iemand die daarin allang bedreven was.'

Ik haalde uit en sloeg hem recht in zijn gezicht.

'Mijn dochter, mijnheer, is veertien jaar.'

Hij pakte mijn polsen hard beet. Even dacht ik dat hij terug zou slaan alsof ik een man was. Mijn blik deed zijn greep verslappen, maar hij liet niet los. We stonden buik aan buik. Ik voelde zijn adem op mijn gezicht. Korte vlagen, woedend.

'Ik heb grote plannen met die jongen.'

'En ik had nog grotere voor Martha. We zullen ze moeten bijstellen.'

'Ik begrijp u niet.'

'Zij had vooruitzicht op een huis van bakstenen. Zij was de aanstaande bruid van de zoon van onze oud-gouverneur.'

'Lijkt me nog steeds een uitstekende oplossing, mevrouw. Wat is ertussen gekomen? Of heeft die jongeman haar ook doorzien?'

Ik probeerde me los te rukken om hem opnieuw te kunnen slaan, maar ondanks zijn jaren had hij de kracht van een jonge vent.

'Uw zoon!' beet ik hem toe. 'Die is ertussen gekomen. Onbezonnen, onverantwoord zat hij ertussen! En als gevolg daarvan zit nu op diezelfde plek uw ongeboren kleinkind.'

Daarvan liet de ouderling wel los.

'Uw kleinkind, mijnheer.' Ik wreef mijn polsen om het bloed er weer in terug te brengen. 'En het mijne.'

Hij wendde zich af en ging zonder iets te zeggen op een van de houten banken zitten. Hij wreef zijn handen een paar keer over zijn gezicht alsof hij zijn ergernis ervanaf kon wassen.

'Toen ík negentien was vocht ik in de revolutie,' verzuchtte hij. 'Colonel Slaughter's Virginia Regiment, de brigade van Nathanael Green. Als iemand het me vroeg zei ik dat ik me uit vrije wil had aangesloten, dat ik de Engelsen haatte omdat ik zo vurig verlangde naar de onafhankelijkheid van onze staten. In werkelijkheid was het omdat je onderweg twee keer per dag te eten kreeg. Het was mijn enige manier om te overleven. 's Middags soep, 's avonds brood met vlees; op dagen dat er werd gevochten meelpap en melk na het reveille. Ik ben een praktisch mens, mevrouw Duty. Ik wil niet dat u me voor meer houdt dan ik ben.'

'Maakt u zich geen zorgen.'

Mijn brutaliteit bracht voor het eerst een lach op zijn gezicht.

'Ik kan het laten donderen, weet u, als ik wil. Dat is de macht die mensen je geven, alleen doordat ze mij op het spreekgestoelte zetten en zelf gaan zitten luisteren. Je kunt ze met je woorden laten sidderen, maar alleen wanneer zij dat zelf graag willen. Vanochtend heb ik wat extra hel en verdoemenis over de gemeente uitgestort omdat ik wist dat u en uw man aanwezig waren. Ik heb er een schepje bovenop gedaan, maar u liet zich niet van uw stuk brengen.'

'Ik geloofde u niet.'

'Het is te hopen dat die Martha van u haar moeders

ruggengraat heeft.' Hij stond op, alsof hiermee het onderhoud was afgelopen. 'Die zal ze nodig hebben.' Hij opende de deur, zodat er zonlicht binnenviel, en begon de luiken voor de ramen te vergrendelen. Misschien had hij gehoopt dat ik het daarbij zou laten en weg zou lopen, maar ik bleef staan kijken hoe hij iedere grendel dichtschoof en met overdreven aandacht nog eens controleerde en nog eens, alles om mij maar niet te hoeven aankijken.

'Bestaat niet dat ze van elkaar houden,' gromde hij. Toen alles potdicht zat borg hij zijn bijbel in de kast en begon banken recht te zetten. 'Hoe vaak hebben die kinderen elkaar helemaal ontmoet?'

'Hoeveel ontmoetingen heeft liefde nodig? U bent een man, u zou dat moeten weten.'

'Dat ligt eraan, mevrouw.' Nu ineens keek hij me aan. 'De een weet je met een oogopslag voor zich te winnen, de ander gaat je met ieder woord meer tegenstaan.'

'Gelukkig hoeven wij voor ons probleem geen romantische oplossing te zoeken,' zei ik alsof ik zijn belediging niet had begrepen, 'maar een praktische.'

'U en uw man zijn geen baptisten, is het wel? Ons geloof is heel rechttoe rechtaan. Alles is voorbestemd, het goede en het kwade. De inborst van ieder mens is onveranderlijk, evenals zijn lot. Alles krijgen we mee met onze geboorte en niets wat we doen kan daar iets aan veranderen. Ons hele levenspad ligt afgebakend. Ik kan nog zulke mooie plannen maken voor mijn James, kennelijk was het de bedoeling dat hij uw Martha tegen het lijf zou lopen. Amen. Wij zijn geen mannen van de geest, niet in deze streken, hier zijn predikers mannen van de aarde. We ploegen de grond, we hakken het hout, we wroeten in de darmen van zwijnen. Daarin zijn wij niet anders dan onze buren. Net als zij kan ik amper een zin lezen die niet in de Heilige Schrift staat. En schrijven kan ik helemaal niet. Maar we kunnen wat beters, wij kunnen woorden leven geven, we kunnen er hoop in leggen, en ons hart. In die zin zijn we aangeraakt door iets buiten onszelf. Voor het gemak noem ik het God, omdat mensen dan niet doorvragen. Die naam dekt alles wat ze niet begrijpen. Maar misschien is het wel gewoon een onweerstaanbare drang om in leven te blijven. Die drijft mij. En dat horen de mensen. Daarom willen ze luisteren. Wij geven ze kleine wonderen. Waar alles kaal is, wordt een struik voor boom versleten. Maar beloften doen we niet. Wat hebben wij aan oplossingen in de toekomst als we vandaag kunnen creperen? Op zondag wassen we onze handen zo goed als dat gaat, we vouwen ze en bidden dat er niet erger voor ons in het verschiet ligt. Dat is alles. Voor de rest trekken wij ons eigen plan. Dat heb ik gedaan en ik wijk daar niet van af. Voor niemand. Ook voor u niet. Toen ik terugkwam uit de oorlog – de dingen die ik heb gezien, heb geroken, heb gedaan, toen heb ik gezworen dat geen mens mij ooit nog zou dwingen te gaan waar ik niet heen wil, te doen wat ik veracht, te doden wie mij niet bedreigt. Kortom, ik wil mijn eigen man zijn of anders sterven. Maar waar vinden we vrijheid, wij, die niets hebben? Waar vinden we land dat wij ons eigendom kunnen noemen, waar krijgen we de vrijheid om daarmee te doen wat we willen? Wij trekken uit de veilige gebieden weg. Steeds verder de grens over. Naar het Westen. Naar het Zuiden. Als boer, als missionaris, kolonist. Wij zijn het die de grenzen verleggen. In ruil daarvoor valt niemand ons lastig. Wij openen het land. Als beloning krijgt het onze naam. Maken wij er zelf de dienst uit. Ik ben van Virginia naar Georgia getrokken, vandaar naar Tennessee en later door naar Illinois. En nog verder gaan wij. Ik heb elf kinderen. Ik rust niet voordat ieder van hen zijn eigen land bezit, zijn eigen man is, vrij kan leven. Geen mens aan wie ze iets verschuldigd zijn.'

'Behalve dan aan u.'

'Daniel, mijn oudste, is al in Texas. Als missionaris. Evenmin iemand die zich iets laat zeggen, gelooft u me. Zelfs niet door God. En James, die nieuwe schoonzoon waar u zo op aast, deze jaren trekt hij rond om te leren werken. Eerst wil ik dat hij voelt wat het betekent om bij iemand in dienst te zijn. Andermans woord te moeten spreken alleen om elke dag te eten te hebben. Net als de anderen moet hij zo veel mogelijk vaardigheden leren. Het land leren bewerken, met dieren omgaan, weten hoe hij huizen moet bouwen midden in het niets. Dat moet hij allemaal onder de knie hebben om straks te overleven. Waar niemand is om te gehoorzamen, is ook geen mens die voor je zorgt. Uiteindelijk keert hij hier terug, zoals mijn andere kinderen zullen doen, en wanneer die dag komt gaan wij met zijn allen verderop. En als hij getrouwd is gaat zijn echtgenote mee. Kunt u zich daar een voorstelling van maken? Hebt u enig idee wat het Westen vraagt van een vrouw?'

'Waarom zou ik? Ik ben gelukkig waar ik ben. Maar ik gok dat iemand die zich bij u voegt geen patroon uit *The New England Ladies Society Magazine* hoeft te kunnen naaien.'

'Laten we hopen dat de dochter even goedlachs is als de moeder,' zei hij zonder geamuseerd te lijken. 'Dat zal ze nodig hebben. Van de vrouw die mijn James trouwt vraag ik niet veel, alleen dat zij met ons meegaat en dat zij hem in alles bijstaat. Is uw Martha daartoe bereid?'

'Romantiek heeft ze gehad, voortaan zal ze praktisch moeten zijn.'

Nadat ik dit gezegd had keek hij mij een tijdlang aan. Hij bestudeerde mijn gezicht alsof hij het voor het eerst zag.

'U bent nauwelijks ouder dan mijn oudste dochter, veel te jong om grootmoeder te worden.' Misschien raadde hij dat ik vroeger op dezelfde wijze door Richard gevangen was als Martha nu door James, maar hij zei niets.

'Kennelijk is het voorbeschikt.'

'Ik vraag me af...' Hij kwam nog dichterbij, alsof hij oneffenheden zocht.

'Wat?'

'Wat bent u zelf, praktisch of romantisch?'

Voor ik iets kon antwoorden week hij alweer terug.

'Als wij eenmaal op onze bestemming zijn,' ging hij verder, 'zal zij niemands slaaf zijn. Evenmin als wij zal zij aan ook maar iemand rekenschap hoeven te geven. Die vrijheid maakt alles de moeite waard. Zegt u haar dat maar, ze zal wel bang zijn.'

'Dat zal.'

'En ik heb nu in de eerste plaats belang bij haar geluk. Ondanks alles. Ze blijft de moeder van mijn kleinkind. En het uwe.'

'Dus we zijn het eens?'

Hij dacht na. Ik was bang dat hij nog ging terugkrabbelen, maar ineens hoorde ik hem grinniken om zijn eigen vondst.

'Het is in orde,' lachte hij. 'Reken maar hoor, *Granny*.'

Diezelfde juli trouwde Martha met James W. Parker. In het begin van het volgende jaar werd Sarah geboren. Langzaam leerden de jonge echtelieden elkaar niet alleen te beminnen, maar ook lief te hebben. Twee jaar later werd uit dit geluk Rachel geboren, hun tweede meisje.

Ondertussen werkte James hard. Hij maakte zich geliefd in Crawford County, zo zelfs dat hij er tot rechter werd gekozen. Dit gaf hem aanzien, maar het bond hen ook aan die streek, die voor een groot deel uit moeras bestond. De ongezonde lucht was er de oorzaak van dat Martha haar drie volgende kinderen aan longgezwel en koortsen moest verliezen. Dit verdriet bracht mijn man en mij, meer nog dan de voorspoed van het huwelijk, steeds dichter bij de familie Parker.

In de herfst van '21 verzorgde ik Martha, die samen met haar derde meisje ziek lag. Om haar afleiding te bezorgen had ik Martha's zusjes Lizzie en Lucy meegenomen. Mijn meisjes waren vreselijk op elkaar gesteld en hadden elkaar gemist. Samen woonden wij enkele weken in het huis, waarin al lang niet was gewerkt, en we brachten het op orde. Rachel en Sarah werden bij familie ondergebracht, zodat wij ons volledig op het herstel van hun moeder en de zuigeling konden concentreren. We schrobden alle kamers, tot ieder hoekje helder was en vrij van zand en stof en ziektekiemen. Hiervan alleen al klaarden de patiënten op. Samen wasten wij de moeder, verschoonden haar bed en brachten koele kompressen aan. Ik kookte netel en roomde melk af voor een recept waarmee ik mijn eigen kinderen toen ze nog klein waren altijd door het ergste heen heb weten te slepen. Lucy en Lizzie ontfermden zich met hartstocht over het kleintje, dat eerder dat jaar was geboren en ondanks onze zorg het einde ervan niet zou halen. Ze speelden ermee en lachten ertegen en wiegden het hele dagen onvermoeibaar, zodat het mormel toen het stierf meer liefde had gekend dan sommigen in een heel leven.

Elke middag kregen wij bezoek van de eerste mevrouw Parker. Zij was zelf niet sterk en kon weinig meer doen dan ons gezelschap houden. Haar bouw was te fijn gebleken voor zo veel zwangerschappen. Daarvoor betaalde ze nu de prijs met allerlei kwalen die haar van binnen aanvraten en zeer deden. Als ze de zuigeling soms even in de armen nam, keek ik verbijsterd naar de gebogen gestalte met de vergroeide vingers, het verweerde gezicht onder de zwarte muts, en rilde bij de gedachte dat dit oude mens en ik oma waren van hetzelfde kind. En dan bleef John Parker zich ook nog eens vrolijk maken over dat leeftijdsverschil. Elke middag kwam hij zijn vrouw aan het eind van de dag bij ons ophalen, of hij nu van het land kwam, onder het stof en de modder, of in zijn goede pak van een kerkvergadering, steevast kwam hij binnen, liep eerst naar zijn vrouw en zoende haar op haar voorhoofd.

'Middag Sallie,' zei hij tegen haar, stak dan naar mij zijn hand op en riep: 'Middag, Granny!' Dan ging hij naar het ziekbed en zat een tijdje bij Martha om haar op te beuren of zong met Lizzie en Lucy een liedje voor de kleine.

'Je hebt pech dat jullie dezelfde naam hebben,' zei hij toen ik hem een keer vroeg mij niet steeds maar omatje te noemen. 'Als zij niet ook zo heette zou ik je gewoon bij je naam noemen, maar zoals het is wordt me dat te verwarrend. Sallies zijn machtige vrouwen. Ik kan er maar één tegelijk aan en mijn vrouw heeft de oudste rechten.' Dit antwoord deed hem al plezier, en het idee dat hij mij met zijn onschuldige grapje op de kast had weten te jagen nog meer. Hierna heb ik er nooit meer een woord over gezegd.

's Avonds kwamen Johns andere zonen en dochters, voor zover die in de buurt woonden, James en Martha steunen en opbeuren: Isaac en Joseph, Benjamin natuurlijk, met Susannah, Phoebe en Molly met haar man Jessie, kleine John, Susy; en drie keer op een dag kwam Silas langs, die een oogje kreeg op onze Lucy en met geen paard meer bij haar vandaan was te trekken. Met de een ging ik wat inniger om dan met de ander, maar met de meesten voelde ik na verloop van tijd een band. De Parkers wisten, met al hun eigenaardigheden en hun weerbarstige karakters, die de hele tijd botsten, een woest soort vriendelijkheid te kweken, waarbinnen ik me altijd beschermd voelde. Zij hadden een natuurlijke band die mij van huis uit vreemd was. Aan Richard heb ik ze een keer omschreven als een troep honden: zacht en warm schurken ze tegen elkaar aan, maar strijk er één tegen de haren in en hun tanden komen bloot. Rauw als het nodig is, soms even fel om vervolgens de groep weer trouw tot de dood te verdedigen.

John Parker had, na zijn eerste waakzaamheid, Martha opgenomen in zijn meute, die haar nu als een van hen beschouwde. Ik vond het jammer dat mijn man dit niet met eigen ogen kon zien, zeker toen Lucy de aandacht van die andere Parker-jongen, Silas, begon te beantwoorden met half geloken pretogen en konen die gloeiden van ondeugd. Ik schreef Richard driemaal dat er een nieuw aanzoek in de lucht hing en dat hij echt moest proberen te komen, maar eerst was het oogsttijd en daarna tijd voor de jacht en hij was nodig op onze eigen velden. Toen hij eindelijk overkwam was het om het overleden kind van Martha te begraven.

'Dus zo was het voorbestemd?' verweet ik John Parker, die het lijkje zelf in de grond legde. 'Waarom hebben wij dan al die maanden zo gevochten om haar in leven te houden?'

'Dat deden we niet voor haar, dat hebben we voor onszelf gedaan.' Met zijn handen schepte hij de aarde en dekte er het kind mee toe. 'Een mens is nu eenmaal niet gebouwd om op te geven.'

'Al die liefde, die slapeloze nachten, al dat werk, allemaal voor niks.' Ik stroopte mijn mouwen op om hem te helpen. De grond was zwaar van de regen.

'Liefde kan onmogelijk voor niks zijn, Granny, en dat weet je. Daarbij,' met zijn vlakke hand klopte hij de aarde aan, 'er blijft altijd een kans dat ik het met al die mooie woorden van me helemaal mis heb. Dat risico wil je toch niet lopen?'

Hij sloot zijn ogen om te bidden. Zwarte nagels aan

zijn gevouwen vingers, zijn trotse kop gebogen, vochtige ogen in een gelooid gezicht. Ik vroeg me af hoeveel hij zelf eigenlijk geloofde van wat hij de mensen voorhield. Ik was woedend over het verlies en zocht iemand die ik de schuld kon geven van mijn verdriet. Ik stond op het punt de ouderling af te doen als een charlatan toen hij ineens zijn grote blauwe ogen opendeed. Hij keek mij recht aan, alsof hij wist dat ik naar hem had staan kijken. Hij haalde zijn schouders op.

John Parker gaf mij hoop. Tegen beter weten in. En tegen wil en dank. Het kan me niet verrotten hoe hij het voor elkaar kreeg. Het werkte. Hij haalde zijn schouders op. Dat deed het hem. Wat ik hem nog geen minuut geleden had willen verwijten, dat hij geen antwoord voor me had, trok me nu in hem aan. Zijn twijfel en vooral het feit dat hij zich daar niet voor schaamde brachten iets teweeg wat alle overtuigingen die me door de jaren vanaf de kansel naar mijn hoofd waren geslingerd niet gelukt was: ik geloofde hem. Zijn bombarie was breekbaar. Dit was zijn gave. Omdat hij eerlijk was over wat hij niet wist, durfde ik te vertrouwen op wat hij wel dacht te weten. Dit weinige wist hij zo op te blazen dat het mensen opzweepte en aanspoorde dingen te doen waartoe ze zich tevoren niet in staat hadden geacht. Als je hem hoorde, als je hem zag, dan voelde je dat het mogelijk was, ook voor jou, om uit je beperkingen los te breken en boven jezelf uit te stijgen. Dezelfde twijfel waardoor mijn vader zich had laten lamleggen, tuigde John Parker op met klokjes en bellen, zoals Hackaliah Bailey zijn bejaarde olifant met sierlijke veren en gekleurd glas, en hij paradeerde ermee rond om te laten zien hoe weinig een mens nodig heeft om te dromen.

Zelfs áls hij me had kunnen waarschuwen, zelfs al had ik toen geweten wat ik vandaag weet, dan nog... Hoop is zo veel meer waard dan al het andere.

Voor dit alles had ik toen geen woorden. Als iemand me gezegd had dat wij man en vrouw zouden worden, had ik hem voor krankzinnig versleten. Sallie leefde nog. Richard leefde nog. Wel was hij mager geworden in de maanden dat ik bij Martha was. Hij zei dat het kwam doordat hij al die tijd mijn goede zorg had moeten missen, en mijn pompoentaart. Ik geloofde hem, omdat ik dat graag wilde, en toen wij eenmaal thuis waren deed ik alles om hem extra te verwennen, maar wat ik hem ook voorzette, hij sterkte niet meer aan.

Lucy trouwde het jaar daarop met Silas Parker. Hun eerste kind was een meisje. Zij gaven het de naam van Martha's overleden dochtertje, Cynthia Ann.

6

Ze lag naast me die bewuste ochtend, Cynthia Ann. Zo vrolijk. Zij was pas tien geworden.

'Laat de zon niet zien dat je geen zin hebt,' zongen we, 'laat de dag je niet betrappen op een traan!'

Het was nog geen maand na het einde van de Mexicaanse oorlog, 19 mei 1836. Koel en helder weer.

'Gods adem staat onze kant op.'

Die dag. Nu zijn we er dan bij aanbeland. Ik zal mijn best doen de gebeurtenissen op te roepen zoals ze zich aandienden, niet erger, niet mooier. Ik beloof niet dat het lukt, want woede heeft ze te veel jaren vertekend. Maar goed, het is nu een leven lang geleden en dan, met de veranderingen van de laatste tijd... Ik probeer het. Eén keer nog. En dan is het ook mooi geweest.

Laat klokslag zes niet zien dat je geen zin hebt
Neem afscheid van je bed en van de maan

Onze vrijheidsroes liep ten einde. Een nieuwe boerderij was opgetrokken net buiten de omheining en iedereen had zijn dagelijkse werkzaamheden alweer opgepakt, maar zo kort na het uitroepen van de onafhankelijkheid was de sfeer in Fort Parker beslist nog uitgelaten. We zongen weer vaker. We lachten meer van harte. 's Avonds aten we buiten aan lange tafels en ook nadat het eten op was bleven we zitten, als kinderen die niet naar bed wilden. Zo haalden wij onze schade in en we genoten onbezorgd van kleine dingen. De regels waren wat losser. Zo werden John en ik regelmatig wakker met een van de kinderen in ons bed. Soms legde Rachel de kleine James een tijdje bij ons, omdat zij wist hoe wij daarvan genoten en hij om de een of andere reden bij ons nooit huilde. En bijna elke ochtend kroop Cynthia Ann wel even bij ons. Wanneer John dan opstond om naar het land te gaan, draaide ik me gewoon nog een keer om, ook al moest ik eigenlijk aan de slag. Laat ik het zeggen zoals het voelde: alsof ik mezelf beloonde voor alle ontberingen door nog even, even maar, met mijn kleinkinderen te praten of te spelen.

Zo ook die dag.

'Laat de zon maar weten dat je durf hebt,' zongen we, 'en de moed om ook vandaag weer op te staan.' Het was gewoon dat marsliedje, dat wij hadden gehoord van dat regiment ongeregeld op weg naar het front, maar Cynthia Ann was er dol op. Vrolijkheid betekent voor iedereen iets anders. Zoals altijd sprongen we op de laatste maten uit bed, ieder aan een kant, en liepen we in het gelid naar buiten om ons te wassen, armen zwaaiend op de maat. In één hand hield ze haar vlieger. Om de andere stap sloeg de wind onder het doek, dat dan even klapperde alsof het vloog.

Rond negen uur trokken de meeste mannen de maïsvelden in. James gaf samen met Rachels man leiding aan de werkers die zich bij ons hadden aangesloten, zoals David Faulkenberry en zijn zoon Evan, Seth Bates, de oude Lunn en Elisha Anglin met zijn zoon Abram. Alles bij elkaar tien man en een jongen. John voelde zich wat koortsig. Hij besloot die dag in het fort te blijven, waar hij reparaties moest verrichten. Benjamin en Silas hielpen hem daarbij, samen met Samuel Frost en zijn zoon

Robert, omdat zij het meest bedreven waren in zaag- en timmerwerk. Grote delen van het jaar werkten ook de vrouwen op het land, wanneer er gepoot moest worden, gemaaid of gerooid, maar het was voorjaar, zodat we ons binnen nuttiger konden maken, en het was dinsdag, de dag waarop wij ons naai- en spinwerk deden.

Ik zat met mijn dochters Lucy en Martha bij het weefgetouw aan een grote tafel. Martha's dochters Rachel en Sarah werkten aan een kleinere samen aan een nieuwe lappendeken. Vlakbij was kleine John rond het hondenhok aan het dollen met de puppy's van de nieuwe honden die Seth Bates had meegebracht. Als hij er een te pakken had, kwam hij op ons af gerend met het mormel in zijn uitgestrekte handjes om het te laten zien aan zijn tante Lizzie, die zich nog maar kort tevoren bij ons had gevoegd. Zij had haar man, kort na hun huwelijk, verloren en had veel liefde over. Daarmee waakte zij over de kleinsten, en wanneer die zin hadden kregen ze van haar ook een lapje en wat garen.

Het deed mij deugd mijn dochters en kleindochters zo om me heen te hebben. Cynthia Ann was van de kinderen de oudste. Met haar tien jaren had zij de scherpste blik en zo'n vaste hand dat het haar taak was telkens voor ieder van ons het garen door de naald te steken. Zij was daar net mee bezig. Ik zie haar zo nog in die houding voor me, één oog toegeknepen, de draad tussen haar lippen. Ze maakte hem even nat, rolde hem heen en weer, zodat de losse vezels samenkleefden. Ze hield de naald op en kneep een van die mooie, grote blauwe ogen toe, op het punt de klus in één enkele haal te klaren, toen iemand begon te schreeuwen: 'Indianen! Indianen!'

Dit roepen was angstig en toch, omdat ikzelf met dat volk nooit iets te stellen had gehad en onze ontmoetingen altijd vreedzaam waren verlopen, bleef ik kalm. Ik raapte zelfs nog wat van het naaiwerk bijeen dat de anderen van schrik neergooiden en pakte kleine John op, die beteuterd stond te kijken omdat de puppy's bij hem waren weggehold, hun ouders achterna, die blaffend naar de poort renden.

Binnen de kortste keren was iedereen in rep en roer, vooral omdat de grote poorten openstonden. Dit was tegen het gebruik, maar kennelijk was onze aandacht door de verse vrede zo verslapt dat niemand er gevaar in had gezien. Toen Silas aan kwam rennen met zijn geweer bleek het niet geladen.

Het eerste wat we deden was ons verzamelen bij de poort om naar buiten te kijken en te zien wat ons te wachten stond.

De aanblik deed iedereen stilvallen. Al onze kracht hadden wij nodig om ons ongeloof te overwinnen en ons lichaam in bedwang te houden.

John legde zijn arm om mijn schouders en drukte me tegen zich aan.

Op een heuvel op minder dan een halve mijl afstand stond een heel leger mannen te paard, zon in de rug. Zij keken naar ons zoals wij naar hen, roerloos. We herkenden enkele Caddo's aan hun hoofdtooi, maar de meerderheid waren Comanche, tussen de zes- en zevenhonderd.

Op een voor ons onzichtbaar teken kwamen ze in beweging. Stapvoets kwamen ze op ons af. Hun bovenlijven spanden en ontspanden zich op het ritme van de hoeven. Tegen de zon in leken man en paard wel één te zijn, hun silhouetten tegen het opstuivende zand een leger fabeldieren dat uit de wolken tevoorschijn kwam.

Vreemd, hoe je geest zich van je lichaam los kan maken. Maag, longen, darmen, elke ader, iedere vezel weet bij gevaar precies hoe laat het is. Elke zenuw zet zich in om je voor te bereiden op het onvermijdelijke. Van top tot teen tintelt je bloed alsof het nog een laatste maal wil wijzen op elke uithoek van je lijf en alles wat het kan èn kon en voor je heeft gedaan. Op volle toeren werkt het, effectiever dan ooit, bewust van het dreigende einde.

Je verstand is ondertussen een andere weg ingeslagen. Het wil het onvermijdelijke niet zien en borrelt over van een volstrekt onredelijke hoop, een soort waanzin die je wegvoert van de werkelijkheid, zodat je niets meer doet uit redelijkheid, maar alles alleen nog omdat je voelt dat het zo moet. Het is een vorm van gekte die een mens in staat stelt het ondraaglijke te doorstaan.

Sarah was de eerste die wegholde. Zij nam de verscholen deur aan de achterzijde, in de hoop ongezien de maïsvelden te bereiken en de mannen daar te kunnen waarschuwen.

Amper was ze weg of de meute hield alweer halt, opnieuw als één man. Na enkele tellen, waarin werd overlegd, reden twee ruiters tot voor de poort. Daar hief een van hen een witte vlag.

Opgelucht haalde ik adem omdat zij opnieuw als vrienden kwamen en wij ons weer eens zorgen hadden gemaakt om niets. Ik knikte zelfs naar de boodschappers, want zo dicht waren ze genaderd, en ik probeerde ze op hun gemak te stellen met een glimlach.

Toen pas drong het echt tot mij door dat ze met verf oorlogsstrepen hadden aangebracht op hun gezicht en borst.

John wilde naar ze toe gaan, maar Benjamin hield hem tegen. Hij was de enige die niet getrouwd was en had, zei hij, daarom het minst te verliezen. Hij liep naar buiten. De mannen spraken hooguit twee minuten, waarin de Comanche het deden voorkomen alsof ze een verdrag wilden sluiten met Amerika.

'Volgens mij willen ze vechten,' zei Benjamin toen hij

terugkwam. 'Verdedig je. Breng de vrouwen en kinderen in veiligheid. Ik ga terug. Ik zal proberen ze aan de praat te houden om tijd te winnen.'

John pakte zijn arm, zoals een vader doet. Maar uiteindelijk moest hij hem laten gaan. Daarna bleef John staan, verlamd, en keek hoe zijn zoon de poort uit wandelde.

Het was Silas die ons wakker schudde.

'Ben is verloren,' zei hij, 'dat is zeker. Meer dan een paar minuten kan hij met zijn leven onmogelijk winnen. Verspil ze niet.'

Die woorden brachten ons in beweging. De vrouwen pakten hun baby's op en renden weg, hun kleuters aan de hand meetrekkend. John en ik volgden. Zijn jaren speelden hem parten. Tot driemaal toe moest hij rusten om op adem te komen. De eerste keer benutte ik de verloren tijd door uit onze hut het ijzeren kistje mee te grissen met de honderd dollar. Daarmee vluchtten we de velden in, waar ik het in allerijl begroef onder een bitternootstruik. De tweede keer dook Cynthia Ann ineens op. Ze wilde haar opa helpen. Ik schreeuwde dat ze door moest rennen, maar het meisje was bang en wilde niet zonder ons verder. Ze gilde en klampte zich aan me vast waardoor we helemaal niet meer vooruitkwamen.

Ik – ik had geen keus, wat kon ik? Ik moest haar bij zinnen brengen. Om haar. Om ons. Ze trok de aandacht met haar gegil. Ik sloeg haar, o God, en hard ook, recht in haar gezicht. Wat wist ik? Ik dacht dat ik ter plekke zou sterven als die wilden haar in handen zouden krijgen. Dus ik sloeg, en ik sloeg nog eens, tot ze in paniek van me wegholde.

Intussen was Rachel achteropgeraakt. Zij was zwanger, zwak en langzaam. De last van de kleine James viel haar te zwaar. Ze struikelde. Terwijl ze opkrabbelde zag zij hoe Benjamin door een groep Comanche werd ingesloten. Zij hieven hun speren en doorboorden hem.

Hierop barstte een angstaanjagend gekrijs los, een gierende aanvalskreet uit honderden kelen. Ik riep het lieve kind toe dat ze achter ons aan moest rennen, maar ze stond daar maar, bang dat ze het niet zou halen met James en te veel moeder om zonder hem te vluchten. Ze besloot terug te rennen naar het fort en naar haar vader, want Silas was daar gebleven om het lot van zijn broer af te wachten. Hij had nu met zinloze vastberadenheid besloten ten minste een van diens moordenaars met zijn leven te laten betalen.

Rachel redde het niet eens tot aan de palissade. Enkele ruiters sneden haar de pas af, gristen James uit haar armen en reden met de kleine weg, waarop Rachel het bewustzijn verloor. Ze pakten haar bij haar haren, dat schitterende, lange koperkleurige haar, en maakten van haar trots een martelwerktuig, want ze bonden het aan hun zadels en sleepten haar daaraan mee in galop, zoals een jager een geschoten wolf versleept.

Daarop liet Silas, overmoedig of krankzinnig, een overwinningskreet horen, 'Hoezee!', zo triomfantelijk dat wij echt even dachten dat hij in de verte het leger zag aankomen. Maar geen mens kwam ons te hulp.

John werd in zijn bovenarm getroffen door een pijl. Die lieve man van me, zo taai als hij oud was, liep er nog een eind mee door. Toen hij niet meer kon probeerden wij ons te verstoppen tussen de bitternootstruiken.

Tevergeefs.

Intussen had Sarah de velden bereikt en de anderen gewaarschuwd.

James bracht zijn familie naar een schuilplaats en keerde daarna terug om zich te ontfermen over degenen wie het gelukt was bij het fort vandaan te vluchten. Hij stuitte op een groep ruiters die Lucy met haar kinderen gevangenhield. Hij nam hen onder schot, zodat ze Lucy, die wild om zich heen trapte, moesten laten gaan.

Zij hield haar twee jongste kinderen beet, maar toen ze Cynthia Ann en de kleine John uit de greep van een andere ruiter wilde lostrekken, gaf die zijn paard de sporen. Lucy werd een eind meegesleurd terwijl ze de handen van haar kinderen uit haar greep voelde wegglippen. Zij viel, maar de aanvallers kwamen niet terug om haar scalp te nemen.

In galop reden ze door naar het fort, met hun buit krijsend van angst onder de arm. James rende er nog achteraan, maar toen hij zag welke overmacht er binnen de omheining aan het plunderen was geslagen deed hij wat verstandig was, en wat zijn vader zou hebben gewild dat hij deed: hij beschouwde ons als verloren, keerde terug naar zijn familie en verborg zich.

Het was een jonge jongen, hooguit van Rachels leeftijd, die John en mij tussen de bitternoten wegplukte. Hij droeg als enige tooi één lange grijze veer. Aan zijn riem hing geen enkele scalp, een teken dat hij nog onbedreven was.

Ik kroop niet voor hem weg. Met mijn laatste moed stond ik op, en woedend als ik was keek ik hem recht in de ogen, wat hem ondanks al zijn oorlogskleuren nerveus maakte. Hij keek om zich heen, maar niemand kwam hem te hulp.

'Rennen!' fluisterde John, die nog op de grond lag. 'Gaan. Nu!'

Ik had op dat moment inderdaad een kans gemaakt, denk ik, maar ik kon het niet. Moest ik achterlaten wat ik liefhad?

Mijn aarzeling gaf de jongen moed. Hij hief zijn speer. Je zag hem gewoon denken: voor alles is een eerste keer. Hij zei iets in zijn eigen taal en zette zich schrap. Wij gingen ervan uit dat hij ons ter plekke zou doden, maar in plaats daarvan steeg hij af en bond onze handen op onze rug. Ik weet niet waarom hij ons niet afmaakte. Misschien durfde hij niet vanwege Johns eerbiedwaardige leeftijd of wilde hij die eerste keer liever zijn vrienden het vuile werk laten opknappen.

Ik had hem erom moeten smeken het wel meteen te doen.

Voor de poort lag Benjamin. Zijn romp was al aan flarden, maar telkens als een nieuwe krijger passeerde, doorstak die hem nog even. Voor hen was dit niet meer dan een spel. Binnen de omheining was de slachting wreder. Toen wij binnen werden geleid was een deel van de overvallers bezig onze matrassen open te scheuren. Overal dansten kippen- en ganzenveren op de hete lucht. Telkens opnieuw werden ze omhooggestoten door alle warmte en commotie. Als ze de dode lichamen raakten van Silas, van Samuel en van Robert Frost, die in stukken op de grond lagen, bleven ze plakken aan hun bloed, zodat hun ledematen en de grond daaromheen wit kleurden en donzig leken.

De indianen brachten Silas' boeken naar buiten. Ze scheurden ze aan stukken. Het papier namen ze mee om hun zadels mee te vullen. Zijn medicijnflessen gooiden ze kapot, op enkele na, die ze in hun jachttassen stopten. Hierna vertrok een deel van de strijders met de buit. Daartoe behoorde Rachel.

Ze reden in de richting van Cross Timbers, waar geen van ons zich ooit gewaagd had, het meisje nog altijd aan haar haren achter hun paarden aan slepend. Tijdens hun aftocht schoten zij pijlen in ons vee, zinloos, alsof niets wat van ons was verdiende te leven.

Ik dacht dat John van verdriet zou sterven toen hij de resten van zijn zonen moest zien en het lot van zijn kleindochter, en het leek of ik zelf stierf toen ze de anderen binnenbrachten, die zij in de velden hadden gevangen: mijn Lizzie, Martha's baby en de twee kinderen van mijn Lucy, Cynthia Ann en kleine John.

We werden samengedreven. Tot groot vermaak van de mannen, die voortdurend joelden om onze beulen aan te sporen, werden ons de kleren van het lijf gescheurd. John sloot zijn ogen om mijn dochters naaktheid niet te hoeven zien. Daarop werd Lizzie over de rug van een lastpaard gelegd, handen en voeten onder de buik van het dier vastgebonden, en weggevoerd door een ruiter die ook de kleine baby James meenam. Die krijste dat het een aard had, omdat hij aan één arm werd getild, zoals je een net geschoten haas vervoert, losjes bungelend langs de flank van het paard.

Hierna was het de beurt aan kleine John en Cynthia Ann. Zij werden naar voren geleid door dezelfde jonge krijger die mijn man en mij gevangen had genomen. Het gejammer van de kinderen leek hem te storen. Hij legde zijn vlakke hand enkele tellen tegen het voorhoofd van de kleinste, die door deze aanraking als bij toverslag kalmeerde en zijn huilen staakte. Dat gebaar herhaalde hij bij Cynthia Ann, maar zij, drie jaar ouder dan haar broertje, bleek koppiger. Ze wendde bruusk haar hoofd af ten teken dat ze van zijn hocus pocus niet gediend was. Hij drong niet aan en werd niet boos, maar het meisje dook ineen alsof ze ieder moment een klap van hem verwachtte.

Naakt en ineengedoken stond ze verstijfd en in haar doodsangst rillend naar mij te kijken, alsof ze hulp van mij verwachtte; alsof ik haar wel zou redden, zoals die keer dat ze met haar haren in een bottelstruik was vastgeraakt of toen ik haar met een verzwikte enkel langs de wassende rivier vond. Ik hoorde ook te helpen, vond ik, en dat mij dit in haar grootste nood onmogelijk werd gemaakt, dat ik haar teleur moest stellen, was voor mij van deze hele beproeving misschien nog het ergste. Niks kon ik doen, alleen dit: ineens begon ik te marcheren.

Op de plaats.

Te marcheren.

Als een krankzinnige.

Naakt marcheerde ik, want ik had niets meer te verliezen. Mijn knieën trok ik op. Links rechts links rechts. Mijn armen zwaaide ik heen en weer: mars-twee-drie-vier ging ik maar, op een onhoorbaar ritme. Zo trok ik de aandacht van de meute. En die van haar, waar het me om ging, van Cynthia Ann. Gek van angst marcheerde ik. Ik kon niet weten of het lieve kind begreep wat ik bedoelde. Of ze op dat moment de woorden hoorde zoals ik die hoorde in mijn hoofd. De domme, dwaze woorden van het zootje ongeregeld dat geprobeerd had moed te houden op weg naar het front. 'Laat de zon niet zien! Laat de dag je niet betrappen!' Ik probeerde de melodie te neuriën, maar mijn keel zat dicht en er was niets te horen. Toch liep ik maar te marcheren en te zwaaien zonder ergens heen te gaan. En zij keek. Ik dacht dat ze het zou begrijpen. Ik wilde dat ze het begreep. Ik wou dat iets haar moed kon geven. Ze moet het begrepen hebben. Dat moet, anders heeft er niets bestaan dan die verpletterende schaamte. Die schaamte die ik afwierp omdat hij te zwaar was om te dragen. Dus ik marcheerde. Terwijl Cynthia Ann en John werden vastgebonden, op een paard gezet en weggevoerd, marcheerde ik, marcheerde ik.

Hierna hoefden de krijgers zich alleen nog van John en mij te ontdoen. Wij stonden zij aan zij. Ik vond zijn hand en kneep erin. Enkele schutters richtten hun pijlen.

'Sallie,' zei hij.

Dit was voor het eerst. Hardnekkig was hij mij altijd bij de naam blijven noemen waarmee hij mij voor het eerst geplaagd had, ook nadat mijn eerste man was gestorven en de Parkers zich over mij en mijn dochters ontfermden. Granny, Granny, altijd Granny. Ik verhuisde met hen naar Crawford County, waar ik de troost had van Lucy en Martha en de steun van James en Silas, die het vanzelfsprekend vonden dat zij voortaan meer monden hadden te voeden. Korte tijd later verloor John zijn vrouw, zijn eerste Sallie en degene met de oudste rechten. Toen hem na twee jaar het leven als weduwnaar nog altijd zwaar viel, waren het onze kinderen die hem en mij samenbrachten. Eerst praatten ze op mij in, toen op hem en zodra er in ons allebei hoop ontbrand was op een nieuw begin, wakkerden zij die aan met vrolijkheid en feestjes.

In de huwelijksnacht bracht John zijn plagerij ter sprake, voor de eerste en de laatste keer.

'Ik denk dat het tijd is,' zei hij toen. 'Verwarring kan het niet meer geven. Als je wilt zal ik je voortaan Sallie noemen.'

'Nee,' antwoordde ik. 'Zíj was Sallie. Laat dat maar zo. Nu zit je vast aan Granny, voor eeuwig.'

'Je bent te jong.' Hij bromde, maar zijn opluchting brak erdoorheen. 'Wat zullen de mensen zeggen? Wat voor man trouwt nou een Granny? Dat klinkt toch niet!'

'Ben je er ook achter?'

'Sallie,' waren zijn laatste woorden, 'Sallie Parker, geen zorg, wij vinden elkaar.'

Een pijl trof hem. Ik hoorde het, eerst het geluid van iets wat scheurt, gevolgd door een zacht geslurp. Daarop slaakte John een diepe zucht, alsof hij eindelijk ontspande, maar hij leefde nog. Hij viel. Direct doken enkele krijgers op hem. Een nam zijn scalp. Aan de grijze haren hield hij zijn trofee omhoog. Een ander won Johns geslacht, dat hij in een weitas borg.

Al deze verschrikkingen heb ik van nabij gezien en tegelijk zag ik ze niet. Of liever, ik zag ze alsof ze zich heel ergens anders voltrokken en aan een vreemde. Toch voelde ik heel duidelijk dat ik in Johns bloed stond, voelde ik hoe eerst mijn rechtervoet en toen de linker warm en plakkend van vocht werd. Desondanks zou ik zweren dat ik gedurende dit alles niet in mijn eigen lichaam was, maar dat ik het van een afstand zag, ook hoe ikzelf naast het dode lichaam werd neergedrukt. Hoe ik tegenstribbelde. Hoe ik daarom met een speer aan de grond werd vastgespietst. Hoe de mannen een rij vormden en zich verkneukelden tot ze aan de beurt kwamen.

Ik kan dit fenomeen niet verklaren, want hoewel ik hen als vanuit de verte bezig zag, viel mij tegelijk alles om mij heen tot in de kleinste details op.

Ik zag de grond zoals ik die nog nooit gezien had. Ieder klontje aarde dat in het geweld werd losgewoeld, leek mij wel een hele wereld met bergen en dalen waarin het van leven krioelde en ik ontdekte er diepe gangen waarin ik kon wegvluchten en donkere holen waarin ik een schuilplaats vond. Zo veilig voelde ik mij daarbinnen.

Mijn grond, dacht ik, mijn eigen stukje aarde en ik probeerde mij nog dieper in te graven. 'Hier blijf ik!' riep ik uit. 'In mijn eigen aarde lig ik! Nu ga ik hier zeker nooit meer weg.'

Zo viel hij mij op, die mier. Hij kwam uit mijn grond tevoorschijn. Hij kroop onder een losgeschopte kluit vandaan en toen het kuiltje waarin hij rondjes rende, met de stroperige rode vloeistof volliep, klauterde hij eruit. Hij probeerde zich in veiligheid te brengen op mijn arm, mijn borst en weer terug naar mijn arm, maar nergens vond hij houvast. Hij legde zijn kop in zijn nek om te zoeken naar een uitweg. Vast en zeker was hij verdronken als het niet zo'n doorzetter was geweest, zo eentje die zich met alle geweld ergens aan vastklampt. Oog in oog waren we terwijl hij langs mijn haar omhoogkroop. Hij buitelde, gleed weg, wankelde keer op keer en viel dan terug, maar altijd bleef hij toch weer bungelen en klom hij terug omhoog.

'Hallo,' zei ik om hem te laten weten dat hij niet alleen was, 'hallo, hallo!'

*

Ook het gelukkigste leven wordt met pijn gebaard. Aan elk nieuw begin kleeft bloed. Krijsend van angst komt het ter wereld.

Op een ochtend strekten vier ontroostbare zusters hun handen uit naar de wolken.

'Onze broer,' riepen ze in hun wanhoop naar de voorouders, 'onze enige broer! Zonder vrienden ligt hij op het veld. En zijn geest, waar is zijn geest? Zijn ziel dwaalt maar rond, naakt en hongerig. Wat een man is dat geweest. Zoals die kon jagen! De jaguars hoefden hem maar aan te zien komen of ze renden in doodsangst terug naar de bergen. Vurig was zijn vriendschap. Zijn vijanden velde hij zonder genade, maar voor wie hij liefhad was hij onschuldig als een hinde. Kalm was hij en sterk. Met iedereen leefde hij mee. Nu liggen zijn botten ergens onbegraven. Daar mist hij de tranen van zijn zusters. In de kracht van zijn leven is hij ons ontvallen, net nu we hem het hardst nodig hebben om ons te beschermen!'

Zo waren zij aan het huilen toen zij vreugdekreten hoorden en de roep van terugkerende krijgers. Zij haastten zich om te zien wat er aan de hand was. Een schitterend gezicht! De jongens die tijdens de vorige maan waren vertrokken, keerden nu als mannen terug. De bewijzen van hun moed puilden uit hun zadeltassen en bungelden aan hun speren. Ook brachten zij nieuw leven, een jongen en een meisje! Dit was voor dit volk het grootst denkbare geluk.

De vier zusters traden naar voren. Zij vertelden van hun verlies en vroegen, zoals gebruikelijk is, de overwinnaars hun verlies te verzachten. Daarop steeg Peta Nocona af, de jongste van allemaal, en hij stond aan hen het meisje af dat bij hem achterop zat, en voor wie hij de hele terugreis had gezorgd als voor een zusje. Zij was niet bekend met de gebruiken van het volk en daarom was ze bang. Met twee armen klampte zij zich vast aan het middel van de jongeman die haar in veiligheid gebracht had. Het vertrouwen tussen die twee maakte diepe indruk. Pas nadat hij het meisje beloofd had dat zij vrienden zouden blijven en haar had verzekerd voor altijd in haar buurt te zullen blijven, steeg zij af en ging mee met haar nieuwe familie.

'O, onze broer,' jammerden de zusters tegen het meisje. 'zijn oorlogskreten waren zo schril! Zijn temperament zo zacht!' Maar zij verstond hen niet, want ze was vreemd. Blank was het kind en ze had blauwe ogen, maar de vrouwen namen haar op, want voor het volk is iedereen gelijk. In stam, ras of huidskleur wordt geen onderscheid gemaakt.

'Maar waarom rouwen wij?' vroeg de oudste zuster, toen zij zich had leeggehuild. 'Onze broer mag dan gesneuveld zijn, maar eervol was het wel.'

'En zijn geest,' viel een ander haar bij, 'is tenminste in vol ornaat in het land van de vaders aangekomen.'

'Juichend hebben ze hem daar ontvangen.'

'En ze hebben hem gevoed.'

'En gekleed. Al die lieve gezichten die wij hier moeten missen, lachen hem op dit moment toe.'

'En diezelfde avond nog hebben ze een feest voor hem aangericht. Dat hebben we zelf gezien. Weten jullie nog, die avond dat de hemel aan het oosten de hele nacht rood bleef!'

'Wat zouden wij dan nog rouwen?' besloot de oudste. 'Onze lieve broer kon niet gelukkiger zijn. Droog toch je tranen! Hij moet hebben gezien hoe wij overstuur zijn en ons deze troost hebben gestuurd. Laat me dit meisje als eerste omhelzen. Wat is ze knap en vriendelijk! Onze zuster is ze, welkom als een pasgeboren kind. Zo zullen we ook over haar waken, met ons eigen leven, en we zorgen ervoor dat ze altijd vrij blijft van ziekte en nooit iets tekortkomt. Dat ze maar gelukkig mag zijn tot de dag dat haar geest ons verlaat.'

Zo zongen de zusters en ze dansten met het meisje. Zij baadden haar en gaven haar kleding en schoenen. Zij brachten haar naar hun ouders en vertelden dat dit meisje hun was gezonden door hun overleden broer. En tegen de avond was iedereen van blijdschap vergeten hoeveel pijn zij die ochtend hadden gekend.

Hoop leeft van verdriet, zoals de mens van de bizon. Hij doodt hem en toch kan hij niet zonder.

Pas toen ze hun nieuwe zusje naar bed wilden brengen en zij zich om haar verdrongen om haar warm in te stoppen en goede dromen te wensen, merkten ze dat ze niet wisten hoe zij eigenlijk werd genoemd.

De oudste dochter haalde haar schouders op.

'Laat ik haar maar noemen zoals ze is,' zei ze. 'Na-udah, iemand die is gevonden.'

'Welterusten Na-udah,' fluisterden de anderen, en ze kusten haar nog eens, maar het meisje sliep al.

7

Vannacht schoot ik wakker, niet van angst, eerder van verbazing, want plotseling drong tot me door dat mijn dromen al die jaren wit en grijs zijn geweest. Dat ik daar nooit eerder bij heb stilgestaan! Ik dacht dat dat zo hoorde. Ik merkte het nu alleen omdat er met het licht dat er de laatste tijd schijnt ook kleur naar binnen begon te sijpelen. Niet alle kleuren, dat nog niet, maar het bloed bijvoorbeeld vloeide ineens alle kanten uit in grote plassen rood.

Ik weet niet wat ik liever heb.

En er zat goud in de hoofdtooi van Old Bet. Een rand met gulden franjes rond van dat diep donkerblauw fluweel.

Er werd gevloekt, ik denk door Hackaliah Bailey, want de muziek speelde al en de voorstelling moest verder, maar de olifant wilde niet vooruit. De enige manier om haar in de maat te krijgen was door haar keihard te slaan met een ijzeren haak.

Misschien verschijnt ze daarom aan me in de nacht. Om mij hieraan te herinneren: je huid kan zo dik worden dat ze je moeten slaan om je nog aan het dansen te krijgen.

Deel twee

Zaad in de winter

Eens kijken of dit echt is,
Eens kijken of dit echt is,
Eens kijken of dit echt is,
Dit leven van me

Aanvalskreet van de Pawnee

I

Hij is er. Ik voel het aan mijn hart. Hij springt van zijn paard, opent de poort en komt het erf op. Hij is alleen. Ik hoor hem niet, ik kan hem nog niet zien, maar ik weet het. Mijn maag trekt ervan samen. Dit is wel het laatste wat ik had verwacht, dat we elkaar zouden kunnen aanvoelen, zoals geliefden, zonder woorden, zoals een moeder weet dat haar kind iets staat te overkomen, onverklaarbaar, zoals een stervende eerder dan zijn verzorgers weet dat het zijn tijd is.

Hij wacht maar. Eerst moeten mijn spieren me overeind helpen, moet het bloed de weg naar mijn voeten nog vinden en dan als het meezit de hele weg weer terug naar mijn kop, zodat ik bloedscherp ben. Ik ben een oud mens, ik kan hem moeilijk met mijn aanblik overrompelen, maar voor de eerste indruk wil ik ten minste toch rechtop staan. Ik wil hem een vrouw laten zien die zich door niemand omver laat lopen, kin in de lucht, twee benen stevig in de aarde.

Mijn aarde.

Mijn eigen land.

Waar ik de baas ben.

Bang ben ik niet. Mijnheer mag dan de grote leider van zijn volk zijn, heb ik daar een boodschap aan? Zelfs als hij in vol ornaat durft te verschijnen, komt hij nog niet in functie. Niet hier. Niet in mijn eigen huis. Hopen dat hij dat inziet. Zo niet dan heb ik, God-sta-hem-bij, mijn geweer binnen handbereik om het hem bij te brengen. Tussen hem en mij liggen de verhoudingen nu eenmaal anders. Hoe ze liggen, daar komen we gauw genoeg achter. Hoe dat voelt. Hoe dat praat. Hoe dat zal steken als een oude wond. Wij zullen onze omgangsvormen zelf moeten uitvinden, want nooit hebben twee levende zielen voor een ontmoeting gestaan als de onze. Daarom is de hele county ervoor uitgelopen. Ze willen zien of we het er zonder bloedvergieten vanaf brengen. Wat verwachten ze eigenlijk? We kunnen elkaar moeilijk in de armen vallen.

'Maar lieverd,' miss Croney boog vanmorgen helemaal over tafel en legde haar handen met de palmen naar boven voor me neer, zodat ik de mijne erin kon leggen, 'zo'n confrontatie! Weet je wel zeker dat je sterk genoeg bent? O Granny, als ik me toch voorstel!' Ze begon te snotteren. 'Hoe dat moet zijn, voor jou, oog in oog te komen met die, met zo'n, uitgerekend met iemand als...'

Er was niets anders voorhanden dan mijn tinnen mok. Die heb ik haar achternageslingerd. Met haar armen om haar hoofd geslagen rende ze het erf af.

Medelijden! Mensen die daarmee aankomen kunnen van mij de ziekte krijgen. Je snapt gewoon niet waar ze het lef vandaan halen! Waren ze er soms bij toen het gebeurde? Ik heb ze niet gezien. Wat voor zin heeft het te jammeren om iets wat je niet zelf hebt meegemaakt? Is er misschien toen niet genoeg geleden dat we het nou nog eens over moeten doen? Was ons eigen verdriet zo ontoereikend dat het moet worden aangevuld met dat van een vreemde? Rot toch alsjeblieft op! Je kunt nog zo veel mensen met je verleden belasten, het drukt er niet minder om op je eigen schouders. Je kunt ze je hele geschiedenis vertellen, zodat ze wanneer ze vertrekken jouw verhaal voor altijd met zich meedragen. Maar dat is ook alles wat ze dragen. Een verhaal weegt niks. Je kunt over je leven vertellen zo vaak je wilt, lichter wordt het er niet van.

Mensen die denken dat je leed kunt delen met woorden hebben zelf nooit iets meegemaakt. Uit dingen die worden gezegd valt geen enkele troost te peuren. Het delen van stilte, dat is het enige waaraan ik behoefte heb.

Ik zweet onderhand als een hoer in de kerk. Die verdomde zon schijnt ook recht in mijn gezicht. Zo zie ik geen steek. Rondom weerkaatst het licht tegen het zand en de blanke planken van de veranda. Op de tast ga ik de treden af. Eerst plant ik mijn zere botten op de ene tree, dan voorzichtig op de volgende. De honden huilen. Er wordt gejaagd bij de kreek. Er hangt bloed in de lucht. Ik stap mijn erf op. Daar blijf ik staan, waar hij me goed kan zien, armen over elkaar geslagen voor mijn borst, terwijl mijn ogen wennen aan het licht en uit een waas van stralen zijn gestalte opdoemt.

Hij komt op me af met de zon in zijn rug, de oude truc: altijd zorgen dat je slechter te zien bent dan je tegenstander. Hij leidt zijn paard naar de waterbak, bindt het niet vast, maar wrijft het over de schoft tot het rustig is. Hij moet jong zijn, begin twintig, maar dat verraadt zijn gestalte niet. Vierkant oogt hij, onverzettelijk. Zijn schouders, breed en hoog, blijven onbeweeglijk bij elke stap. Soepel als een roofdier loopt hij, heupen los, knieën licht gebogen, meer zwevend zou je zeggen dan in tred, een aanblik die mijns ondanks indruk op me maakt. Hij draagt zijn nette pak, zwart als van een notaris, met overhemd en bolhoed. Hij heeft zich hier dus niet durven vertonen getooid als leider van zijn volk. Dat is tenminste iets. Op een meter of twintig van mij vandaan houdt hij halt, zijn gezicht nog altijd in de schaduw, alsof hij niet te na wil komen en mij alsnog de keus laat van het hele drama af te zien. Misschien doe ik dat ook wel, want ineens voel ik me week worden. Ik hou mijn knieën stijf en bijt op de binnenkanten van mijn wangen, want ik verdom het hem ook maar het minste teken van zwakte te gunnen. Op datzelfde moment gebeurt er iets wat niet kan. Voor me staat dat silhouet, pikzwart tegen de hemel, waarin ik van deze afstand geen gelaatstrek kan herkennen, en toch zie ik hem ineens zijn ogen openen. Het kan niet bestaan, dat weet ik wel, ik kan het tegen al dat licht in met geen mogelijkheid waarnemen, en toch, als twee luikjes gaan zijn oogleden omhoog, langzaam slaat hij ze naar me op, die ogen van hem, en jazeker, het is die blik, die ik nooit eerder in mijn leven heb gezien, terwijl ik hem tegelijk toch zo goed ken dat hij elke nacht wel een keer aan me verschijnt, en daarmee kijkt hij mij aan, de irissen blauwgrijs, helder, lichtend alsof de felle zon die achter hem staat dwars door hem, door Quanah, dwars door de aanvoerder van de Comanche heen, op mij valt.

Hij neemt zijn hoed af. Midden over zijn hoofd loopt de scheiding van zijn lange zwarte haren. Ze zijn samengebonden in twee vlechten die langs zijn borst hangen, allebei de uiteinden versierd met een veer. Ik knik naar hem, kort, loop op hem toe tot ik voor hem sta en neem dat gezicht in me op. Nu wou ik dat ik de kracht had om flink uit te halen en er uit alle macht op in te slaan, maar in plaats daarvan zie ik mezelf als een idioot mijn hand uitstrekken en de palm heel even zacht tegen zijn wang leggen. Al die tijd blijft de indiaan me aankijken, onbewogen streng, met neergetrokken mondhoeken, staart hij als een havik die aan het bidden is. Zelf kijk ik niet vriendelijker. Voor hem is dit een traditionele manier om eerbied te tonen, ik heb alleen maar de pest in dat zijn aanblik me van mijn stuk brengt.

Ik ga op weg naar de houten bank die naast het huis in de schaduw van de ceder staat en gebaar dat hij me moet volgen. Hij ziet hoe slecht het lopen me af gaat en biedt me zijn arm ter ondersteuning. Die wil ik niet. Ik ben er altijd nog op eigen kracht gekomen.

'Dat is een verre reis geweest,' brom ik. We zitten naast elkaar en kijken naar zijn paard. Het drinkt en pist.

'Voor iedereen,' antwoordt hij met zachte, heldere stem, als een man die gewend is dat mensen toch wel moeite doen iedere zucht van hem op te vangen, 'maar het einde is in zicht.'

Het dier spitst zijn oren en kijkt op van zijn trog.

In sommige gesprekken wordt het belangrijkste zwijgend verteld. Elke stilte raspt je ziel, maar het is niet anders. Wat Quanah en ik te bespreken hebben is nu eenmaal te groot om te worden genoemd. Dus zitten we zij aan zij nors te wezen, vierkant, ontoegeeflijk, met soms een uit beleefdheid moeizaam opgetrokken zin, waar af en toe, als zonlicht door de smalle ramen van een stenen kathedraal, de waarheid doorheen valt.

'Wat dacht je te vinden?' Ik sla het stof van mijn rok. We kijken hoe het op wolkt en gevangen in de stralen nog even rondtolt voordat het verwaait.

'U,' antwoordt hij, 'dat is genoeg.'

Ik sluit mijn ogen, leun voorover, handen op mijn knieen steunend, hap naar adem alsof het voor het laatst is en knik dan kortaf, zodat hij weet dat ik zijn woorden heb begrepen. Woedend als wij zijn over onze eenzaamheid, die wij elkaar sinds jaar en dag hebben verweten, snijdt de minste herkenning, weldadig en gewelddadig tegelijk, dwars door onze duisternis.

'Mooi,' zeg ik, 'want meer is hier niet te halen.'

'Misschien wat over haar, dat zou me goed doen, iets wat een ander me onmogelijk kan vertellen, een paar kleine dingen.'

Klein betekent voor iedereen iets anders.

Ik bet mijn hoofd met een stuk linnen. Het is voor een

oud mens te heet om buiten te zitten, maar een indiaan komt er bij mij niet in. Het is nog een slimme sodemieter ook, zeg ik tegen mezelf, hij heeft moeite gedaan de taal te leren. Zeker om bij onderhandeling met het leger op te vangen wat er over hem gezegd wordt. Om onverwacht van repliek te kunnen dienen. Om mij hier uit te komen horen. Ik vouw de lap twee keer dubbel en veeg er mijn oksels mee droog.

'Wat valt er te vertellen?' zeg ik. 'Ik hield van haar. Mijn vlees en bloed. Ze hebben haar meegenomen.'

'Ja.'

'Hoe dat voelt, dat weet je.'

'Ja.'

Ineens komt dat paard van hem in beweging. Het wendt zijn hoofd in onze richting alsof we het geroepen hebben, komt op ons af lopen en gaat pal naast me onder de boom staan, alsof het de gewoonste zaak van de wereld is dat ik mijn schaduw met een knol deel. Als ik tussen de vliegen wil zitten dan had ik mijn zitje wel naast de plee gemaakt, maar Quanah steekt geen poot uit om het dier te verjagen. En elke keer opnieuw laat het zijn kop hangen, pal naast me, en het blijft maar snuiven en om aandacht bedelen.

'Mijn kleindochter had een paard,' zeg ik om maar iets te zeggen. 'Rank, hoog op de benen. Op een dag kwam ze ermee aanzetten. Het had een zadeltas, maar geen berijder. Moet van een van jouw vrienden zijn geweest, die er door iemand af was geknald. Had staan drinken uit een beek vlak bij het fort waar ze aan het zwemmen was, Cynthia Ann. Toen ze naar huis ging is het haar gevolgd, ze had het niet gevoerd of niks, het liep zomaar mee, vanzelf, alsof het iemand zocht om bij te horen.'

De man naast me geeft geen enkele reactie. Voor het eerst kijk ik opzij, en zie Quanah onverstoorbaar in de verte turen; met samengeknepen ogen speurt hij over de vlakte, alsof daar elk moment iets kan opdoemen wat hem interessanter lijkt dan mijn verhaal.

'John zei dat ze het paard mocht houden als ze het kon leren naar haar te luisteren. Wekenlang waren ze onafscheidelijk, maar wat ze ook probeerde, het liet zich niet mennen, niks liet het zich zeggen, niet door haar en door niemand niet. Je kon ernaar roepen en schreeuwen wat je wou, het reageerde nergens op. We hebben ons rot gelachen, mijn man en ik. "Laten we hopen dat al hun paarden zo gehoorzaam zijn," zeiden we. Niks hielp. Je kreeg het niet vooruit, al spoorde je het aan met een ijzerborstel.'

Even zie ik het weer voor me, dat hele gedoe, en grinnik in mijn eentje. Quanah zit daar maar te zitten, en ondertussen schijnt dat paard van hem te denken dat het allemaal een spelletje is. De hele tijd hangt het met zijn stinkende muil tegen me aan alsof ik een veulen ben dat op de been moet worden geholpen. Hoe harder ik dat bakbeest wegduw, hoe meer het schijnt te denken dat ik het aanhaal.

'Is ze er nog achter gekomen,' vraagt Quanah uiteindelijk, 'uw kleindochter?'

'Kort voor het eind. Toen het ons na twee maanden nog niet van nut was, besloot John het dier door de kop te schieten, zodat we er ten minste van konden eten. Cynthia Ann kreeg een dag om afscheid te nemen. Ik dacht dat ze haar verstand zou verliezen, zo schreeuwde ze het uit. Die hele nacht heb ik naast haar gezeten, maar stil kon ik haar niet krijgen. Vlak voor zonsopgang zijn we samen naar de kraal gelopen. Toen Cynthia Ann het stomme beest wilde roepen bleek ze van het janken geen stem meer over te hebben. Er kwam amper geluid uit. Toen gebeurde het. Het kwam op haar af, dat paard van d'r. Uit de laatste schaduwen van de nacht doemde het op. O God, ik zie het zo weer voor me, dat silhouet tegen de hemel die van het diepste donkerblauw langzaam lichtpaars opgloeit.' Ik verbijt me, twee, drie tellen maar, want hij hoeft niet te denken dat ik volschiet.

'Het kwam recht op ons af. Op haar, op mijn kleindochter. Ze viel het om de hals en wou het voor het sterven moest nog zo veel dingen zeggen, maar alles wat ze voortbracht was gepiep en wat gepruttel. En het dier begreep het. Ik zweer het je. Juist wat je nauwelijks kon horen. Van het ene moment op het andere liet het zich alles zeggen. Cynthia Ann hees zich aan zijn manen omhoog tot ze op zijn rug zat, en het liet haar. Het deed alles wat ze wilde, het liep, stapvoets eerst, dan in galop, en liet zich met de minste stoot van haar blote voeten wenden, alles zonder leidsel, enkel uit gehoorzaamheid.'

'In de strijd klinkt het geschreeuw van alle kanten. Uit woede, angst, uit overmoed. Wij leren onze dieren geen andere stem te gehoorzamen dan een die prevelt. Wanneer alles ten onder gaat is tederheid het enige wat opvalt. Daar zijn onze dieren alert op. Alleen als zijn berijder zijn bevelen kalm geeft, onder de adem, gehoorzaamt het.'

'En John wist dat. Woedend was ik. Hij had dat al die tijd geweten, maar vond het nodig dat Cynthia Ann daar zelf achter zou komen.'

'En als dat niet gebeurd was?'

'Toen hij kwam aanlopen had hij zijn geweer bij zich. Of hij het gebruikt zou hebben? John wist dat het leven geen enkel mededogen met ons zou hebben. Alsof hij het allemaal voorzien had. Dag in dag uit was hij bezig ons daarop voor te bereiden. In omstandigheden als die van ons is zelfs de hardste les een manier van liefhebben.'

Dat woord, het is weer dat verdomde woord, dat me opbreekt. Quanah merkt het, maar heeft genoeg fatsoen in zijn donder om me nu niet met een of ander loos gebaar te willen kalmeren. Dat kan ik zelf als geen ander. Dat heb ik wel geleerd. Wanneer bepaalde herinneringen me te lijf willen, verdrink ik ze in beelden die ik uit alle macht oproep. Nu bijvoorbeeld denk ik aan Old Bet, zoals ze lang geleden door de hoofdstraat sjokte. Stap voor stap, gedwongen door het priemen van die ijshaak.

'Ik ben vanaf Fort Sill gekomen,' zegt Quanah. 'We hebben kamp gemaakt bij Tepee Creek en wachten daar op wat gaat komen. Kolonel Mackenzie staat me toe hier twee dagen te blijven. Hij is mij goedgezind. Het is aan een brief van hem die gepubliceerd is in de *Dallas Daily* te danken dat ik u heb kunnen vinden.'

'Kijk eens aan.'

'Hij vond het belangrijk dat ik u zou spreken. Hij begrijpt dat de dingen die u mij kunt vertellen misschien iets van de pijn zouden kunnen verzachten van wat mij te doen staat. Ik heb nauwelijks durven hopen dat u mij wilde zien. Ik begrijp wat het voor u moet betekenen.'

'O ja?'

'Als ik zou kunnen begrijpen hoe het zover heeft kunnen komen... Is er één man in de geschiedenis die het hele lot van zijn volk zo in handen heeft gehad? Ik hoop dat we verder kunnen spreken, morgen desnoods, als het u vandaag te zwaar valt.'

'Weet je wat het met jou is, Quanah?' Ik haal mijn neus op en bet mijn ogen door de muizen van mijn handen ertegenaan te drukken, een routinegebaar op mijn leeftijd. 'Met jou over die dingen spreken, daar heb ik helemaal geen zin in. Ik kijk nog liever in de kont van een dooie hond met vlooien!'

Voor het eerst kan er een lach af. Hij schudt zijn hoofd alsof hij zijn oren niet gelooft.

Mijn handen stinken naar die knol van hem. Ongemerkt heb ik dat beest al God weet hoe lang zitten aaien en klopjes zitten geven om het maar tevreden te houden. Dat kreng laat je gewoon niet met rust voordat zijn schurftige stank tot in je haar zit.

'Ik ben niet zo oud geworden om me nog te laten dwingen tot iets waar ik geen zin in heb. Met heel veel moeite heeft alles een plaats gekregen, en nou zou ik het moeten oprakelen? Voor wie, voor jou zeker? Laat me niet lachen! Zodat jij de "toekomst" van je volk kunt begrijpen, van dat volk dat mij de mijne heeft afgenomen? Nee mijnheer, als ik besluit dat wij doorpraten is dat om mezelf en niet om jou, begrepen?' Ik kijk hem aan, maar hij antwoordt niet. 'Voor hetzelfde geld zou jij mij dingen kunnen vertellen, details die niemand anders weet en die míj goed zouden kunnen doen.'

'Meer vraag ik niet,' zegt Quanah, 'om u ben ik gekomen. Ik heb gezien wat er in u is.' Hij staat op. Ik denk al dat hij zijn hele plan opgeeft en wil vertrekken, maar dan draait hij zich om, recht voor me, kruist zijn polsen voor zijn borst en drukt die, vuisten gesloten, tegen zijn hart. Zo blijft hij staan, als een idioot die de lucht omhelst.

Twee dingen bezit ik nog: het kistje waar John en ik de honderd dollar in bewaarden en de tekening die Cynthia Ann voor me gemaakt heeft. De een bewaar ik in de ander. Het papier is op de naden bijna door van het steeds maar wegbergen en altijd weer ontvouwen: geel het land, de bruine krassen als omheining van het fort met daarvoor een stroom blauw. Van alles wat ik aan die periode over heb gehouden is dit het enige tastbare. Niemand komt daaraan. Hoe vaak het me ook is gevraagd, geen mens heeft ze te zien gekregen. Maar nu zou ik ze tevoorschijn willen halen. Voor hem. Ik wil dat hij ze ziet. En ik wil hem zien terwijl hij naar die tekening kijkt. Ik zal wijzen op de vage contouren van iemand die daar ooit in het water stond, midden in de rivier, en van plezier haar handen in de lucht stak. En dan vraag ik hem wie hij denkt dat die vrouw is, en ik zal hem vertellen wie het was die haar zo heeft getekend.

Niet de lucht, wil ik schreeuwen, kom toch hier, onnozelaar, en neem mij beet. Mij! Ik kan me de tijd niet heugen dat iemand zo dichtbij is gekomen. Dat ik een mens zelfs maar heb horen ademen. En nu kan ik een zucht van hem gewoon langs mijn huid voelen strijken. Dat ik heb geroken, zoals vroeger mijn eigen kinderen, zo'n wezen van wie je niks anders wilt dan het tegen je aan te mogen drukken zodat je het kunt wiegen en beschermen en je met je neus door zijn haren kunt kroelen. Dat in mij een vreugde zwol die pijn doet omdat hij veel te groot is voor één lichaam en één leven, hoe lang is dat geleden? Als ik nu alleen mijn armen maar naar Quanah uit kon strekken dan zou ik hem aan kunnen raken en zou hij alsnog dwars door dat ouwe wijf heen kijken en mij zien, een vrouw die met haar armen omhoog in de rivier gestaan heeft! Een simpel gebaar van mij, een handreiking alleen al, zou daarvoor genoeg zijn. Dit alles ligt binnen mijn bereik en toch heb ik me nooit eerder zo ver bij iedereen vandaan gevoeld. De waarheid is dat ik niet groot genoeg ben om een dergelijke afstand te overbruggen. Daarvoor is er gewoon te weinig van me over. Hoe zou ik nu nog anders kunnen? Hoe durft iemand zoiets van je te vragen? Hoe haalt die jongen het in zijn hoofd om hier te komen, ongevraagd, en mijn gevoelens om te ploegen en maar door te knagen aan het enige wat mij al die jaren op de been gehouden heeft! Als hij dacht dat ik me nog een keer zou laten verjagen van het terrein waarop ik me met man en macht verschanst heb dan heb ik nog een verrassing voor hem!

Met korte driftige halen wrijf ik het bloed terug naar mijn bovenbenen en hijs me overeind, zodat ik oog in oog sta met die indiaan. Een voor een stroop ik mijn mouwen op, strek mijn armen met de binnenzijde van de polsen naar boven en duw hem de littekens in zijn gezicht.

'Alsjeblieft!'

Ik til mijn rok op en laat mijn dijbenen zien.

'Hier,' wijs ik, 'en hier.'

Ik trek mijn schort los en knoop mijn jurk open. Hij is toch wel de allerlaatste voor wie ik me zou moeten schamen. Ik gooi de panden opzij en trek mijn hemd uit.

'En kijk eens aan!'

Met gespreide vingers trek ik mijn oude vel strak over mijn flank, zodat hem niks ontgaat: eerst de voorkant waar die speer naar binnen drong, de holte die in mij achterbleef bijna schuil onder een wildgroei van vleesknoesten.

'Vastspietsen moesten ze me. Anders had ik ze de keel afgebeten. Ze hebben me met een speer aan de grond moeten pinnen om mij die dag in bedwang te houden. Hoor je, vastgespietst en anders ging het niet!' Dan draai ik mijn rug naar hem toe, zodat hij ziet dat dat smerige ding dwars door me heen is gegaan en me ook van achteren heeft opengescheurd.

'Heb je het gezien?' schreeuw ik. 'Hiervoor ben je nou gekomen. Dit is het en meer niet. Hiermee is het begonnen. Jullie lot en het mijne. Hierom loopt het nu allemaal ten einde.'

*

Lang geleden, toen honden nog konden spreken, zat voor de grot die toegang tot de hemel geeft een vrouw. Een gezicht als een walnoot had ze, zo lang had zij daar al gezeten. Tussen haar knieën hield zij een leren zak geklemd, waarin zij de warmte van de wereld bewaarde. De aarde was in die dagen rondom bedekt met ijs, de rivieren waren hard geworden en langzaam verdwenen ook de vlakten en alle bergen onder sneeuw. Als pegels raakten de mensen op aarde verstard en de tranen van het oudje bevroren in haar ogen, maar de zak wilde zij niet openen. Zo bang was zij, bang dat haar warmte de sneeuw zou doen smelten en het ijs vloeibaar zou maken. Zij had bedacht dat de wereld dan zou overstromen en zij zou verdrinken. Dus trok ze het koord nog strakker aan en dacht dat ze daar goed aan deed. Maar zij was een mens en denken was niet haar sterkste kant. Zo zat zij daar alleen, en zij probeerde zich goed te houden en sprak zichzelf moed in omdat zij in haar eentje de wereld aan het redden was, maar ondertussen begonnen haar vingers te tintelen en een voor een vroren haar tenen af. Ten slotte, toen zij helemaal hard was, verloor ze haar greep op de leren zak. Ze voelde hoe hij langzaam uit haar handen gleed, maar haar vingers gehoorzaamden niet meer. En ze voelde hoe hij wegzakte uit de klem van haar dijen, maar het lukte haar met geen mogelijkheid haar knieën nog tegen elkaar te drukken. Zij wilde haar ogen sluiten om het vreselijke dat de we-

reld te wachten stond niet te hoeven zien, maar haar bevroren oogleden stonden stijf opengesperd, en ze kon niet anders dan toezien hoe de zak openviel en alle hitte eruit stroomde. Warme lucht golfde over de vlakten en omarmde de aarde als een moeder die haar kind terugziet. En inderdaad, het ijs werd water en de sneeuw smolt precies zoals de oude vrouw altijd al gevreesd had. Zeeën kolkten weer en rivieren liepen vol. Maar buiten hun oevers traden ze niet, want de grond dronk gretig en de bomen konden de dorst van hun wortels weer lessen, zodat zelfs in de dorste takken het leven terugkeerde en de vlakten overal weer paars en goud, roze en korenblauw kleurden. En als laatste, hoog boven dat alles, ontdooide voor haar grot die toegang tot de hemel geeft, de oude vrouw. Van haar voeten naar haar vingers kwam in alles weer beweging. Uiteindelijk kon zij zelfs haar hart nog even voelen kloppen. Zij dacht aan al die jaren dat ze in de kou had gezeten en waarom eigenlijk en ze merkte dat het vocht uit haar ogen niet meer zoals vroeger stolde in haar kraaienpootjes.

2

Ik lag op mijn rug en zag de hemel. Vanuit het duister eerst paarsrood en dan steeds verder roze trokken de wolken die ochtend over Fort Parker tot de zon over de palissade piepte. Nooit eerder had ik zo intens het spektakel van hun draaiingen gevolgd, verbijsterd over de willekeur waarmee ze terugtrokken, indikten en onbelemmerd verder dansten, samenklonterden, doorschenen en uitwaaierden, om na al die werveling uiteindelijk toch voor altijd op te lossen in de lucht. En dat er zo veel soorten vogels overkwamen, wie had dat geweten, dat die daar met zijn allen leefden in mijn eigen stukje zwerk, en hoeveel kleuren zij hadden; een spreeuw met twee kleintjes die nog maar net hadden geleerd hun vleugels uit te slaan en die maar bleven cirkelen en dan neerkwamen en weer opnieuw probeerden, en hoe vrij die mij leken en zo volslagen onbekommerd over het feit dat onder hen alles verwoest was en voorgoed voorbij.

Gevoelig als een open wond waren mijn zintuigen. Elk detail vingen zij op, omdat in mij alles was stilgevallen. Ruiken, horen, zien, al die indrukken leken zich tegelijk aan te dienen, en hoe lang ze duurden zou ik met geen mogelijkheid kunnen zeggen – er bestond voor mij geen tijd omdat het onvoorstelbaar was dat hierop iets zou kunnen volgen. Nooit heb ik de wereld en haar wonderen zo bewust ervaren als die nacht en ochtend, toen ik dacht er zelf geen aandeel in te hebben. Mijn ziel hield zich ergens anders op. Ik had geen wil, geen zelfbesef. Levenloos en toch niet dood lag ik, als zaad in de winter.

Het klapwieken van libellen en het rondscharrelen van kevers bereikten me even luid als het wegsterven van de paardenhoeven na de slachtpartij. De stemmen van de ruiters die tegen de oostenwind in waren weggereden, zodat hun jubelkreten daarop telkens nog in vlagen werden meegevoerd, klonken niet minder indringend dan toen diezelfde mannen zich een voor een over me hadden gebogen om bij mij naar binnen te kunnen. Op datzelfde briesje speelden de suikerzoete magnolia en het frisse zuur van de appelbloesem met de vleugen die van de lijken af sloegen die om mij heen op de binnenplaats lagen en aan het leeglopen waren. Ik ervoer op dat moment het een niet als beter of slechter dan het ander. Er bestond eenvoudigweg geen goed of kwaad. Omdat mijn bewustzijn tijdelijk aan mijn krappe lichaam had weten te ontsnappen – de genade die ons in echte nood gegund wordt –, bevond ik mij boven enig oordeel. Alles wat ik opving was voor mij enkel een bewijs van het bestaan van onze wereld.

Troost is te horen. Dit is iets wat maar weinig mensen weten. Midden in een stilte klinkt hij soms. Tenminste, daar heb ik hem die ochtend en een enkele keer daarna nog weleens opgevangen. Ik bedoel niet dat het eerst stil moet zijn om je heen, dat is onbelangrijk, maar in je hoofd! Dit is sindsdien voor mij wat God is voor een ander. De gedachte aan de dood is te verteren wanneer ik eraan denk dat ik daarna zal worden opgenomen, niet door Hem maar door haar, niet door een aanwezigheid maar door de afwezigheid van alle woorden en gedachten. Dat er een plek is waar die ophouden en er een leegte bestaat die daarvoor in de plaats komt, dat houdt mij op de been. In een dergelijke stilte verzeil je maar een paar keer in je leven, en op het moment dat je haar bewust ervaart, is ze door die gedachte zelf al verjaagd. Daar heb je maar genoegen mee te nemen. Het is met troost als met liefde, er valt niks te zoeken, alleen te vinden.

Een brede schaduw bracht me uiteindelijk terug bij mijn verstand. Al vier, vijf keer was hij overgetrokken, telkens iets lager, voordat hij met uitgestrekte vleugels vlakbij landde. Mijn oog viel op zijn vriendjes die nog rondcirkelden, tien, vijftien gieren die afwachtend toekeken hoe het de brutaalste hier beneden zou vergaan. Hij waggelde rond als een manke, schouders achteruit, snavel naar voren op het spoor van rottend vlees. Eerst nog meer nieuwsgierig dan ongerust probeerde ik te zien wat het voor kadaver was waar hij opaf dook. Vanuit mijn ooghoeken zag ik hem pikken en plukken, maar toen ik overeind wilde komen om te begrijpen wat er precies gebeurde lukte dat niet. Ik zat vast. Alleen mijn hoofd kon ik bewegen, net genoeg om te zien dat de vogel boven op een dode zat en daar een homp uit losscheurde. Dit was het signaal voor de andere, die daarop met gespreide klauwen naar beneden doken. Deze wiekende, wijkend uitwaaierende zwerm die als een zwarte deken over mij heen leek te vallen deed mij pas wakker schrikken in de werkelijkheid.

Niet voor mezelf vreesde ik, maar voor mijn geliefden die over de binnenplaats verspreid lagen. Van de slachtpartij van de vorige avond schoten me alleen flitsen te binnen – Benjamin die valt, hoe Rachel achter een van de paarden wordt meegesleurd, de ogen van Cynthia Ann die nog even naar me omkijkt... Ik was niet meteen bij machte te begrijpen hoe ik alle indrukken aaneen moest rijgen, maar al wel genoeg om me de gezichten van de doden voor de geest te halen.

Mijn eerste schreeuw was het hardst. Veren vlogen door de lucht, zo verschrikt stoven de gieren op, maar binnen een paar tellen hadden ze door dat ik machteloos was en durfden ze alweer. Ik gaf nog een paar korte, felle stoten, wat hen nauwelijks van hun maaltijd hield. Ik begon te brullen, woest dat de gesneuvelden na alles wat ze hadden moeten zien en ondergaan nog geen rust gegund werd. Het moet deze blinde woede zijn geweest die me gered heeft. De dolk die door mijn rechterhand gespietst zat had de minste schade aangericht. De punt was door het dunne vel tussen duim en wijsvinger gegaan en stak slechts ondiep in de grond. Ik balde mijn vuist tot de spieren strak om het wapen spanden en ik er grip op kreeg. Zo wrikte ik het ding uit de aarde en kon ik mijn hand zonder verdere schade loskrijgen. Met die bevrijde arm pakte ik de spies die door mijn linkerelleboog stak, maar dit kostte mij heel wat meer, zowel in tranen als in bloed. Het zwaarste kwam nog: de speer die ze in mijn romp hadden geplant. De ijzeren punt was lang en dun en stak dwars door mij heen in de grond. Het handvat was licht en smal, een wilgenteen misschien. Toen ik het beetpakte, voelde ik het scherpe ijzer in mijn vlees steken. Ik brak de steel in twee stukken, waarna ik mij door me op te richten van het mes kon losmaken. Direct begonnen mijn ingewanden hevig te bloeden. Ik ging ervan uit dat ik hieraan zou sterven en op dat moment leek het mijn enige belang nog genoeg tijd te rekken om de doden te begraven. Graaiend naar een paar repen katoen om het bloeden mee te stelpen realiseerde ik me pas dat ik naakt was. Niets was er voorhanden dan de aarde. Ik aarzelde niet, klauwde twee knuisten bijeen en drukte de grond van ons fort in mijn wonden. Zodra de klont doorweekte drukte ik er opnieuw een hand aarde tegenaan, net zo lang tot er nog maar een enkele druppel door de rode modder sijpelde.

Het eigenaardige is dat ik me van dit alles geen pijn herinner. Weer iets wat mij goede moed geeft voor mijn stervensuur! Zoals alle vrouwen kan ik van nature meer hebben dan een man. Daarbij moesten wij met dat leven van ons ook altijd nog eens flinker zijn dan andere mensen. In onze afzondering waren we meestal op onszelf aangewezen. Toen ik een keer was uitgeschoten met mijn vleesmes heb ik de jaap dan ook eigenhandig dichtgenaaid. Drie kinderen heb ik ter wereld gebracht en twee botbreuken zelf gezet, waaronder een in mijn jukbeen, zonder een krimp te geven. Maar hoe dat voelde weet ik nog donders goed. Het is dus niet te verklaren waarom ik me van het ergste zeer juist niets herinner. Het bestaat toch niet dat een mens zoiets doormaakt zonder pijn te ervaren?

Zodra het bloeden was gestelpt durfde ik weer kracht te zetten. Ik kon rechtop gaan zitten zonder al te veel moeite. Moeite betekent voor iedereen iets anders. Nu pas zag ik de wonden aan mijn dijen, want een aantal van die kerels was het niet genoeg geweest zichzelf in mij te planten, ze hadden me ook nog een paar japen na gegeven. Op handen en voeten kroop ik rond, omdat staan niet lukte, van het ene lichaam naar het andere en weer terug, wild schreeuwend naar de vogels en uithalend naar de vliegen die er in zwermen omheen hingen als rouwsluiers. De gieren waren evenmin van plan op te geven, ze hielden zich voorlopig op een afstand, maar als ik ze bij de een wegjoeg loerden ze alweer naar de volgende. Ik besloot de doden te verzamelen om ze beter te kunnen verdedigen. En om ze bij me te hebben. Kracht had ik nauwelijks. Ik kreeg er alleen beweging in door ze bij de voeten vast te pakken en me dan telkens opnieuw met mijn hele gewicht achterover te laten vallen. Zo versleepte ik ze, meter na meter, eerst de twee Frosts, senior en junior, die mij het minst na waren, daarna Benjamin, helemaal vanaf de poort, en ten slotte Silas, die al in de flank was aangevreten, tot ze naast hun vader lagen, naast John.

John heb ik niet meer aangeraakt, ik kan me dat tenminste niet herinneren. Juist hij die in mijn armen hoorde, ik kon het niet. Ik geloof niet eens dat ik nog naar hem heb gekeken. Niet echt. Ik wist te goed wat daar te zien zou zijn. Nadat ze hem de hoofdhuid hadden afgesneden en die als trofee aan hun riem hadden gebonden, hebben ze hem zijn geslacht afgesneden en voor ze het meenamen mij door mijn gezicht gewreven. Alsof iets wat ik zo heb liefgehad me zou kunnen vernederen.

'Ik hou van je,' bleef ik maar roepen, want hij ademde toen nog en wie weet kon hij me horen. 'Ik hou van je, jij bent mijn man, hoor je dat, mijn man ben je en ik hou van je!'

Terwijl binnen de muren van het fort onze levens aan stukken werden gesneden, hadden enkele bewoners die tijdens de aanval in de maïsvelden aan het werk waren geweest, weten te ontkomen. Sarah Nixon was naar haar man en haar vader gerend en had de rest van de groep gewaarschuwd. De taken werden zo verdeeld: James Parker zou zijn familie in veiligheid brengen, Luther Plummer ging proberen ergens hulp vandaan te halen en Seth Bates ging met Abram Anglin en David en Evans Faulkenberry op weg naar het fort om ons te redden. Onderweg stuitten ze op krijgers die mijn Lucy hadden gevangen en haar kinderen. Ze hebben hard gevochten en Lucy bevrijd, maar konden niet voorkomen dat de kleine John en Cynthia Ann als buit werden afgevoerd naar het fort waar ik, voordat wij het ergste zouden ondergaan, mijn schatten nog één keer heb kunnen zien.

Na dat ene gevecht om Lucy hebben alle overlevenden zich schuilgehouden, minstens een dag en een nacht, misschien ook wel langer, dat kan best, want voor hetzelfde geld was het een eeuwigheid. Ze hadden geen wapens, geen voedsel en geen water. Vrijwel iedereen was op blote voeten en de kinderen droegen hooguit een hemd. Niemand had ooit een dergelijke overval meegemaakt en iedereen was bang dat de indianen elk moment konden terugkeren om het werk af te maken. Ze hadden ons opgegeven en als ze geen honger hadden gekregen waren ze misschien helemaal nooit naar het fort teruggekeerd, maar zoals het was, waagden Anglin, Bates en de Faulkenberry's zich in de nacht in het maïsveld, de hele weg naar het fort kruipend op hun buik, meter voor meter, stilvallend bij het minste geluid, zodat iedere veldmuis en elke mol hen een kwartier lang lam legde. Rond middernacht bereikten ze de bebouwing. Rondom lag het meeste vee dood. Wat er nog van leefde loeide, de honden blaften, soms hoorde je nog het gehinnik van een stervend paard, maar menselijke geluiden waren er niet.

Bij het licht van de maan die regelmatig door de wolken heen brak, ontdekten ze wat een vernieling er had plaatsgevonden en stuitten ze op de ontzielde lichamen die op een hoopje bij elkaar lagen. Tijd om ernaar om te kijken of ze te begraven hadden ze niet. Ze doorzochten de barakken in de hoop dat er wat voorraad was achtergebleven, maar de honden, de egels en de coyotes waren al eerder op hetzelfde idee gekomen. Anglin kwam als eerste weer naar buiten met nog wat aangevreten bieten en een kom meel, toen hij iets zag bewegen. Een schreeuw kon hij nog net binnenhouden, maar vermannen kon hij zich niet. De kom viel uit zijn handen. Hij dook achteruit en drukte zich tegen de muur om zich in de schaduw te verbergen. David Faulkenberry, die op het geluid van het breken van de kom af kwam, vond hem trillend en ineengezakt op zijn hurken. Anglin kon geen woord uitbrengen. Hij wees alleen maar naar een van de lichamen midden op de binnenplaats, een bleke verschijning die was opgekrabbeld en nu in het maanlicht rondschuifelde, krom en kreupel, naakt en mager, en waarvan zij geloofden dat het een geest was met de blik van een wilde en lange woeste witte haren die aan zijn rug plakten. Een korstig lijf zagen ze, overdekt met iets wat in dit schijnsel nog het meest leek op zwarte gal die er aan alle kanten uit scheen op te wellen. Anglin trok zijn revolver, spande de haan en zou op me geschoten hebben ook, als ik niet op dat moment mijn hand had opgestoken en gebaard had dat ze dichterbij moesten komen.

'Genadige God,' fluisterde David, zodra hij me herkend had, 'Granny Parker!'

Zoals ik verlangde naar een aanraking! Ik strekte mijn armen naar ze uit en kon maar niet begrijpen waarom ze niet meteen te hulp schoten, maar juist voor me terugdeinsden. De afschuw waarmee ze me bekeken was zo tegengesteld aan de dankbaarheid die ik zelf bij dit weerzien voelde, dat ik even dacht dat ze een grap maakten, misschien wel om me op te beuren. Pas toen Anglin zijn hand tegen zijn mond drukte alsof mijn aanblik hem deed kokhalzen, drong tot me door hoe bebloed ik was, dat naakte lichaam zo gehavend, hoe ik inmiddels stonk van mijn eigen vocht en van mijn omgang met de doden. En, o God, de vliegen die over me rondkropen en wat voor ongedierte er van mijn wonden aan het eten was!

David keek van me weg, zoals je wegkijkt van verrotting.

'Dan kan een mens maar beter dood zijn,' liet hij zich ontvallen, want in hun ogen hoorde ik al niet meer bij hen, maar bij degenen die verloren waren. Ze spraken niet tegen maar over me, omdat het hun uitgesloten leek dat er tot iemand in mijn toestand nog iets zou kunnen doordringen. Ze keerden me de rug toe en overlegden iets. Verstaan kon ik het niet, maar ineens leek het me niet onmogelijk dat ze me uit mijn lijden zouden willen helpen met een genadeschot. Of het me op dat moment veel uitmaakte, ik geloof het niet. Ik weet nog dat ik me afvroeg of mannen die zo ruw waren als zij wel zo veel liefde zouden kunnen opbrengen. Ik zou het voor John hebben gedaan als ik niet tijdens zijn doodsstrijd aan de grond had vastgezeten. Sommige beslissingen reiken zo ver dat je ze niet kunt vragen van iemand met wie je niet sinds jaar en dag volledig één bent.

De mannen spraken nog altijd, heftig en met krachtige gebaren, en konden het maar niet eens worden.

Intussen dacht ik maar de hele tijd aan John en aan dingen die wij samen hadden meegemaakt, mooi, lekker, zwaar, en mijn liefde voor hem bracht ook mijn liefde voor anderen weer tot leven en ik zag ze, heel duidelijk, hun gezichten, wimpers, wenkbrauwen en al, en hun lippen die ik aan mijn borst gehad heb, al die lijfjes die ik gezoogd heb en gewiegd, en daar ineens hoorde ik muziek, achter me op de binnenplaats, alsof daar een muziekkorps van het leger binnenkwam en ik keek om en daar stond Cynthia Ann en zij marcheerde lachend en marcheerde en marcheerde maar! En ineens wist ik dat ik erachteraan wilde. Dat zij nog ergens leefde en mij nodig had en dat ik haar dringend achterna moest. Alsof het dag werd midden in de nacht, zo keerde het leven in mij terug, als de eerste adem in een pasgeborene, die geen weet van toekomst heeft, laat staan van de gevaren waar hij zich doorheen zal moeten slaan, maar enkel wéét, weet dat het te beginnen staat, en dat het van nu af enkel voort moet, voort, vooruit, en voelt dat er een opdracht is die niet kan worden teruggegeven. Zo drong het tot me door dat ik nog wilde leven; hoe en ten koste van wat, dat vroeg ik me niet af, maar ineens had ik weer belang bij het besluit dat Anglin en Faulkenberry aan het nemen waren, die zich nu voorzichtig aan weer naar mij toe draaiden en mij een beetje schuins opnamen. Ik dacht dat ik ze toesprak en bedankte voor hun hulp en hun vroeg mij toch vooral in leven te laten en te verzorgen en nog op te lappen en dat ik uitlegde waarom, maar alles wat ik uitbracht schijnt een hoop gegrom te zijn geweest en hees geschreeuw. In elk geval begrepen ze geen woord, dat zag ik wel, en ik probeerde het opnieuw en met een vuriger pleidooi, met als enig resultaat dat Anglin op me toe kwam en zijn hand over mijn mond legde. Ik beet erin en flink ook omdat ik dacht dat het nu zover was en hij mij als een kip de nek wou breken, maar het ging hem er enkel om mij stil te krijgen want de mannen waren als de dood dat er nog indianen in de buurt waren.

'Luister Granny,' sprak David, 'we nemen je nu mee, maar je moet stil zijn, oké?'

Ik keek om naar Johns lichaam en de andere doden.

'Geen denken aan,' zei David, 'voordat we een gat hebben gegraven dat groot genoeg is, is het licht.'

Een schouder, een kuit, een pols, alles wat bolde of uitstak weerkaatste de maan en deed de huid glimmen alsof er nog leven in zat.

'We moeten terug en ons weer aansluiten bij de anderen.'

'Anderen?'

'Jouw Lucy leeft. En jouw Martha. Ze is bij James. Met hun meisjes.'

Er trokken wolken langs de maan. Hun schaduw gleed als een sluier over de lichamen waar ik de afgelopen uren naast had gelegen, al helemaal erin berustend dat wij samen zouden blijven. Maar nu ik ze in dit licht zag en van deze afstand lukte het me amper nog ze van elkaar te onderscheiden. Die hand, die daar zo half uitstak, was die nou van John, dat dijbeen, of van een van de anderen? In het weinige dat daar nog van hem lag was hij niet meer te vinden. Wat er van hem restte leefde in James, zijn zoon, die dus gered was. En twee van mijn dochters zijn nog over, ik wil ze zien, dacht ik, met ze huilen wil ik, om Lizzie en om de anderen die ik meegenomen heb zien worden. Maar zij zijn er nog. Ik wil ze voelen en ook mijn kleindochters!

'En Lucy's kinderen dan?' vroeg ik. 'Cynthia Ann, kleine John?' De mannen wisselden een blik en antwoordden door te zwijgen alsof ze me niet hadden gehoord.

'Oké.' Ik knikte. 'Vooruit maar.'

'Zeg maar of het gaat.' David boog door zijn knieën, aarzelend waar hij me beet zou durven pakken, tilde me ten slotte op en droeg me weg. 'Gaat het,' bleef hij maar vragen, 'gaat het wel?' Maar ik heb niets gezegd.

Bij de bitternootstruik zijn we gestopt, dat weet ik nog, om het kistje op te graven dat ik daar verborgen had, en hoe stijf ik het omklemde, het metaal koel tegen mijn voorhoofd, in mijn hals en overal waar mijn lijf maar koortsig was, waarvan ik rustig werd zoals een ijlend kind alleen kalmeert als het de handpalm van zijn moeder tegen zijn huid voelt, en hoe ik telkens als ze het van me probeerden af te nemen omdat het ding te zwaar voor me was, een extra last, onnodig om mee te zeulen, verdomd heb om het uit handen te geven. Van de tocht, die evengoed een uur geduurd kan hebben als een dag, herinner ik me verder weinig tot het moment waarop we afdaalden naar de rivier en ik, nadat we die een eind hadden doorwaad, van onder dichte struiken en distelbossen aan de overkant ineens mijn twee overgebleven kinderen tevoorschijn zag kruipen, Lucy en Martha. Ze renden op me af, zo onstuimig dat Martha, die acht maanden zwanger was, languit in het water viel, en namen mij van de mannen over en droegen me aan wal, gaven me te drinken en wiegden me daar, en van hun enige hemden scheurden ze repen en begonnen mij daar heel voorzichtig mee te betten.

'James is veilig,' was het eerste wat Martha zei, alsof dat mijn grootste zorg was. Ik was natuurlijk blij voor haar, maar bezorgder was ik om Lucy, die haar man Silas wel had verloren. Zij durfde mij niet aan te kijken en richtte al haar aandacht op mijn wonden. Zij liep telkens heen en weer naar de rivier, spoelde daar het bloed uit het katoen en knielde dan weer naast me neer om meer van de aangekoekte laag los te weken tot ze de echte omvang van de wonden had blootgelegd. Silas was voor mijn ogen afgeslacht. Ik wist niet of zij dit al had gehoord of dat ik haar dit nieuws nog brengen moest. Dat Cynthia Ann en kleine John als buit waren meegenomen, daar was ze zelf bij.

'En ik heb alledrie mijn kleintjes nog, Granny,' zei Martha in haar zenuwen. 'Is dat geen machtige genade?' Ze trilde zo hevig dat ik mijn hart vasthield voor haar ongeboren kind en om de paar woorden lachte ze, hoog en schokkend, om maar niet te hoeven denken aan haar dochter Rachel, die met haar zoontje was ontvoerd. 'En Lucy,' ze slaakte weer zo'n lach, 'Lucy heeft in elk geval de kleine Mercer en Orlena. Ze hebben honger, maar ze leven, ze leven, godzijdank, en ieder moment verwacht ik James hier terug met voorraden en paarden. Hij is al een paar uur weg, dus hoe lang kan het nog duren? Schei uit, zoals wij zo meteen zullen eten, je moet er gewoon niet aan denken! En die andere twee, Lucy...' nu keek ze haar zuster aan en pakte haar hand, 'die halen we terug hè, en al degenen die we kwijt zijn, die krijgen we terug al moeten we ze voor de poorten van de hel vandaan slepen, dat weet je toch, hè schat, dat weet je toch, voordat het zover is rusten wij niet! Ik zweer het je, wij geen van allen. Je weet hoe James is.'

Lucy knikte, trok haar hand uit die van haar zuster, zette haar vingers als klauwen in haar buik, greep de stof van haar hemd met twee knuisten beet, zette een kracht waarvan de knokkels wit wegtrokken en scheurde de vezels uiteen. Met deze nieuwe lap verbond ze de wonden in mijn lies, de eerste die ze tot op het vlees had schoongeveegd, en begon daarna die in mijn zijde te bestuderen, die er het ergste uitzag en al haar aandacht nodig had.

James keerde terug aan het eind van de middag. Paarden had hij niet bij zich, maar in de hutten rond het fort had hij gedroogde bacon gevonden, tomaten en een pot honing. Toen hij mij zag liggen, inmiddels schoongewassen en verbonden, bracht hij het nauwelijks op vreugde te veinzen. Hij wilde diezelfde avond nog met zijn gezin van deze plek zien weg te komen en ik was daarbij in mijn toestand een extra zorg, dat begreep ik wel, nóg een mond om te voeden. Hij knielde bij me neer en legde zijn hand op mijn voorhoofd. Zijn ogen hield hij opengesperd als een opgejaagd dier. Daarin brandde een vuur, zo heftig dat ik begreep dat hij zich in het fort had gewaagd en daar het toegetakelde lichaam van zijn vader en zijn broers had gevonden. In het bijzijn van de vrouwen wilde hij hier niets over zeggen. In plaats daarvan keek hij mij alleen maar aan, indringend, om me te laten merken dat hij wist wat ik moest hebben doorgemaakt en me te laten weten dat hij wraak had gezworen. Ik zag de waanzin van dat voornemen op dat moment recht in het gezicht en toch, tegelijk en voor het eerst sinds ik de aanvalskreet hoorde en de aard van het gevecht dat ik moest leveren tot me doordrong, voelde ik me niet meer helemaal alleen.

Her en der verscholen in de struiken zat de rest van de groep. Af en toe had ik de kleinsten al gehoord, wanneer ze huilden van de honger of de angst van hun moeder voelden. Op een afgesproken teken kwamen ze tevoorschijn, de kinderen van James en Martha: Francis van vier, hand in hand met de achtjarige Wilson, die baby Martha slapend op zijn arm hield. Bij hen was Sarah, Martha's oudste, die zich flink hield, ondanks haar zorgen om Nixon, haar man, die met Anglin en Faulkenberry de velden in was getrokken om paarden te bemachtigen en niet was teruggekeerd. Daarna verschenen Mr. en Mrs. Dwight met hun kroost en als laatste Mrs. Frost met haar baby's. Zij droeg haar verlies slechter dan Lucy en Martha. In haar hart wist ze al dat haar man en zoon in het fort waren omgekomen, maar toen ze ons zag smeekte ze eerst James, toen mij, om zekerheid en nadat we die gegeven hadden, bleef ze zich maar op de borst slaan als een krankzinnige en zich in het gezicht en over de armen krabben terwijl ze met overslaande stem doorvroeg naar de precieze toedracht, een vertoning waarvan de hysterie op anderen dreigde over te slaan en die de kleinsten aan het huilen bracht. Ik loog en zei dat haar geliefden direct bij aanvang ieder met een enkele pijl waren doorboord en op slag dood waren, zodat ze geen enkele wreedheid hadden hoeven ondergaan, maar ik had net zo goed de waarheid kunnen zeggen. Driemaal moest James haar in het gezicht slaan voor ze wilde zwijgen en het eindelijk tot haar doordrong dat als er, zoals hij dacht, nog verkenners naar ons op zoek waren, haar verdriet ons allemaal in gevaar bracht.

We aten wat we hadden en daarna was het wachten op het donker.

'Onze beste kans,' zei James, 'is de nederzetting van de Tinnins.'

Hij wilde me dragen, maar ik weigerde. Liever had ik dat hij de kleintjes overnam van Martha. Als je acht maanden heen bent heb je genoeg om mee te zeulen.

'Aan de ouwe weg naar San Antonio?'

'Op de kruising met de Navasota.'

'Dat is wel veertig mijl.'

'Meer, want we volgen de rivier.'

'Toe maar,' ik duwde hem weg en zocht een eind hout om op te leunen, 'ik zie wel hoe ver ik kom.'

Niet ver, dacht ik. Wat wij in Oost-Texas een rivier noemen is ondergelopen bos en vrijwel ondoorwaadbaar, maar juist daarom de aangewezen vluchtweg. James stond erop dat we te allen tijde binnen de bedding bleven. Dat viel niet mee. De bodem was bedekt met kreupelhout, hoog gras en dicht riet dat elke stap bemoeilijkte, terwijl wij op Martha en Mrs. Frost na, die schoenen droegen, allemaal blootsvoets gingen. Het grootste gevaar kwam van de overhangende doornstruiken en braamstengels, waaraan de kinderen hun blote armen en benen zo verwondden dat er een bloedspoor achterbleef dat ons zodra het licht werd zou kunnen verraden. We hielden er steeds rekening mee dat we werden achtervolgd door een groepje dat voor de aanval alleen nog wachtte tot we onszelf volledig hadden uitgeput. Om de zoveel meter hielden we stil om te luisteren of we achter ons toch niet iets hoorden. Waarom weet ik eigenlijk niet, want we waren onbewapend en hadden ons toch niet kunnen verdedigen. Op de plaatsen waar de rivier bijna was drooggevallen, liet James ons achteruitlopen, zodat onze voetsporen in het zand in tegenovergestelde richting schenen te gaan. Dit was onze enige strategie. Ik raakte steeds weer achterop en werd dan regelmatig een tijdlang gedragen, maar hield toch ook op eigen kracht een aantal uren vol, tot ik tegen drieën 's nachts echt niet meer kon. We sliepen tussen het gras en trokken tegen de ochtend verder. Een aantal keer die dag ging James aan land op onderzoek uit, maar telkens opnieuw vond hij voetsporen die hem sterkten in zijn idee dat er nog altijd indianen naar ons op zoek waren, en daar gingen we weer, de doornen in. Tegen de avond waren we op, ikzelf, maar de zogende moeders en hun kinderen niet minder, en kropen we tegen de oever op om te rusten. In zesendertig uur hadden we niets gegeten en pas minder dan eenvijfde van de weg afgelegd. Het was Mrs. Frost die hem het eerste rook, een stinkdier dat ergens in de buurt moest zijn, want het lot was nog niet met ons uitgespeeld, en James was degene die zich opofferde. Hij ving het kreng met alle moeite en smerigheid van dien, en omdat we geen mes hadden verdronk hij het in de rivier. We sloegen vuur, kookten het weinige vlees dat eraan zat, en stortten ons erop. Dit was ons laatste voedsel totdat we aan het eind van de vierde dag opnieuw een stinkdier vingen en twee moerasschildpadden. Die nacht en de volgende dag hield ik nog vol, vooral omdat James me nu vrijwel onafgebroken op zijn schouders droeg, maar ergens op de middag van de vijfde dag vroeg ik hem mij neer te zetten. De anderen waren al voorbij een scherpe bocht in de rivier. Ik was het zat dat ze telkens op me moesten wachten. Ik zette mijn handen in mijn zij om sterk te lijken en richtte me zo recht op als ik kon.

'Zo is het goed,' zei ik en gebaarde met mijn hoofd dat hij maar vast vooruit moest gaan. 'Even kracht zoeken en dan kom ik.' De wond in mijn zijde was weer gaan bloeden, niet zo gestaag als eerst, maar toch. Hoe erg ik eraan toe was wist ik niet, maar veel reden om aan te nemen dat ik mijn verwondingen uiteindelijk zou overleven had ik niet, en het leek me onzinnig mezelf eerst nog mijlenlang te laten voortslepen om dan verderop de geest te geven. 'Vooruit maar,' zei ik luchtig, 'voordat iemand de moeite neemt helemaal om te keren om te kijken waar je blijft.'

Maar James liet zich niet voor de gek houden. Hij wist wat ik dacht en begreep dat het een uitkomst zou zijn. Hij bracht me naar de oever, schepte water, kwam naast me zitten en liet me uit de kom van zijn hand drinken.

'Ben je dan niet benieuwd om te zien hoe het afloopt, Granny?'

Ik haalde mijn schouders op. 'Vanwaar ik het bekijk is dit het wel zo'n beetje.'

Hij brak een twijg in twee stukken, wierp ze in het water, een voor een, en keek hoe de stroom ze meevoerde.

'Je hebt het al helemaal besloten, hè?'

'Als ik iets in mijn kop heb, heb ik het niet in mijn kont.'

Hij lachte een beetje en schudde zijn hoofd.

'Nog één dag, hooguit anderhalve. Dat halen we. Jij ook. Als je wilt. Dat is de vraag niet. Maar dan? Daarna. Wil je niet weten hoe het verder gaat?'

'Jij zult doen wat er moet gebeuren, daar ben ik niet bang voor, en ik voor mij, er is me van alle kanten beloofd dat ik je vader terugzie, dus dat gaan we eens bekijken.'

'Neem je het hem kwalijk?' vroeg hij, kinderlijk voor een volwassen vent, bijna op dezelfde toon als waarop Cynthia Ann me eens iets dergelijks had gevraagd.

Ik sloot mijn ogen en hield ze dicht in de hoop dat hij weg zou gaan.

'Als ze nog leven krijg ik ze terug, wat daar ook voor nodig is, dat beloof ik je.' Hij stond op. 'Het is alleen... Ik zou de steun kunnen gebruiken. Iemand die niet vergeet. Die mijn wraak kan opporren als het tegenzit.'

Ik deed of ik hem niet hoorde.

'Martha's zenuwen zijn niet sterk, dat weet je. En Lucy, Lucy heeft al opgegeven.'

'Ze moet de kleintjes nog grootbrengen, die houden haar wel op de been.'

'Maar zal ze sterk genoeg zijn om te helpen herinneren?' Hij stapte het water in en waadde naar het midden van de rivier. 'Verhalen, stemmen, gezichten, dat vraagt zo veel moed. Wat ik nodig heb, is iemand die ze voor me levend houdt.'

Drie keer heb ik hem vervloekt en toen mijn ogen opgeslagen.

Het lukte die dag nog zo'n vijf mijl af te leggen, maar tegen de avond was iedereen zo verzwakt en uitgehongerd, waren ieders voeten zo stuk en ontstoken dat ook voor de andere vrouwen en de kinderen verder gaan uitgesloten was. James was er zo zeker van dat we nog slechts enkele uren van onze redding waren verwijderd, dat hij besloot alleen verder te gaan. Die nacht leden we nog honger, maar de volgende ochtend keerde hij al terug met voedsel, twee bewapende begeleiders en vijf gezadelde paarden.

3

Huilen is voor mensen die nooit iets hebben meegemaakt. Niet dat ik ze niet benijd, de treurwilgen, ik herinner me maar al te goed hoe het oplucht. Maar er moet heel wat gebeuren wil iemand mij nog op een traan betrappen.

Misschien was dit wel de verandering die ik me, toen we eenmaal in veiligheid waren, het eerst bewust werd, dat het me niet meer lukte medelijden op te brengen. Ik miste het ineens. Ik miste het als iets wat mij was afgenomen. Eerst merkte ik dat ik nauwelijks iets voelde bij de ellende van een ander, pas later kreeg ik door dat dit evenzeer gold voor die van mezelf. Het is met je ziel als met je huid, hij wordt er van alle littekens niet mooier op, alleen dikker.

Ondertussen kwam ik geen medelijden tekort. Wildvreemden schoten vol zodra ze me zagen. Goed bedoeld, dat sluit ik niet uit, maar mij stond het alleen maar tegen. Had ik zelf soms niet genoeg gevoeld, dat ik het door onbekenden nog eens allemaal zou moeten laten oprakelen? Als je al je kracht en je volle verstand nodig hebt om je goed te houden, is het laatste wat je kunt gebruiken iemand die je aankijkt met vochtige lebogen.

Degenen die bij het minste beginnen te snotteren zijn dezelfden die van treurmuziek houden. Nog iets wat iemand me toch een keer uit zal moeten leggen: waarom iemand een droevig lied zou willen horen. Wanneer hoor ik hier nou muziek? Toch al zo goed als nooit. Denk je dat ik dan die enkele keer behoefte heb aan iemand die me zijn verdriet komt bezingen, dat hij eenzaam is en een gebroken hart heeft, dacht je dat ik daarop zat te wachten, dat hij al zo lang en zo ver van huis is dat nu zelfs zijn ouwe trouwe hond hem is vergeten? Beur me liever op! Neem een voorbeeld aan Hackaliah Bailey met zijn rinkelbellen en zijn trom. Dacht je dat Old Bet had willen dansen op gejank? Dat ze ook maar één poot verzet had als er een klaagzang had geklonken? Dikhuiden willen eraan herinnerd worden dat het nog ergens op de wereld feest is. De rest weten ze al. Nee, als je niks vrolijks weet, hou dan je mond. Als je geen goed nieuws komt brengen, blijf dan alsjeblieft weg.

Nadat bekend werd dat wij bij Tinnins nederzetting onderdak hadden gevonden, begonnen andere overlevenden zich bij ons te voegen. Nixon, die in Fort Houston zat, kon zich een dag later al met zijn gezin herenigen. We bekeken hun geluk zoals gevangenen door tralies kijken. Dat voor anderen het leven doorging gaf evenveel hoop als pijn omdat er nog zo veel onzekerheden waren over het lot van onze eigen geliefden. Uit vrees voor een nieuwe aanval liet James ons zodra we ook maar enigszins hersteld waren verder trekken naar de volgende nederzetting, die van Grimes bij Holland's Creek. Daar deelden we met een ander gezin een kleine hut. James stak vier staken in de vloer die niets dan aarde was, en legde daar een plank op met wat hooi, zodat we een bed hadden. Hierna liet hij ons achter en keerde met dertien man terug naar Fort Parker. Onze oogst was vernield, alle huisraad kapotgeslagen, de paarden gestolen en het vee afgemaakt. Ook van de doden was nauwelijks iets over. Na mijn vertrek waren hun botten door de wilde dieren kaalgevreten en over het hele terrein verspreid. Omdat James niet meer kon bepalen wat bij wie hoorde, heeft hij ze verzameld in een ruwhouten kist en ze daarin in één graf begraven. Hierna heeft de groep tot in de wijde omgeving geprobeerd sporen te volgen van de wegtrekkende krijgers, in de hoop aanwijzingen te vinden voor de verblijfplaats van de vermisten of desnoods hun lichamen. Van deze zoektocht liet hij ons bericht brengen, maar nieuws bevatte dat niet, zodat we de voorlopige balans van ons verlies konden opmaken. Er waren geen andere doden gevonden dan de vijf waarvan ik de resten had proberen te beschermen. Vijf anderen waren meegenomen: mijn kleinkinderen Cynthia Ann, kleine John en Rachel met haar baby, evenals mijn eigen dochter Lizzie.

Bij iedere geboorte ontstaan twee nieuwe mensen, een kind en een moeder. Vanaf dat moment ligt er een nieuwe wereld voor ze, die ze samen moeten ontdekken. Zodra een vrouw bevallen is, wordt ze nooit meer dezelfde die ze daarvoor was. Haar geluk zit voor altijd vast aan dat andere. Doet het kind zich pijn dan voelt zij het. Heeft het verdriet dan kan zij niet verder voor ze het getroost heeft. Komt haar kind te overlijden, dan sterft zij ook, want dan kwijnt in de vrouw de moeder weg. Ze zeggen dat dit het ergste is wat een mens kan overkomen.

Zelfs het ergste is dus voor iedereen iets anders.

Onze kinderen waren in leven, maar verloren. We stelden ons hun lijden voor, maar konden ze niet troosten, hun pijn niet verlichten.

Je zou denken dat dit ons samenbracht, Lucy, Martha en mij. Wij moesten immers nagenoeg hetzelfde dragen. Ik miste hun zuster, maar had hen nog; Martha miste één kind, Lucy miste er twee, maar ook zij hadden allebei nog andere om voor te leven. Bij wie hadden we meer begrip kunnen vinden dan bij elkaar?

Elke avond, wanneer de ergste hitte zich terugtrok in de bossen en de kinderen naar bed waren, zochten wij nog wat verkoeling aan de kleine steiger bij de kreek. We leefden van de goedheid van de buren, die ons van voedsel voorzagen en lappen katoen hadden geschonken, gesponnen vlas en afsnijdsels van leerhuid, waarvan we nieuwe kleding maakten, lakens en draagtassen. Wij hadden niets, dus er moest doorgewerkt worden. Ieder bij onze eigen lamp bogen wij ons over het materiaal. Kabbelend water klonk er en het zingen van sprinkhanen, het geblaf van honden en soms ergens de kreten van een varken dat ons maal zou zijn. Naar al die dingen luisterden we aandachtig. Dit leek ons allemaal van meer belang dan spreken, alsof er tussen het gemurmel van het riet of op de wind die door de diepe bedding trok ergens een boodschap kon worden opgevangen. Soms werden er wel wat woorden gewisseld, maar altijd over niets, en nooit overstemden ze de gedachten die niet werden uitgesproken.

Ik pakte een opengeweven stof uit de mand en een dunne naald omdat ik nog weinig kracht kon zetten, en nam me voor om allereerst eens een paar luchtige jurken voor mijn dochters te naaien. Als ik dan niet bij machte was hun zorgen te verlichten, kon ik in elk geval proberen te voorkomen dat ze er als vogelverschrikkers bij liepen. Een mens moet ergens beginnen. Zodra ik een voor- en achterpand had afgespeld, stond ik op, liep ermee naar Lucy en wilde, zoals ik dat altijd had gedaan, even de schouderbreedte meten door de stof over haar rug te leggen, maar toen ik achter haar stond zat ze zo ineengedoken dat ik haar ineens niet durfde aan te raken.

We waren altijd zo vertrouwd geweest, wij allemaal, zo van altijd elkaar maar aanhalen, knuffelen en bij elkaar liggen, en toch ineens, ik weet niet waar ik bang voor was, dat uitgerekend deze aanraking iets los zou maken waar ik me geen raad mee wist, dat ze van me schrikken zou misschien en terugdeinzen, me wegduwen, of erger, dat ze me beet zou grijpen, zo met haar armen om mijn middel en haar hoofd tegen mijn buik of ze in mij terug wilde kruipen, en dat ze zich tegen me aan zou drukken, zoals vroeger, en dan God weet wel gewiegd zou willen worden, eindeloos heen en weer, en ook getroost, en dat me dat dan dit keer niet lukken zou omdat ik zelf geen idee meer had waar ik nog troost vandaan zou kunnen halen, geen greintje voor mezelf, laat staan nog iets voor haar, en dat we dan die dood in elkaars omarming zouden voelen en van schrik in onze onmacht zouden versteenen, voorgoed verloren als een fossiel van ons eigen falen.

Daar stond ik met mijn strakgespannen stof, en ik hield mijn werk maar zo'n beetje omhoog in de lucht en om mezelf een houding te geven ook nog even wat lager, alsof ik de heupomvang nog wilde schatten, want Martha hield haar lamp al bij om te zien wat ik nou toch aan het doen was.

'Is er iets mis?' vroeg Lucy zonder op of om te kijken.

Ik geloof echt dat ik haar even niet begreep. Zij scheen er niks geks in te zien, zonder aarzeling bleef zij haar naald door de vezels drukken en aan de andere kant weer ophalen, maar de vraag verlamde me. Er was op dat moment zo verschrikkelijk veel mis met ons allemaal dat ik gewoon niet wist waar ik de opsomming zou moeten beginnen, en ik zei wel tegen mezelf dat zij dit niet letterlijk bedoelde en dat ik er met een dooddoener vanaf zou zijn, maar in mijn paniek kon ik nergens op komen.

'Wat wil je lieverd,' schoot Martha te hulp, 'zeg het maar.'

Nog zo'n vraag. Wat ik zou willen? Ik was als een kind voor het kan praten. Van alles wou ik wel, voornamelijk dat de wereld ophield te bestaan, maar meer dan wat ook had ik er op dat moment behoefte aan ze even aan te raken.

'Als je het zegt dan doe ik het voor je,' zei Martha, 'maar blijf daar niet zo staan want je geeft me de zenuwen. Wat moet je hebben?'

'De maat,' antwoordde ik en legde alsnog de stof tegen Lucy's rug. Even hield ze hem recht.

'Ja hoor, ja,' zei ze toen, 'zo is het wel goed.'

Ik zat alweer een tijdje, had het mes in de stof gezet, daar nieuwe panden uit gesneden voor de tweede jurk en die al op Martha's lengte afgespeld, toen ik berekende hoeveel centimeters ik nog nodig zou hebben voor de armen en kragen en het ineens tot me doordrong dat er daarna niet genoeg materiaal zou overblijven voor een derde. Mijn teleurstelling daarover duurde korter dan een flits, niet eens lang genoeg om ze voor me te zien, mijn drie meisjes, zoals vroeger allemaal hetzelfde gekleed in frisse nieuwe stoffen, want in één moeite door dacht ik: ach nee, wat stom van me, die derde jurk is nergens voor nodig! Toen pas begreep ik dat wij hier allemaal zo zaten, kleren voor onze kinderen te naaien, zonder precies te weten hoeveel we er nodig zouden hebben.

'Wat nou dan?' vroeg Martha zenuwachtig toen ik opstond.

'Even plassen,' zei ik. Ik zette mijn lamp tussen hen in zodat ze er meer aan hadden, liep bij ze vandaan het donker in en waagde me een eindje verderop op de tast tussen het riet. Van die afstand kon ik ze zien, drie flakkerende lichten op een plankier boven de stroming.

We durfden niet in de buurt van elkaars verdriet te komen. Mijn dochters hadden genoeg zorgen van zichzelf, en om ze niet verder te belasten wilde ik de mijne niet met hen delen. Alleen een malloot deelt zijn meel met de molenaar. Om mij te ontzien deden zij hetzelfde en ik liet dat zo, want ik had net als zij mijn laatste kracht nodig om mezelf overeind te houden. Dus zwegen we uit voorzorg. Wanneer er met ons samenzijn geen duidelijk doel gediend was, zoals ons naaiwerk of het avondgebed, ontliepen we elkaar zo onopvallend mogelijk. Martha, die op het punt stond te bevallen, bleef overdag steeds langer op bed liggen, en Lucy rende de hele dag rond om zich nuttig te maken door klusjes op te knappen voor de buren, zodat wij hun niet alleen maar tot last zouden zijn.

Wij kwamen niets tekort en waren dankbaar voor het onderdak, maar helemaal van harte gaven ze het niet. De Grimes zagen het als hun christenplicht, en elke dag kregen we een mand met wat ze konden missen. Doorgaans werd die aan de poort achtergelaten, maar soms klopte iemand aan of kwamen ze ons zoeken in het veld om het eten persoonlijk af te geven, vaak uit nieuwsgierigheid.

Een aanval zoals de Comanche die op ons hadden gepleegd was de eerste in zijn soort. Soms werd een nederzetting wel bedreigd en beroofd of vonden er schermutselingen plaats; op de vlakten werden regelmatig reizigers overvallen en vermoord, zoals er ook groepjes blanken rondtrokken die iedere kleurling die ze tegenkwamen neerknalden, uit haat, uit willekeur, of om de scalp naar Fort Sill te brengen, waar je voor iedere gestroopte rode huid drie dollar ving, maar een grote vooropgezette overval op een onschuldige familie was nog iets nieuws. Onze toestand was voor mensen als de Tinnins en de Grimes een schrikbeeld en een voorbode van wat hun morgen misschien te wachten stond. Onze aanwezigheid wekte ze ruw uit hun toekomstdromen en herinnerde hen met een schok aan alle gevaren van hun pioniersleven. Ik begrijp wel dat ze ons liever zagen gaan dan komen, niet uit harteloosheid, meer zoals een gezond mens zijn bezoek aan een sterfbed liefst zo kort mogelijk houdt en zodra hij weer buiten staat ineens met dubbele teugen van het leven geniet. Tegelijk deden ze alles om ons te helpen, zoals ze hoopten dat zij, mocht het ooit zover komen, zelf geholpen zouden worden. Je even in andermans schoenen voorstellen, meer is naastenliefde niet.

'En toch vraag je je af,' zei Zebediah, de oudste zoon van Grimes, 'waarom uitgerekend jullie?'

'Kom me er niet mee aan dat de Here God een of ander plan met ons had,' antwoordde ik en haalde geërgerd naar hem uit met de wortelstok die ik de eerste weken nog als steun gebruikte, 'want dan kan Hij meteen een plan maken om jou te komen bijstaan wanneer jij je tanden van de grond aan het oprapen bent!'

Lachend ontweek hij me, zoals een vader zijn kind tijdens het stoeien laat geloven dat ze even sterk zijn.

'Heb ik mijn moeder niet altijd gezegd dat ze die bouillon van d'r met een gerust hart als wondermedicijn op de markt kan brengen? Zoals die Granny Parker daarvan op krachten komt, nietwaar miss Lucy, dat is toch een mirakel?'

'Het smaakt in elk geval naar iets uit de kast van een apotheker,' bromde ik, pulkte een velletje dat ik maar niet weg kreeg uit mijn kiezen en hield het omhoog. 'Waar trekt ze het van, gordeldier?'

Als je zoiets zei dan liet Zebediah zich van het lachen achterover van zijn boomstronk rollen. Het was één bonk onbehouwen, die jongen, maar kwaad zat er niet bij. Onbehoorlijk vrolijk voor zijn leeftijd, maar als hij het was die onze voorraad kwam aanvullen, leefden we daar allemaal van op. Zelfs Martha, die op alle dagen liep en steeds angstiger werd dat ze na alle geweld haar kindje dood zou baren, zodat ze urenlang verstijfd op bed lag te voelen of het hartje nog wel klopte, zelfs haar wist Zebediah nog wat afleiding te bezorgen met zijn brutaliteiten.

'Dat zeg ik haar hoor, Granny Parker, nou heb ik je!' Uitgelaten verzamelde hij onze tinnen kommen, sprong ermee in de kreek en begon ze om te spoelen. 'Van nu af kun je me maar beter te vriend houden, want als ik dit aan mijn moeder vertel, kookt ze geen hap meer voor je. Die durft toch al niet meer in je buurt te komen.' Hij schepte water en deed alsof hij ons ermee nat zou gooien.

'Hoezo niet?'

'Na wat er gezegd is.' Hij wiekte het vaatwerk door de lucht, zodat de druppels eraf vlogen. Ik voelde ze in mijn gezicht.

'Wat is er gezegd?'

'Bij het gebed. Over vrouwen als ze eenmaal met indianen zijn geweest...' Daar stokte hij, keek me met grote ogen aan. 'Toch, miss Lucy?' stamelde hij, en haastte zich toen op het droge alsof de zondvloed eraan kwam.

'Klinkt als een dienst waar ik nog eens wat van op had kunnen steken,' zei ik en keek naar Lucy, die zondag in haar eentje naar de preek was wezen luisteren.

'Ach,' Zebediah haalde zijn schouders op, 'mensen zeggen zo veel.' Hij griste zijn hoed bij mijn voeten vandaan en maakte dat hij wegkwam. We keken hem na tot het stof was neergeslagen.

'Jij had genoeg aan je hoofd,' zei Lucy zonder dat ik iets vroeg, 'het was niet belangrijk genoeg.'

'Wat zeiden ze voor onbelangrijks?'

'Het ging over zuiverheid van ras.'

'Ja?'

'Dat is alles. En manieren waarop die in gevaar komt. Alsjeblieft, moet ik het spellen? Je begrijpt het best.'

'Begrip,' zei ik, 'betekent voor iedereen iets anders.' Ik

opende de lappenmand, pakte er het stralend witte linnen uit, dat ik tot nog toe steeds bewaard had, en begon een patroon aaneen te passen. Lucy pakte haar werk op en een tijdje zaten we zwijgend bijeen.

'Wat denk je?' vroeg ze uiteindelijk.

'Ik denk dat een zondagse jurk mij ontzettend goed zou staan.'

Op dat moment sneed een harde schreeuw dwars door mijn ziel. En direct daarop drie korte kreten. Het leek een beest, maar het was Martha, die met baren was begonnen.

Een meisje was het, mooi, maar iel. Toen ik het naar Martha ophield, draaide die haar gezicht af. Ze wilde het niet vastpakken. Ik vroeg of zij en James al een naam voor haar hadden bedacht, maar ze gaf geen antwoord. Lucy en ik hebben het gewassen en de navelstreng afgebonden. Daarna hebben we het kleintje lekker ingepakt en de rest van de dag hebben we met haar zitten knuffelen alsof ze van ons was, en elkaar de hele tijd maar wijzen op die wimpers en die nageltjes en de donsjes op haar oorlel, want hoeveel van die wolkjes je in je leven ook hebt vastgehouden, het is een wonder dat nooit went. En daar werd veel bij gesnotterd, want dit was zo'n dag waarop geluk en ongeluk in één moeite doorgingen.

Om de beurt gingen we bij Martha kijken. Ze zat rechtop in bed.

'Zijn ze er al?' vroeg ze toen ik binnenkwam. 'Ze zullen nu zo wel komen om het weg te halen, denk je niet?' Ze kleefde haar blik aan de mijne zoals een bange kleuter doet of een stervende van wie je afscheid komt nemen, smachtend naar iets wat niemand ze kan geven. 'En dan gaan we morgen bramen plukken, maar je moet voorzichtig zijn, hè, want je kan je er lelijk aan openhalen.'

Koorts had ze niet en zo te zien had ze ook nergens

pijn, maar ze verdomde het te eten of te drinken. En net zo koppig weigerde ze haar kind te voeden.

'Laten ze het zelf doen!' schamperde ze. 'Me dunkt dat wij ons best hebben gedaan.'

Wij bleven aan haar bed. Zo konden we haar beetpakken als ze zichzelf dreigde te verwonden, want soms krabde ze ineens met haar nagels over haar armen of bovenbenen, wild maar vastberaden, zoals een hond die iets wil begraven in bevroren grond. Zodra Martha in vermoeidheid wegzakte, legden we de kleine aan haar borst, maar als ze dit onverhoopt merkte begon ze te gillen en probeerde ze het wezentje in paniek van zich af te slaan alsof het een adder was. Vier dagen hielden wij dit vol. Toen Martha te zwak was om nog weerstand te bieden, voerde ik haar het sap van gestampte vruchten vermengd met kippenbloed dat ik in haar mondhoeken druppelde, maar ze sterkte niet aan. Toen James eindelijk terugkeerde, herkende ze hem nauwelijks. Hij knielde bij haar neer en bad, kroop naast haar, drukte zijn neus tegen haar wang en begon haar dingen in te fluisteren: dat hij Rachel op het spoor was en dat zij binnen de kortste keren met haar ouders herenigd zou worden, dat hun nieuwe meisje veilig was en nooit zou worden weggehaald, maar ook van alles wat ik niet verstond. Soms legde hij zijn hand op haar hart en duwde erop uit volle kracht, zoals ik als kind eens een kerel heb zien doen die met medicijnen van dorp naar dorp rondtrok en bij ongelukkigen de duivel uitdreef voor drie dubbeltjes. Hoe hij het deed, deed hij het, maar twee nachten later kwam Martha langzaam bij zinnen. Ze vroeg om haar kind, gaf het een kus en legde het aan en zondagochtend was het voldoende aangesterkt.

De gebedsdienst werd gehouden in een open schuur achter de boerderij van Zebediahs grootvader, die zelf voorging. Hij predikte vanaf een haverkist naast de watertrog waaraan de paarden van hen die van ver waren gekomen stonden vastgebonden. Vooraan zaten de mannen op krukjes, door een brede gang gescheiden van hun vrouwen, dochters en zusters die achterin zaten op twee geschuurde boomstammen. Wij kwamen onaangekondigd, Lucy die Martha ondersteunde, ik in mijn nieuwe jurk en James met op zijn arm de kleine, voor wie hij Gods zegen wilde vragen. Zodra we binnenliepen zag je mensen elkaar aanstoten en commentaar leveren. Als ik op iemand af stapte, bleven ze beleefd, maar terughoudend. Zolang ik aan het woord was, dwaalden hun blikken nerveus rond en bij de eerste gelegenheid kapten ze het af. Als Zebediah zich niet had versproken, had ik ook zo wel kunnen zien hoe er was geroddeld. En ik had het kunnen weten. Een vrouw die gemeenschap heeft gehad met inboorlingen is door het vreemde zaad besmet geraakt. Dat ik dit onder dwang en bedreiging moest ontvangen en tegen mijn zin, deed hier voor niemand iets aan af. Ik kende de afkeer die ze in mijn nabijheid voelden en wist met wat voor minachting ze over me dachten. Ik wist dit zo precies omdat ikzelf in het verleden over andere vrouwen die door indianen waren verkracht even hard geoordeeld had.

Ieder nam zijn vaste plek in en iemand gaf Martha een stoel, maar verder maakte geen van de vrouwen aanstalten om op te schikken, zodat Lucy en ik ons al aan de zijkant hadden opgesteld toen Zebediah opstond, zijn kruk oppakte, die voor de andere vrouwen neerzette en mij met een handgebaar uitnodigde. Ik nam plaats en hoorde het achter mij sissend lispelen. Het was een doemdienst, zoals John dat noemde, zo een waar wordt beweerd dat iedereen meteen al bij geboorte is veroordeeld en door vroom te leven hooguit nog kan verdienen dat hij later in de eeuwigheid dagelijks niet een volle liter maar slechts een halfje zwavel hoeft te slikken.

'Zulke mensen,' zei John altijd, 'belijden niet hun geloof maar hun twijfel.'

Ik wachtte tot er getuigd werd en verzamelde moed, terwijl de ene man na de andere opstond om met de gemeente iets wonderbaarlijks te delen dat hij had meegemaakt, of richting te vragen voor een devoot vraagstuk. James wachtte tot het laatst om zijn dochter op te dragen aan de Heer, een kans die Zebediahs opa, een man met wenkbrauwen zo woest dat je met geen mogelijkheid zou kunnen zeggen waar ze ophielden en waar zijn baard begon, aangreep om de aanwezigen erop te wijzen dat we zelfs voor het meest lieflijke op onze hoede moeten zijn omdat de duivel zich in elke vorm aan ons kan voordoen. Midden in zijn tirade stond ik op, zoals de mannen hadden gedaan toen zij het woord wilden. De zon viel op mijn witte jurk en verblindde de prediker, die zijn ogen moest samenknijpen om te geloven wat hij zag. Hij verstarde, met zijn vuist als Gods toorn dreigend in de lucht, en keek me aan alsof hij een braamstruik zag ontbranden.

'Ik heb verschrikkingen zoals u die beschrijft meegemaakt,' sprak ik. 'Niet in een ander leven, maar in dit en met mijn eigen lichaam.' Dit deed de vrouwen achter mij als één man naar adem happen. Ik schraapte mijn keel. 'En nu ben ik benieuwd, denkt u dat een dergelijk leed door God veroorzaakt wordt of door onszelf?'

'Alles voltrekt zich volgens Zijn plan, goed en kwaad gelijkelijk. Daartegenover staan wij machteloos.'

'Zijn plan is ongetwijfeld goed overdacht.'

'Natuurlijk, vrouw,' zei hij beslist. Hij liet zijn hand zakken, trok zijn hemd recht, woelde door zijn baard en keek de mannen aan om te zien of er verder nog vragen waren.

'Dus ik neem aan,' ging ik verder, 'dat Hij voor alles

wat Hij ons laat ondergaan Zijn redenen zal hebben?'
Vanuit mijn ooghoeken zag ik Lucy ineenkrimpen.

'Volledig op Hem te vertrouwen,' zei de oude man, 'is de enige manier waarop wij mensen in ons lot kunnen berusten en bovendien onze enige hoop op verlossing.'

'In dat geval zou het dus volstrekt ongepast zijn om op Zijn beslissingen commentaar te leveren?'

'Niet alleen ongepast,' schamperde hij om de onnozelheid van mijn vraag, 'wij hebben ze deemoedig te aanvaarden. Iedere menselijke mening over een goddelijk ingrijpen zou een bewijs zijn van geloofszwakte!'

'Dit is zo goed om te weten,' zei ik, 'dank u wel.' Vriendelijk draaide ik mij even om naar de vrouwen achter mij. 'Wij zijn tenslotte allemaal maar mensen, zwak en onwetend, dus voor je het weet zouden wij die fout zomaar begaan en ons ergens een oordeel over aanmatigen.'

'Hoe kon je?' brieste Lucy, toen we ons op de kar hesen die James geleend had.

'Gif als dit moet je met de beet en al uitsnijden voor het venijn zich kan verspreiden.'

We zwaaiden naar iedere kerkganger die we passeerden en voor elke vrouw nam James zijn hoed af.

'Het zijn beste mensen en bovendien zijn we helemaal van ze afhankelijk. Je zou om ons moeten denken voordat je voor jezelf opkomt,' jammerde Martha.

'Ze is niet voor zichzelf opgekomen,' zei James en zweepte op tot draf. 'Ook niet voor jullie. Ze heeft gesproken voor degenen die zich op dit moment niet kunnen verdedigen.'

'Dat begrijp ik niet,' zei Lucy, nog altijd met de brede glimlach die we ophielden zolang we voor onze buren te zien waren.

'Voor Rachel,' zei ik, 'Cynthia Ann, voor Lizzie.'

'Wat nou Rachel?' Martha begon te snikken. 'James,

wat bedoelt ze, hoe kan Rachel hier nou baat bij hebben?'

'Hoe denk je dat diezelfde tongen zullen sissen als onze meisjes straks naar huis komen?'

'Iedereen zal staan juichen zodra we ze vinden,' zei Lucy, 'waarom zou iemand ooit iets lelijks van ze denken?'

James antwoordde niet. Achter ons wolkte het zand van onze wielen hoog op en breeduit. Je kon het horen snerpen op de wind terwijl de waarheid in mijn dochters binnendrong. Dof bonkte de aarde onder ons gewicht, stenen braken, gruis werd knerpend vermalen en als we een rotsblok raakten, kraakten de plankieren van de kar alsof ze zouden splijten. Hier luisterden wij naar, minutenlang, vechtend tegen beelden die we zo lang hadden weten weg te stoppen.

Ik zat achterin en zag hoe onze lijven als één lichaam bewogen. Aan de onzichtbare krachten van de wagen gaven we mee, willoos en daardoor soepel als kolven in de storm. Wanneer een schok ons tegen elkaar wierp, vingen we elkaar op en veerden we terug alsof dit zwijgend zo was afgesproken. Ik herinner me nog dat ik dacht: dit moet ik me goed inprenten, deze harmonie, dat alles zo zonder plan vanzelf kan gaan. Zo zijn wij dus eigenlijk van nature, laat ik dat nou niet vergeten! En dat ik daar ook ineens vrolijk van werd, onbetamelijk gewoon, alsof we op een dansfeest waren en elkaar bij de arm hadden en rondzwierden.

Op dat moment werden wij door een ruiter ingehaald. Plotseling alert, terwijl zijn contouren in de stofwolk langzaam zichtbaar werden, schrok iedereen op uit zijn gedachten en verschanste zich weer in zichzelf. Nog steeds zaten wij arm aan arm, knie aan rug en dij aan dij, maar we hadden niet verder van elkaar kunnen zijn als we ieder die morgen een andere kant uit waren gereden.

Het was Zebediah Grimes, die uit de verte opdoemde met zijn leidsels in één hand en een mand voedsel in de andere. Hij spuugde het stof van zijn lippen.

'Hier,' riep hij en bracht zijn merrie in ons tempo langszij, 'vergeten.'

'Hebbes!' Ik pakte het hengsel. 'Wil je je moeder maar weer bedanken?'

'Nee, zij zei dat ik u moest bedanken,' hij keerde zijn paard en gaf het de sporen, 'en dat ze vanaf morgen weer zelf komt!'

En dat deed ze, die dag en alle volgende, en toen wij enkele weken later verder trokken, omhelsde zij me zoals ik alleen met een vriendin zou doen.

James had een stuk land bemachtigd op veilige afstand van het gebied van de Comanche, vijf mijl buiten Huntsville. Daar sloeg hij een tijdelijk kamp op, verscholen tussen de dichte pijnboomwouden aan de oostelijke tak van Harmon's Creek. Zodra er een voorraad was aangelegd en wij het land genoeg kenden om onszelf te voorzien van wild, gevogelte, groente en vruchten, liet James ons daar achter om zijn zoektocht naar de vermisten te hervatten. Hij wilde richting San Augustine om hulp te vragen aan generaal Sam Houston, die daar herstelde van een wond die hij had opgelopen bij de slag om San Jacinto. Ik wilde mee. Ik vond dat ik voldoende was aangesterkt en had 'Old Sam Jacinto' zelf uit de doeken willen doen wat ik had gezien en meegemaakt, en ik weet zeker dat, als hij het maar uit de eerste hand gehoord had, ik wel een regiment soldaten van hem had losgekregen, maar hoe ik James daarover ook aan zijn kop heb gezeurd, hij wou daar niet van horen en is alleen gegaan.

Baden was het laatste wat Lucy en ik nog samen deden, omdat ik dit nog niet alleen kon en verbanden droeg die elke dag moesten worden afgewikkeld, uitgespoeld, gedroogd en na het bad weer aangebracht. Ik steunde en kreunde en vervloekte mezelf hardop omdat ik haar zo veel last bezorgde terwijl zij wel wat beters te doen had, maar heimelijk keek ik zo naar het hele gedoe uit dat ik ver tevoren alvast aan de kreek ging zitten, als een hond die weet dat hij gevoerd gaat worden. Water was een van de weinige dingen waarmee we onszelf konden verwennen. Niet alleen weekte het de korsten van mijn wonden, zodat mijn huid minder trok, en koelde het de gloeiing in bepaalde delen die ontstoken waren en nog rauw, maar het bracht vooral zo'n verlichting; niet alleen aan mijn lichaam dat in de stroming minder woog, maar ook mijn gedachten lieten zich soms even meedrijven. Bovendien was het een natuurlijke manier waarop Lucy en ik elkaar konden aanraken, innig maar met een doel en zonder het gewicht van medelijden, dat we er geen van beiden meer bij konden hebben. Het fijnste vond ik het wanneer ze haar vlakke handen onder mijn rug zette en mij optilde, de voorkant van mijn gestrekte lichaam net boven de waterspiegel, en mij een eind meevoerde. Dan was het of ik zweefde. In die minuten waarin ik me aan haar overgaf ervoeren we de liefde waarvoor we de rest van de dag geen woorden konden vinden. Een enkele keer lukte het me zo even te vergeten waar en wie ik was. Als we daarna terugwaadden naar de wal werd de waarheid als een natte jas over onze schouders gehangen, maar tot die tijd speelden we dat we zorgeloos waren. Lucy had een stuk zeep gemaakt van bijenwas en gedroogde paarse paardemunt, waarmee ik haar inwreef en haar haren waste. Als ik mijn ogen dichtdoe kan ik die scherpe frisse geur vandaag de dag nog ruiken. Dan kon ze zo voorover staan met haar gespreide vingers tussen haar lokken om het sop eruit te spoelen en als ze dan overeind kwam, zo mooi rechtop – dat zoiets uit mij voort heeft kunnen komen! –, zo dierlijk fier, en zij die lange manen schudde dat de druppels in de rondte vlogen en het zonlicht brak daarop, dan was het of een stralenwolk ons allebei omgaf, een gordijn dat ons verblindde en de wereld daarachter deed vervagen. En daarna bette Lucy mij met een katoendot heel voorzichtig overal, zodat het leek of ik het kind was en zij de moeder. Zo veilig had ik me na mijn kindertijd alleen nog weleens in de armen van John gevoeld.

'Wat heb je hier?' vroeg ze een keer. We waren midden in ons ritueel. Lucy had water geschept en uitgegoten over mijn borsten, waar ze nu de zeep af wiste. 'Dat harde, is dat nou een bloeduitstorting, dit ding hier, voel je dat?' Met zachte druk volgden haar vingers de contouren. 'En hier zit er ook een, iets kleiner, maar toch.' Zo vond ze er meer, knobbeltjes een stuiver groot. 'Hierzo,' ze nam mijn hand en liet me zelf voelen, 'die had je gisteren toch niet? Wat is dat?'

Als John nog had geleefd had hij er een wonder in gezien en er een van zijn preken aan gewijd, maar nu was het gewoon de natuur die in mij een kracht probeerde te wekken die al jarenlang was uitgewerkt. Vanuit mijn hart had mijn gemis zich door mijn hele lijf verspreid. Zo vurig vlamde die dagen mijn instinct dat mijn lichaam ervan op hol was geslagen. Alsof het mijn wanhoop wilde lessen. Mijn melkklieren waren opgezwollen en uit mijn tepels welde zelfs af en toe wat vocht, bleek en waterig, even krachteloos als zinloos.

4

Soms, na een dagtocht door de vlakte, zie je aan de horizon ineens de rookpluim van een kampvuur. Iemand is net als jij de hele dag op pad geweest, heeft zijn avondmaal gevangen en is dat nu ergens aan het roosteren voordat de nacht valt. Het is de hoogste tijd om zelf ook bescherming te zoeken nu het nog licht is, maar de verleiding is te groot. Dat daar na al die eenzaamheid een levend wezen is! Al zou je maar gaan zien of het een vriend was of een vijand. Je wendt je paard en rijdt een tijdje in die richting terwijl de rookkolom, eerst nog dik, rechtop en tegen de donkerpaarse hemel in de laatste zon oranje, dunner steeds en breder uitwaaiert en van rood eerst langzaam bruiner wordt, dan van zilver tegen zwart steeds grijzer. Even nog smeult er een gloed tot de onbekende hem uitstampt en de laatste vonken doven op de wind. Als je nu gewoon in dezelfde richting door zou blijven rijden zou er een ontmoeting volgen en een heel verhaal, je zou de nacht daar buiten voor een keer niet alleen hoeven door te brengen en eens aan iemand kunnen vertellen wat je hebt meegemaakt, maar je doet het niet. Je doet het nooit. Leg je daar nou maar bij neer. Er is altijd wel een reden om het niet te doen. Morgen moet je toch weer alleen verder. Die hele onderneming zou je enkel uit de koers brengen. Hij is nu eenmaal te ver, die ander, zoals alles te ver bij je vandaan is.

Zo begonnen ze op te duiken, onze geliefden, vanuit de verte en met grote tussenpozen, als vegen die verwaaien tegen de nachthemel. Mensen zeggen dat we een aantal van hen uiteindelijk hebben teruggekregen; in het begin zeiden we dat zelf, ik dacht ook dat het waar was, maar het bleek al snel van niet. Natuurlijk, wanneer een van de ontvoerden vrijkwam, renden we op haar af en sloten haar in onze armen alsof we nooit meer los zouden laten. We wiegden hen en zij overdekten ons met kussen en troostten ons en wij lieten ze nergens anders dan pal naast ons slapen, zodat we hen nooit meer ook maar één seconde uit het oog zouden verliezen, maar wat we elkaar en onszelf ook allemaal vertelden, na verloop van tijd wisten we het allemaal, al werd het nooit hardop gezegd: wat wij terugkregen was niet wat we hadden verloren. Wat zij van ons terugvonden was niet wat ze hadden achtergelaten. Op het moment dat ik ze terugzag had ik kunnen sterven van geluk, maar later heb ik weleens gedacht dat het misschien draaglijker is iemand dan maar voorgoed kwijt te zijn, zodat hij tenminste voor altijd binnen in je zit, waar hem nooit meer iets kan overkomen.

Het eerste nieuws kwam van Lizzie, nog diezelfde zomer. Zij werd gesignaleerd in het gezelschap van een groep Delaware-indianen, die haar van enkele Comanche hadden gekocht en nu honderdvijftig dollar voor haar vroegen. James was op dat moment voor de derde keer onze zaak aan het bepleiten bij Sam Houston, dit keer in Nacogdoches, waar Houston zijn rechtenpraktijk weer had opgenomen. Hij weigerde opnieuw James van wapens te voorzien en hield vol dat een verdrag met de indianen de enige weg naar vrede was. Omdat wij behalve mijn spaargeld niets bezaten, schonk Houston ons het geld waarmee James mijn Lizzie vrij kon kopen. Onmiddellijk na de hereniging begonnen ze de reis naar huis. Het schijnt dat zij die dag en ook de volgende vol leven was en volop heeft verteld.

De ochtend daarna stuitten ze op enkele mannen die zojuist een paardendiefstal hadden weten te voorkomen. Een van de daders was neergeschoten. James en Lizzie besloten het slachtoffer, dat niet ver van de weg in een greppel lag, te gaan bekijken. Hij bleek niet dood te zijn, maar had een schampschot aan zijn hoofd. Zodra zij naderden raakte de man in paniek, niet vanwege James die zijn revolver had getrokken, maar – zo gaat het verhaal – juist door Lizzie, hoewel zij ongewapend was. Hij schijnt overeind te zijn gekrabbeld alsof hij een geest zag, maar bleek te erg verzwakt om weg te rennen. Toen zij afstapte en dichterbij wilde komen, begon de man te schreeuwen als een dolle. Wat er hierna gebeurd is heb ik nooit kunnen achterhalen, hoe vaak ik ook om de waarheid heb gevraagd. Het schreeuwen, zei James later, en de paniek van de gewonde indiaan sloegen op Lizzie over. Zij riep dat zij de man herkende, dat hij erbij was de dag dat ons fort werd overvallen, sterker nog, dat hij degene was geweest die John had gescalpeerd. Als dit zo was, zei ze, en zij gelijk had, dan moesten er op zijn onderarmen twee rituele littekens zitten die er met een mes waren ingekrast. James, die ervan droomde zijn vader te wreken, zocht en vond de tekens die Lizzie had beschreven, waarna hij niet langer nadacht. Hij nam een mes en liet de man voelen wat hij ons had aangedaan, dit alles voor mijn dochters ogen.

Twee weken later bereikten ze Harmon's Creek, waar wij nog van niets wisten. Ik was aan het werk in de schaduw van het woud toen ik ze in de verte over de zonverlichte heuvel zag komen, twee figuren op een paard. Zij zat voorop, gebogen, kin op de borst, en werd of ze gewond was met een arm ondersteund. Mijn benen herkenden haar eerder dan mijn ogen, want ik rende al en was zelfs al in het veld, breed zwaaiend en roepend, toen het tot me doordrong dat het voor hetzelfde geld een ander kon zijn die daar tegen James aan hing. Wat ik zag leek niet op Lizzie, maar mijn voeten wisten beter. Om sneller bij haar te zijn liet ik de mand vallen met alle fruit en planten die ik in een ochtend had verzameld en buiten adem bereikte ik de reizigers. Ze tilde haar hoofd wat op, keek me aan en lachte. Mager was ze, vuil, gezicht en hals vol littekens van de voortdurende zonnebrand waaraan ze blootgesteld was geweest, maar ze was het. Ik wilde haar meteen kunnen vasthouden, maar volgens James was ze te zwak om af te stijgen. Dus reikte ik en pakte haar hand en zonder die nog los te laten zijn we zo naar huis gelopen, ik onhandig op mijn tenen naast dat paard en maar kneden en zo'n beetje strelen en maar in die vingers knijpen om te voelen en te laten weten dat er tenminste leven in ons was.

Ze sprak weinig, en over wat ze had meegemaakt liet ze al helemaal niets los. Wanneer je daarnaar vroeg keek ze je alleen met grote open ogen aan alsof ze je niet begreep, minutenlang soms, tot je niets meer verlangde dan dat ze daarmee op zou houden, want in dat staren trok alle angst nog eens aan haar voorbij. Ik dacht dat die zwijgzaamheid wel zou genezen. Weken deed ze weinig meer dan slapen. Af en toe nam ik haar mee het water in en liet haar drijven zoals Lucy dat met mij gedaan had.

'Kleine pootjes drijfhout,' zong ik, 'konijnen kleine pootjes.'

Soms sloot ze dan haar ogen en neuriede wat klanken mee, maar zingen deed ze niet. In de paar maanden die wij nog samen hadden hebben wij vooral gewandeld, uren elke dag, want meer dan in haar zusters en mij leek ze ineens geïnteresseerd in de natuur. Iedere verandering kon haar verrukken. Dan knielde ze neer bij iets wat net was uitgebot of opgebloeid, maar zelfs de mooiste bloemen mocht ik niet afsnijden om mee te nemen, en zag ze een dode vogel dan wilde ze er het liefste bijblijven totdat hij was kaalgevreten. Zij kon wonderen zien waar ik alleen verrotting zag. En in de herfst, als we werden overvallen door de regen en er niemand anders in de buurt was, kleedde zij zich uit en ging op de grond liggen, zodat geen druppel voor haar lijf verloren ging. Eerst schaamde ik me, voor haar nog meer dan voor mezelf, maar uiteindelijk heb ik me weleens over laten halen en dan lagen we daar samen, hand in hand. Dagelijks hebben we elkaar gestreeld en er is ook weleens gelachen, maar spreken was er nauwelijks bij. Eerlijk gezegd zijn me van al die tijd geen andere woorden bijgebleven.

'Konijnenpootjes drijfhout, kleintje zwemt in de rivier.'

Met James was ineens geen land meer te bezeilen. Als ik naar Lizzie informeerde en naar hun eerste dagen samen, of ze toen misschien wel iets losgelaten had, dan snauwde hij me af. Ik dacht dat dit was omdat hij zo'n zorg om Rachel had en om de anderen die gevangen bleven, dus ik kalmeerde hem en sprak hem moed in en mezelf. Net als ik kon hij nergens anders meer aan denken dan aan plannen om onze andere geliefden vrij te krijgen, en in die vastberaden woede vonden we elkaar. Nu wij van Sam Houston niets te verwachten hadden, besloten we de officiële weg op te geven. Maar wat dan? Uren zaten we bijeen en bespraken het luttele dat we nu nog zouden kunnen ondernemen. Hoe vaker we alles doornamen en hoe scherper de gezichten van onze lievelingen daardoor tevoorschijn kwamen, des te heillozer leken onze mogelijkheden. Het enige wat we echt wilden was er gewoon maar opuit, de vlakten op en daar zoeken in het wilde weg, iedereen die je tegenkomt om hulp smeken en de hele dag op de toppen van je longen hun namen roepen, want een mens kan beter vergaan van hoop dan van wanhoop.

'Zo'n kerel.' Op een avond schoot het me te binnen. 'Herinner jij je die niet, zo'n zelfingenomen vent. Hij was erbij aan de Brazos, begin maart.' En terwijl ik mezelf dit hoorde zeggen zag ik me daar weer staan op de conventie, amper een half jaar geleden, nog helemaal onaangetast. 'Zo'n naam die makkelijk te onthouden is.'

'Hoe heet hij dan?'

'Al sla je me dood.'

'Leek hij betrouwbaar?'

'Van geen kant.'

En in gedachten stond ik nog altijd tegenover die man, en net zo brutaal staarde ik terug, en ik zag mezelf zo vol durf in die ogen van hem en ineens dacht ik: o God, als die vent maar nooit te weten komt hoe ik er vandaag de dag uitzie.

'Indianenvriend,' zei ik, 'een volslagen charlatan!'

'Dus wat hebben we daaraan?' vroeg James ongeduldig.

'Dat plan om de indianen tegen Mexico aan onze kant te laten vechten, dat kwam van hem.'

'Tel uit je winst!'

'Waar het om gaat, is dat hij ze goed kent. Hij handelt met ze en kan zich verstaanbaar maken.'

Holland Coffee sprak zeven indiaanse talen. Hij verzorgde expedities voor pelsjagers en verkocht onderweg zijn koopwaar zowel aan alle stammen waarmee hij in contact kwam als aan blanke pioniers, zodat hij door iedereen even grondig werd gewantrouwd. Sam Houston kende hij nog uit Arkansas, toen zij tussen de verdreven

Cherokees woonden, en daarna had hij een zaak opgezet in een oud dorp van de Pawnee in Oklahoma. Toen het verdrag van Camp Holmes werd getekend was hij degene die daarvoor met alle partijen de onderhandelingen had gevoerd.

James reisde twaalf dagen, tweehonderd mijl naar indiaans territorium via Jonesborough, waar hij een nieuw paard moest kopen omdat het oude op was, en vervolgens nog honderd over een bochtig pad dat de oever van de Red River volgde.

Rond Coffees handelspost was een muur van staken opgetrokken met op twee hoeken wachttorens als een militair fort, maar van binnen was het een winkel als alle andere met opslagplaatsen, schappen en een toonbank. Toen James aankwam, lag op de binnenplaats een groepje Arapaho's, die whisky hadden gekocht, hun roes uit te slapen.

'Mouwen opstropen en meehelpen,' riep Holland zonder plichtplegingen. Hij stond op de kar die hij samen met een knecht aan het laden was, niets aan zijn voeten, broekspijpen opgerold, bovenlijf ontbloot en bruin als een beest. James stapte af, pakte een rol touw en slingerde die op de bak. Hij nam een rol gele en een rol rode katoen, sjouwde een baal tabak, een kleine krat met pijpen, één met kralen en een zak vermiljoen, zonder dat er iets anders werd gezegd dan 'meer naar links' of 'hier daarmee!'. Pas toen hij wilde beginnen aan de geweren en de messen die bij de lading in het pakhuis klaarstonden, sprong Holland van de wagen, soepel als een inlander.

'Nu nog niet,' zei hij, sloot de deur met een ijzeren ketting en gebaarde met zijn hoofd in de richting van de dronken mannen. 'Die doe ik morgenochtend als zij weg zijn. Je weet hier nooit hoe de wind staat.' Hij trok een lap uit zijn kontzak, veegde er het zweet mee van zijn borst, droogde zijn oksels en wiste de druppels van zijn hoofd. Hij liep naar een ton, schepte water en dronk, dompelde de tinnen mok opnieuw onder en gaf hem aan James. 'Dus, wat heb je nodig?'

De meeste achterdocht wekte Holland Coffee door de vergoeding af te slaan die hem voor zijn diensten werd aangeboden.

'Mij maak je niks wijs,' zei James tegen hem. 'Geen mens trekt hierheen om liefdadigheid te bedrijven, en is er ooit iemand zo gek geweest dan ligt hij allang langs de kant van de weg.' Hij viste een reep gedroogd bizonvlees uit zijn bonen en begon erop te kauwen tot het doortrokken van zijn speeksel meegaf. Ze zaten onder de sterren op de grond. 'Ik zie toch hoe je hier zit. Ik heb in de loop van de tijd mijn goederen van heel wat handelaren afgenomen. De meesten zaten beter dan jij hier, en toch moet ik de eerste nog tegenkomen die me zijn vader en moeder niet graag had willen meeverkopen voor een paar dollar meer.'

'God weet wat ik voor ze had kunnen vangen,' lachte Holland, 'als ik ze maar had gehad.'

'Geen familie, niks?'

Holland schudde zijn hoofd.

Er werd wild geschreeuwd op de binnenplaats. De Arapaho's hadden nog een paar flessen gekocht en waren bezig de munten die ze overhadden een voor een de nacht in te werpen, waarop ze met z'n allen in blinde drift het donker in renden en zich op elkaar stortten om het geld weer op te duikelen. Het klonk niet meer als een spel.

'Geen idee hoe het is om bloedverwanten te hebben,' zei Holland, 'geen idee hoe het voelt ze te verliezen.' Hij trok zijn revolver, opende de huls en begon hem te vullen met kogels. 'Alles wat ik kan is het me voorstellen, een vader op zoek naar zijn kind.' Hij klikte de huls dicht. Zijn vingers bleven ermee spelen, draaiden hem maar rond en rond. 'Een vader op zoek naar zijn kind. Er zijn jaren geweest dat ik het me elke avond voorstelde, die hele tocht, die man, dat kind, elk verrot detail totdat ze mekaar vinden.' Hij bracht zijn duim naar de haan en spande hem. 'Jij zou de hel binnengaan, nietwaar, als het nodig was om d'r te vinden, die dochter van je?'

'Zonder na te denken.'

Holland Coffee stak zijn wapen recht de lucht in en vuurde.

'Met zonsopgang trek ik er met mijn spullen opuit. Zit van alles tussen wat Comanche graag willen hebben. Ik zal eens rondvragen.' Hij stond op, liep naar de binnenplaats en schoot daar nog een paar maal in het wilde weg. 'Oké heren,' riep hij, 'het is sluitingstijd!'

Binnen een paar dagen kwamen de eerste berichten. Een jonge vrouw die voldeed aan de beschrijving van Rachel was gezien bij de handelspost van Captain Pace aan de Blue River, een mijl of tachtig naar het oosten in indiaans territorium, maar toen James daar aankwam bleek ze het niet te zijn. Daarna stuurde Coffee bericht dat er zestig mijl verderop een kamp was waar Rachel gevangen werd gehouden, maar zonder haar zoontje. Dat was omgebracht. Tegen de tijd dat James er was, waren zij al verder getrokken. Zes dagen lang heeft hij hun spoor gevolgd, maar toen ze de Red River overstaken, was hij te verzwakt om te zwemmen. Hij kwam aan het eind van de herfst thuis, meer dood dan levend, met nog maar weinig hoop.

Die winter van '36, wie ben ik om te zeggen dat die iets goeds bracht? In elk geval zat er verandering in de lucht. Hoe er op het hele continent om de grens met het Westen ook gevochten werd, de overval op ons fort was de eerste in zijn soort geweest en had de stellingen verscherpt. Ons lot was het hele land een schrikbeeld. Zo was het waarschijnlijk ook bedoeld. Maar Texaanse kolonisten zijn uit ander hout gesneden dan de rest van de Europeanen met wie de Comanche tot dan toe in aanraking waren gekomen. In een hel die brandt als Texas is redelijk denken geen kracht maar een zwakte. Degenen die aarzelen sneuvelen er het eerst, dus gooien we ons naar voren. Domweg je doden begraven, weer opstijgen en voortploegen, dat is de enige manier om hier te overleven. Voortaan wachtte geen enkele familie die oog in oog kwam te staan met Comanche nog af om eerst eens te zien wat die in de zin hadden. Zodra er indianen in het vizier kwamen werden ze beschoten, met als gevolg dat die op hun beurt heel Texas tot jachtgebied verklaarden. Sinds de overval op ons fort waren al bijna tien families op soortgelijke wijze afgeslacht en nog honderden zouden er volgen. De nachtmerrie die wij hadden beleefd, bleek zo het begin van de langste en bloedigste oorlog die er ooit tussen onze rassen zou worden gevoerd.

Eind november was ik voldoende aangesterkt om weer op een paard te klimmen en James te begeleiden naar Columbia, waar het eerste Texaanse congres in zitting was gegaan. Dit was mijn land. De grond was doortrokken van mijn bloed. Als daarover werd besloten zou ik het meemaken ook. Eerst wilde James er niet van weten, maar hij gaf toe toen ik hem zei wat de enige manier zou zijn om mij tegen te houden. Het congres kwam bijeen in twee vakwerkhuizen op de steile oever van de Brazos; het grootste was het huis van afgevaardigden, in het kleine zetelde de Senaat.

Had mij Austin als president gegeven, maar dankzij zijn optreden tegen Santa Anna bij San Jacinto was Sam Houston inmiddels al gekozen, terwijl iedereen toch wist dat hij dikke vrienden was met de Cherokees. Een van zijn eerste voorstellen zou hun inderdaad in ruil voor vrede alle recht op hun land hebben teruggegeven, nota bene onder de bescherming van onze eigen wetten, als het niet meteen massaal was uitgefloten, een concert waarvan ik hoop dat hij mij goed boven alles uit gehoord heeft. Maar ook daarna bleef hij weigeren ook maar een cent van de republiek te spenderen aan hulptroepen of versterkingen tegen de indianen. Dit kwam hard aan bij James, die had gehoopt de zaak van onze vermiste geliefden bij een nieuwe bevelhebber te bepleiten. Ik heb doorgezet en samen hebben we Houston een woedend pamflet overhandigd dat hij onder druk van de verslechterde situatie in het Comanche-territorium en het groeiende aantal slachtoffers wel serieus moest nemen, maar tevergeefs. Geen wapens kregen we en geen hulp.

'Alle mensen denken dat ze wijs zijn,' schreef hij ons. 'En elke keer dat ze hiervan een bewijs wilden leveren was het geschreven in bloed.'

Ik moest mijn verstand uit alle macht bijeenrapen om het niet te verliezen wanneer ik hun gezichten voor me zag, Cynthia Ann, kleine John, Rachel en James Pratt, die met deze woorden voorgoed voor ons verloren leken. Later heb ik wel gedacht dat Houston echt meende dat dit voor iedereen het beste was, dat hij misschien zelfs wel met ons meevoelde maar niet anders kon. Om ons tegemoet te komen zegde hij toe dat er een fort gebouwd zou worden op de Trinity, waar ook een pont zou komen met een wachtpost, zodat we in elk geval veilig naar ons land zouden kunnen terugkeren, maar van een reddingsoperatie of strafexpedities wilde hij nog steeds niet weten.

'Wat betreft de zaken die u noemt in uw "Pamflet", wij wijken niet, en hierover nog dit: ik wil alleen maar dat uw slaap straks gezond zal zijn en uw opstanding goedmoedig!... U kent dit heilige gebod: "Waak en bid, opdat u niet in verleiding komt." Neem dat in acht!!!'

Een ijzige winter werd het. Vanaf de Noordpool woei de kou over de grote meren naar beneden, rolde regelrecht over de vlakten waar hem geen strobreed in de weg lag, dwars door alle staten naar het Zuiden, waar hij uitwaaierde en onze regionen wekenlang teisterde met de ergste Noorders die ik heb meegemaakt. Als je naar buiten ging moest je een doek voor je ogen binden anders bevroren ze. Geen zinnig mens waagde zich uit huis tenzij voor de jacht, en dan nog bleef James in de directe omgeving, waar het woud enige beschutting bood. Zodra hij een of twee konijnen had geschoten, haastte hij zich terug naar de hut, waar wij dag en nacht een vuur brandend hielden. Soms bleek zijn buit als ik die opensneed, in de snijdende wind zo te zijn afgekoeld dat het bloed in de aderen was gestold.

De enige die er wel bij voer was Lizzie. Haar liefde voor de natuur leek uit te botten en waaierde naar alle kanten als de ijsbloemen op ons raam, mooi maar onaanraakbaar. Van ieder bord dat ze kreeg at ze nog maar een paar happen, om met de rest naar buiten te verdwijnen en het aan de vogels te voeren. Achter in de hooizolder hield ze in een pruimenmand een jonge lynx, die ze uit de omhelzing van zijn doodgevroren moeder had bevrijd. Zo was ze met van alles en nog wat hele dagen in de weer, alsof de nood waarin de natuur verkeerde haar bestaan weer zin gaf.

Op een dag vond ik haar zittend op de bevroren kreek. Met een bowiemes had ze een gat in het ijs geboord en ze bestudeerde de vissen die daar adem kwamen halen. Wanneer ze verder zwommen volgde zij ze, voortglijdend op handen en voeten, tot zij ze uit het oog verloor. Door en door koud was ze, maar ze straalde, en ik kon het bijna niet over mijn hart verkrijgen haar overeind te trekken en mee te nemen, zo was ze in haar element.

Ik denk dat ik wel wist dat ik haar kwijt was, al zou ik dat nooit hebben toegegeven.

James moet het hebben geweten.

'Ik neem het mezelf kwalijk,' zei hij op een avond toen we met zijn tweeën bij het vuur zaten en de anderen al sliepen. Hij staarde in de vlammen. 'Zij had er nooit bij mogen zijn.'

Ik begreep waar hij op doelde, maar wist wel beter dan hem voor de zoveelste keer te vragen naar de manier waarop hij met Johns moordenaar had afgerekend. Ik kon het me voorstellen en had dat ook vaak genoeg en levendig gedaan.

'Dat vonnis is ook voltrokken om haar genoegdoening te geven,' zei ik.

'Ze had al zo veel geweld gezien. En dan kom ik... Ik heb er niet bij nagedacht.'

'Je had geen keus.'

'Kiezen kan een mens altijd.'

'En om je vader deed je het.'

Hij keek even op van de vlammen en schudde toen zijn hoofd. 'Wraak is zoiets groots, die neem je voor jezelf of anders niet. Zo barstensvol raak je daarvan, het laat helemaal geen ruimte voor een ander.'

Op een nacht, eind februari, maakte Lizzie me wakker.

'Is het niet geweldig,' zei ze uitgelaten, 'eindelijk is er overal voldoende lucht!'

'Geweldig,' zei ik en ik meende het, want het was voor het eerst in maanden dat ze uit zichzelf begon te praten. Ze had ergens een spruit ontdekt van wijn- of rozijn- of nog een ander kruid – soms zou je een jaar van je leven willen geven als je maar beter had geluisterd –, een of ander plantje van niks dat op eigen kracht door de bevroren grond had weten heen te breken en nu tegen alle natuurwetten in eigenwijs leven wilde en naar boven streefde.

'Nou,' lachte ze, 'als die het kan.'

Later moet ik weer zijn ingeslapen, want ik heb niet gevoeld dat ze uit bed ging.

Toen ze de volgende ochtend was verdwenen, heb ik James gezegd waar hij haar kon vinden. Hij heeft het ijs nog opengehakt, want hoe snel de waarheid ook doordringt, hoop leeft altijd net iets langer.

Er is een bepaalde tijd die mensen je toestaan om te rouwen. Ze zijn bereid je aan te horen en raad te geven, je naar de mond te praten en te ondersteunen, maar niemand vertelt erbij dat daar een grens aan zit. Dat hoeft ook niet, je merkt het vanzelf. Je hebt een half jaar, met een beetje geluk driekwart, maar binnen twaalf maanden moet het, vinden zij, toch echt wel over zijn. Daarna moet je door. Of eigenlijk willen ze zelf verder en laten ze jou los. Dat juist verdriet een mens soms nog wat houvast biedt kunnen ze moeilijk begrijpen. Het irriteert ze. Eerst merk je dat aan ongedurige zuchtjes en aangezette vrolijkheid, maar zo nodig komen ze er gewoon voor uit. Hoe goed ze het ook met je voorhebben, ze worden je gevoeligheden zat en eisen van je dat jij je leven weer oppakt.

Nou, ik heb nieuws: het gaat niet voorbij! Je kunt je leven niet oppakken, want dat leven bestaat niet meer. Het is verloren en je krijgt het nooit terug, niet na één jaar, niet na veertig.

In die zin gaf het rust, moge God het me vergeven. Ik heb het nooit hardop gezegd, maar Lizzies dood maakte mij dit duidelijk. Tot die tijd had ik ook zelf telkens nog gedacht dat onze beproeving op een dag voorbij zou zijn. Dat het een pijn was zoals alle andere die uiteindelijk weg zou trekken. Dat wij de verdwenen kinderen onveranderd zouden terugkrijgen en dat wij dan weer zoals vroeger een gezin zouden worden. Iets in mij hield zich schuil tot het zover was, tot de dag dat alles voorbij zou zijn en degene die ik vroeger was weer tevoorschijn zou kunnen komen.

We waren in de tijd versteend. Ineens zag ik het alsof ik uit een koorts ontwaakte: de gebeurtenissen van die ene ochtend, nog geen jaar eerder, had ons allemaal voorgoed bepaald. Deze gewaarwording bevrijdde mij van valse hoop. De wanhoop die ik al die tijd gevoeld had, begreep ik, wás mijn nieuwe leven; deze woede, deze eenzaamheid, ze zouden niet voorbijgaan. Andere zekerheden dan deze zou ik niet krijgen.

Daar bevonden wij ons, Martha, Lucy en ik, midden op die vlakte, te ver bij elkaar vandaan, op dat punt waar de horizon geen belofte meer inhoudt, maar alleen nog aan alle kanten oprijst als een zinderende witte muur, toen Holland Coffee ons bericht zond dat hij Comanche tegen was gekomen die een jonge blanke vrouw te koop aanboden.

5

Ongedierte genoeg op de vlakten, maar van de zoogdieren is het hier maar een paar soorten gelukt te overleven: de bizon, de prairiehaas, de prairiehond, de gaffelantiloop, de wolf, de coyote. Hoe verschillend die ook zijn, één ding hebben ze gemeen: om ze neer te halen moet je ze bij de eerste slag de rug breken of meteen raak dwars door de hersens schieten. Met elke mindere wond komen ze weg. Ieder van die wezens is in staat nog minstens een mijl te rennen, ook al heb je zijn hart met een mes in tweeën gespleten. Jagers vervloeken die taaiheid. Ik bewonder die. Ik noem het trots. Daarmee kun je het ondanks alles hier dus redden, met dat laatste beetje eer dat je nog aan jezelf houdt, ook al is je lieve leven je al afgenomen.

Ruim een jaar na haar ontvoering deed een bejaarde Comanche in ruil voor katoen, tabak en geld mijn kleindochter Rachel van de hand aan een stel Mexicaanse handelaren. Ze was zo ver heen dat zij er helemaal van uitging dat zij nu hun eigendom was, en hoe vaak zij haar ook uitlegden dat hun was opgedragen haar tegen iedere prijs vrij te kopen, zij bleef hen 'meester' noemen. Met hen trok ze vijfhonderd mijl zonder enige bescherming door de augustuszon over niets dan verschroeide grond naar het zuiden, tot op een avond de lucht die ze ademde zwaar werd van de pijnboomvuren waarop de vrouwen van Santa Fe hun avondmaal kookten. De stad zuchtte onder de droogte. De lemen muren waren opengebarsten en door de hoofdstraat liepen diepe voren als in een drooggevallen rivierbedding. Maar de binnenplaatsen, vrolijk van de felle Mexicaanse kleuren, boden schaduw en er waren koele kamers met kleurige kleden op de aangestampte vloer en stoelen en een bed, een weldaad waarvan Rachel niet meer had durven dromen. Zij werd ondergebracht in La Fonda, de herberg aan het einde van het pad. Daar kwam zij op krachten en drong haar situatie tot haar door. Zij wist niet of iemand van haar familie nog in leven was. Tussen haar en ons lagen nog achthonderd moeizame en gevaarlijke mijlen dwars door het hart van de Comanchería. Zij vroeg belet bij gouverneur Perez, die haar ontving in een kamer waarvan allevier de muren waren behangen met de gedroogde oren van indianen, ieder paar het bewijs dat premiejagers overhandigden wanneer zij de beloning voor hun werk bij hem kwamen opstrijken. Hij hield een inzameling voor Rachel die honderdvijftig dollar opbracht, maar al had ze het tienvoudige gekregen, ze kon een dergelijke reis onmogelijk alleen ondernemen. Misschien was het er wel nooit van gekomen als de Pueblo-indianen niet tegen de Mexicaanse overheersing in opstand waren gekomen. Nadat een stuk of tien gezagsdragers waren afgeslacht en het hoofd van Perez voor zijn paleis op een staak was geplaatst, stelde een aantal gezinnen een karavaan samen van drieënvijftig wagens, getrokken door paarden, ezels en ossen, waarmee zij zich in veiligheid probeerden te brengen. Met hen vertrokken ook de eigenaren van La Fonda, en op hun wagen begon Rachel aan een nieuwe reis door het land van de Comanche. Via Missouri, waar zij te horen kreeg dat sommigen van ons nog in leven waren, bereikte ze ons uiteindelijk pas eind februari 1838.

Alsof ik d'r fijn wou drukken, zo heb ik haar omhelsd, niet anders dan ik dat met Lizzie had gedaan, maar ondertussen trok mijn hart samen bij het idee dat het misschien opnieuw te vroeg zou jubelen. Op drie maanden na waren er twee jaar verstreken sinds ze Rachel aan haar haren bij mij vandaan hadden gesleept. Elke dag waren wij nu samen en ik heb haar laten huilen en vertellen, want waar mijn dochter nauwelijks iets had losgelaten, was mijn kleindochter niet te stuiten. Alles deed ze uit de doeken, ook zaken die een grootmoeder nooit hoopt te horen, en zodra ze een verhaal verteld had, begon ze vaak opnieuw omdat haar dan details te binnen schoten die ze was vergeten. Ik weet niet wat ik liever had. In het begin probeerde ik haar nog af te leiden, want je zag op haar gezicht de pijn van het herinneren, maar de woorden bleven komen, verpletterend, van ver voelde je ze aan komen denderen, onstuitbaar als een kudde bizons, onvoorspelbaar en gevaarlijk. Wanneer ze plotseling mijn kant op zwenkten, voelde ik diezelfde paniek, dat je niet weet waarheen je rennen moet om ervoor weg te komen. Dus bleef ik maar stilstaan, ogen stijf dichtgeknepen, alsof ik er niet was, in de hoop dat ze aan me voorbij zouden schieten zonder me te raken. Maar ik was er, en ik hoorde Rachel beschrijven hoe ze na de overval tussen de bloederige scalpen die haar ontvoerders aan hun riemen droegen die van haar opa direct herkend had aan zijn grijze haar en hoe zij, Lizzie en Cynthia Ann, diezelfde avond gedwongen werden de haren van die scalpen schoon te wassen en dat ze een schraapmes kregen om de hoofdhuid van hun familieleden te ontdoen van botsplinters en restjes vlees.

Eenentwintig maanden had ik naar nieuws gehunkerd, niet één keer was het bij me opgekomen dat de feiten als ik ze eenmaal boven water had, me zouden aankleven, naar beneden trekken en meesleuren. De dingen die Rachel vertelde... Soms duurde het een tijd voordat ze tot me doordrongen, want er bestaan woorden die je treffen zoals een slagersbijl een kip, zodat je blindelings nog even doorfladdert, in paniek maar zonder te beseffen welke slag je is toegebracht. Toen ik de beelden dan eenmaal voor me zag, zo helder dat ze tot aan de dag van vandaag in mijn diepste slaap opduiken, nam ik dat Rachel kwalijk. Ik bleef lief en ondersteunend en in alles oma, maar van binnen kookte ik soms omdat ik niet begreep hoe zij zo ongevoelig kon zijn. Lang duurde dit nooit, want het volgende moment zag ik alweer voor me hoe zij daar gestaan had, eenzaam onder al die geselingen die ik alleen maar hoefde aan te horen, en wilde ik niets liever dan haar weer in mijn armen sluiten en fluisteren dat het nu voorbij was en dat zij voortaan voor altijd veilig bij mij bleef. En altijd vroeg ik door, in de hoop iets te horen over het lot van kleine John en Cynthia Ann, maar die waren nog dezelfde dag van Rachel gescheiden en aan twee andere stammen meegegeven. Na verloop van tijd begon ik zelf te vragen of Rachel bepaalde voorvallen nog een keer wilde vertellen en later weer en nog eens, omdat ik merkte, wat zij al had ontdekt, dat herhaling ook kan helen. Woorden betekenen minder naarmate ze vaker worden uitgesproken, zoals de gezichten van afwezige geliefden iedere keer dat we ze proberen terug te roepen juist net iets verder vervagen. Tegelijk school in dat repeteren een nerveuze geruststelling, die op mij werkte zoals toen ik klein was in bed het angstig prevelen van een gebed of zo'n melodie die maar niet uit je hoofd wil. Iets wat moet gebeuren zonder dat je weet waarom. Je zou er gek van worden en wilt het liefste dat het stopt, maar de bezwering is te sterk. Verslavend werkte het, steeds maar weer bevestigd te krijgen wat ik al wist, dat de woede die ik voelde gegrond was. Na zo veel verlies bood dit wat houvast. Een ander had ik niet.

Als je iedere troost voorbij bent, lijkt haat een laatste hoop.

Wat ze vertelde of wat ze verzweeg, moeilijk te zeggen wat harder aankwam. Het ergste noemde Rachel bijna altijd terloops, kort, zakelijk, terwijl ze zich door de beschrijving van iets onnozels, de melkkleur van een rivier die ze over was gestoken, het patroon van de jurk die ze had gedragen totdat hij in draden van haar lijf hing, tot tranen toe kon laten meeslepen als een ouwe vrijster bij een trouwerij. En dan waren er plotselinge stiltes. Midden in een zin leken haar woorden zich soms in een bodemloze put te storten. Dan viel niet alleen haar verhaal stil, maar stokte alle gevoel in haar en bleef ze je met grote ogen aankijken alsof het haar zelf verbaasde. Zo'n afwezigheid duurde een paar tellen, hooguit een minuut. Dan haalde ze haar schouders op of glimlachte ze half week, maar nooit kreeg ik haar zover dat ze alsnog wilde vertellen waarvoor ze was teruggeschrokken.

Twee kinderen was ze kwijtgeraakt, de kleine James Pratt, die haar onmiddellijk bij het fort was afgenomen en van wie ze maar volhield dat ze vóélde dat hij nog in leven was, en de zuigeling die zij een maand na haar gevangenneming ter wereld had gebracht. Zes weken mocht ze haar baby houden. Toen werd hij enkele malen door een cactusbos gehaald als een dot vlas over een hekel, waarna zij het lichaampje in de schoot geworpen kreeg, zodat zij het kon begraven. In deze woorden zei ze het. En terecht. Meer was het niet. Dit was de werkelijkheid van ons bestaan.

'Bij meisjes die altijd wel willen, schuurt het zand tussen hun billen.'

Ze dienden zich aan alsof ze een kazerne binnenreden. Holland Coffee zat op de bok van zijn wagen naast Zebedian, die hem de doorwaadbare plek in de rivier had gewezen en daarna mee had mogen rijden. Vraag me niet hoe mannen altijd zo snel het laagste in elkaar weten aan te boren. Nauwelijks een uur kunnen ze onderweg zijn geweest, maar ze bralden alsof ze samen een hele nacht hadden zitten drinken. Ik trok mijn lelijkste gezicht en wachtte ze op met mijn vuisten in mijn zij. Zodra Coffee me herkende ging hij staan, leidsels in één hand, hoed in de andere, en waagde het me onder het zingen gewoon vriendelijk aan te kijken, alsof hij half en half verwachtte dat ik in zou vallen.

'Maar wacht je op een broek van kant, blijft de zaak zolang in eigen hand.'

Daarop maakte hij een buiging als een zingende barmeid.

'Als je van die wagen durft te komen,' riep ik, 'zal ik op je wangen applaudisseren!'

'Ah,' lachte hij, 'dezelfde onvergetelijke charme!' Hij sprong op de grond, greep mijn hand voor ik ermee kon uithalen en drukte er een kus op. Ik trok mijn hand terug en wreef hem droog aan mijn schort.

'Als je geen ontbijt hebt gehad,' zei ik, 'neem je maar een groene appel.'

Zebediah, lijkbleek zoals het hoort, probeerde nog iets te redden door ons aan elkaar voor te stellen: 'Dit eh, is ze dan, Granny Parker, Granny, dit is...'

'Waar zijn we hier,' onderbrak ik hem, 'aan het Engelse hof? Ik weet maar al te goed wie dit is.'

Zebediah zocht beteuterd steun bij zijn nieuwe liefde, die de randen van zijn hoed een keer helemaal rond door zijn vingers liet glijden.

'Ik hoorde het goede nieuws,' zei Coffee haast oprecht. 'Over miss Rachel.'

'Ja?'

'En ik was benieuwd hoe het met haar gaat.'

'Hoe zóú het gaan, denk je, na wat ze heeft meegemaakt?'

Zebediah gaf het paard te drinken en begon het uit te spannen alsof dat de komende tijd al zijn aandacht zou vragen.

'Wat dacht je, ik ben toch in de buurt, ik ga eens kijken wat mijn indiaanse vrienden nog van haar over hebben gelaten?'

'Niet bepaald.'

Mijn toon leek hem te raken. Ik bekeek hem door mijn oogharen om de man in te schatten.

'Niet bepaald wat? Ga je nu zeggen dat je niet dik met de Comanche bent?'

'Ik zeg alleen dat ik bepaald niet in de buurt was.' Hij zette zijn hoed op. Ik dacht dat hij het opgaf. 'Toen ik hoorde dat uw kleindochter was vrijgekocht was ik zelf in Arizona, tegen de tijd dat ik Santa Fe bereikte om haar naar huis te brengen was zij al op weg naar Missouri. Voor ik daar aankwam, had ze jullie zelf al gevonden. Ik wilde haar één keer met eigen ogen zien. Ik had er al vijftienhonderd mijl op zitten, ik dacht dat het die paar honderd extra nog wel waard zou zijn.'

Hij keek me zo hulpeloos aan. Ik kon gewoon niet uitstaan dat ik hem geloofde.

'Ze is weer bij haar familie,' zei ik. 'Wat valt daaraan te zien?'

Eindelijk zat hij zonder woorden en haalde hij zijn schouders op. Hij trok de rand van zijn hoed naar beneden, zodat de schaduw over zijn ogen viel, beet op zijn onderlip alsof hij de droge vellen eraf wilde schrapen en tuurde over me heen in de verte, alsof alles gezegd was.

'Waarom zou iemand eigenlijk helemaal naar Arizona komen om jou te vertellen over onze Rachel?'

'Om zijn beloning op te strijken.'

Hij bracht het bijna nonchalant en was tenminste zo

beleefd om niet meteen te kijken hoe deze onthulling tot me doordrong. Er zaten pluizen op mijn vest die ik eraf plukte en ik ontdekte dat mijn twee bovenste knoopjes openstonden. Ik sloot ze, trok de stof glad en streek een kreuk uit mijn schort, maar toen ik weer naar hem opzag keek ik midden in die onuitstaanbare lach. Mijn vingers vonden een losgeraakte haarlok, rolden die op en propten hem op zijn plaats.

'Het klopt wat ze zeggen,' straalde Holland Coffee. 'Hoe groter de mond, hoe aantrekkelijker hij is als hij dicht is.'

Ik was begin vijftig. Lelijk was ik niet, of je moet het lelijk vinden dat iemand heeft geleefd. Toch leek het een eeuwigheid geleden dat een man een vrouw in mij gezien had. Waarom zouden ze ook, als ik mezelf niet eens meer zo zag? De laatste twee jaar hadden genoeg mensen me bekeken, daar niet van, maar niemand had me ooit het idee gegeven dat het om mij ging, alleen om mijn verhaal. Het is het soort verhaal dat je verwacht van een frontsoldaat, niet van iemand in een wit jurkje, maar daar gaat het niet om. Ook niet om de leeftijd. Natuurlijk, ik had mijn tijd gehad. In Texas stierf het gros van de mensen jonger, en veel ouder werd maar een enkeling. Ik had geen reden te denken dat uitgerekend ik nog meer dan zat jaar te gaan had, laat staan dat ik had kunnen vermoeden dat ik het nog bijna vier decennia uit zou moeten zingen, goddank niet, want als je dat wist zou je er niet aan beginnen. Maar hoe hoog ook, leeftijd dooft een mens zijn zinnen niet, dat kan hij alleen zelf doen. Zodra je vergeet ze te laten stromen verdrogen de sappen.

Rouw is als ziekte, je moet het je volle aandacht geven om er niet aan onderdoor te gaan. Al het andere stel je steeds maar uit tot je je beter voelt. Het verschil is alleen dat verdriet niet geneest, en voor je het weet ben je jaren verder zonder ze te hebben beleefd. Ik had te veel aan mijn hoofd om aan mijn lijf te denken. Het was niet dat ik me te oud voelde of onaantrekkelijk, niet dat ik me niet goed genoeg voelde of afgedaan, het was meer dat ik helemaal niet voelde. Rouw telt niet. Rouw is geen gevoel. Het is het tegenovergestelde, een verdoving van je leven.

Op een nacht zag ik ergens tussen de beelden die altijd terugkeren plots weer die mier, op de vlucht voor de rode plas waarmee zijn schuilplaats was volgestroomd en die voor hem ineens als een vloedgolf over de aarde trok en rond ons ondertussen almaar uitdijde. 'Hallo,' fluisterde ik hem toe, 'hallo, hierheen, hallo!' En uit mijn ooghoeken volgde ik die acrobaat zo ver ik kon, hoe die langs mijn haar omhoogklauterde en dan weer neertuimelde tot hij alleen nog aan zijn voorpootjes boven de bloedzee hing, en dan toch weer net op tijd zijn achterlijf wist terug te slingeren, zich aan mij ophees en rondrende over mijn borst, naar alle kanten op zoek naar een veilig heenkomen, telkens weer tevergeefs maar zonder dat hij opgaf. Hoe ik het geweld bewonderde waarmee hij zich aan het leven vastklampte tegen beter weten in, en hoe ik niets liever wilde dan dat hij het in elk geval zou redden, ja, o lieve God, hij wel, hij wel, ten minste dan toch hij!

Ik schrok er wakker van, ineens kreeg ik het niet meer uit mijn hoofd, het idee dat dit de laatste keer moet zijn geweest dat ik zo vanzelfsprekend met een ander wezen mee heb kunnen voelen. Kon het bestaan dat alles wat daarna nog komen zou aan opluchting en weerzien, Lucy en Martha, Lizzie en Rachel, alle troost en alle woorden die ik voor hen had, het wiegen, aanhalen en omhelzen, het meekreunen en laten uithuilen, in het niet viel bij wat ik ooit eens gevoeld had om zoiets onnozels als een mier? En de liefde dan, waardoor ik regelmatig nog werd overspoeld, die heb ik – of werd ik gek? – toch zeker echt voor ze gevoeld, dat wist ik zeker, maar het lukte me niet langer voor mezelf te verbergen dat ik daarbij ook altijd een beklemming had gevoeld, een grotere, onberedeneerde drang om mij niet helemaal te geven, de onbenoemde angst om ze ooit weer te verliezen, en als ik me nog gaf dan was dat ondanks mezelf altijd onder voorbehoud, als om het verlies alvast in te calculeren. Misschien kon ik dus nog enkel zo liefhebben, voorwaardelijk, om maar mezelf te behoeden! Met pijn in mijn hart gaf ik het aan mezelf toe: als ik mijn meisjes, die mij alles waren en alles wat mij restte, in mijn armen hield, ging er niet zoals vroeger door me heen wat zíj voelden, niet echt, alleen nog wat ikzelf daarbij voelde. Mijn zorg om hen was ten diepste zorg om mezelf. Dit is de enige nederlaag die ik erken. Ik neem het mezelf niet kwalijk. Niet meer. Ik zie het aan de anderen. Dit is wat geweld doet. Het sluit je in jezelf op.

'Ze zou zich maar opgelaten voelen,' zei Coffee toen we naar het huis liepen. Hij wilde niet dat ik Rachel zou vertellen welke rol hij bij haar vrijlating had gespeeld. 'Ik ben een kennis van haar vader op doorreis met zijn handel, meer niet.'

Het was zo'n aangename voorjaarsdag, niet te warm, niet te koud, dat we een tafel naar buiten droegen en op het erf onder de ceder zijn gaan zitten. Ik dacht dat dit Rachel, die het binnenshuis bij vlagen soms tot stikkens toe benauwd kreeg, goed zou doen, want er hing zo'n diamanten lucht, helder dat je longen ervan tintelden, en het kon niet anders of je moest hiervan toch met iedere inademing wel gezonder worden. Holland Coffee schoof aan alsof hij degene was die een verhaal te vertellen had, en minstens een goed uur lang nam hij het woord en liet Rachel al die tijd gewoon links liggen. Zij bleef er met haar handwerkje braaf bij zitten, maar ik vroeg me af wat ze hier wel van moest denken, want er was nog nooit bezoek geweest dat niet van alles van haar wilde weten. Na een uur stond meneer op, rekte zich eens uit, liep naar de stal om zijn paard te voeren en verdween er toen achter om zich in een greppel te ontlasten.

'Wat is dat nou voor een hork?' vroeg ik. 'Dat zit daar maar te oreren alsof wij niks beters te doen hebben.'

'Hebben we dat dan?'

'Alsof wij hem geen zier interesseren. Je zou denken dat hij nergens van wist.'

'Juist wel,' ze legde haar naaiwerk neer en keek me aan, 'hij heeft alles heel goed begrepen. Zie je dat dan niet? Ik vind het een verademing.'

Ik vroeg maar niet door want ik was niet in de stemming om me te ergeren, en ging de keuken in omdat een mens bij zo veel begrip wel wat versterking kan gebruiken. Toen ik terugkwam met verse maïskoeken zaten ze naast elkaar, ellebogen op tafel, gebogen over drukwerk dat Holland Coffee uit zijn wagen had gehaald.

'Kijk nou toch, Granny!' Rachel hield een tekening naar me op van twee Parisiennes die over straat liepen in een soort ballonnen, jurken zo wijd dat je er onmogelijk mee door een deur zou kunnen. 'Is dit niet iets voor zondag naar de kerk?' En voor het eerst in al die weken moest ze lachen. De geïllustreerde tijdschriften waren meegekomen met een partij Bretonse stoffen die Coffee op de kop had getikt in de haven van New Orleans. Ze bevatten tientallen pagina's vol met de meest onpraktische strikken en overdreven frutsels, die Rachel echter stuk voor stuk in vervoering leken te brengen. Hardop las ze bijschriften alsof ze smulde van al die kleuren en die stoffen, waarvan ze de meeste nooit gezien had, maar waarvan ze bij de naam alleen al wegdroomde. Soms probeerde Coffee uit te leggen wat iets was, chiffon of rayé, florentine en bobbinet, grein, kasjmier, organza, want hij mocht dan ogen als een man, hij klonk ineens verdacht veel als een modinette.

'Maar wat zitten we hier nou?' vroeg hij ineens. 'Zou je de eigenschappen van zo'n stof niet veel beter waarderen als je het even door je vingers liet glijden?' Rachel keek hem aan en van ongeloof zakte haar mond open. Coffee knikte en gebaarde met een korte hoofdknik in de richting van zijn wagen. 'Links onder het zeil, achter de loochuiden. De roodleren koffer, maar voorzichtig, hij is zwaar.'

'Wat denk je dat je aan het doen bent?' bromde ik, terwijl we Rachel nakeken, die het op een rennen had gezet. 'Je ziet toch dat ze veel te zwak is!'

'Twee jaar heeft ze zich grootgehouden. Haar ogen hebben meer moeten zien dan die van de meesten in een heel leven. Maar ze ís achttien. Een meisje.'

'Negentien, eind van de maand,' zei ik alsof dat iets uitmaakte, want, al wist ik niet wat, ik had het gevoel dat me iets werd verweten. Natuurlijk zag ik haar als gelijke. Was er soms iemand anders die net zoiets had meegemaakt als wij en met wie we dat net zo goed hadden kunnen delen?

'Mooi,' zei Coffee, 'want er zit genoeg tussen wat je een meisje dat negentien wordt nou eens fijn cadeau zou willen doen.'

Rachel kwam met de koffer aanslepen, maar halverwege kon ze zich niet meer beheersen en trok hem open. Ze greep er een rol crêpe de Chine uit, drapeerde hem over haar schouders, wikkelde hem rond haar polsen en zwierde ermee rond alsof zij ooit van d'r leven een bal zou meemaken.

'En je zal zien,' glunderde de zakenman, 'voor de prijs hoef je het niet te laten.'

Nu ze elkaar gevonden hadden, bleven ze maar bladeren door die tijdschriften, urenlang plaatjes kijken van dingen waar we nooit van ons leven mee te maken zouden krijgen, Spaanse schilders, de begrafenisstoet van de paus in Rome, hoe je baleinen uit een walvisbaard plukt, wat koop ik daarvoor? Maar ik liet het, omdat er door de lucht een vrolijkheid wervelde die mij zelfs aanstak. Tegen het eind van de middag kwam het onzalige idee op dat ze samen uit rijden zouden gaan.

'Geen sprake van. Ze is af en toe benauwd, dat zie je toch.'

'Geen wonder,' zei Coffee, 'als ze zo weinig beweging krijgt.' Hij greep haar hand en ze zetten het op een rennen als twee ondeugende kinderen.

Ergens onderweg moet ze hem alles hebben toevertrouwd, want na het eten kwam Coffee aan met een van de kasboeken waarmee hij de legerposten bevoorraadt. Hij legde het op tafel met wat pennen en een pot blauwe inkt.

'Schrijf het op,' zei hij, 'het hele verhaal. Hoeft niet uitgebreid, alleen wat je hebt meegemaakt, de feiten, waar je bent geweest, wat je hebt gezien.'

'Welja,' onderbrak ik, 'vraag dan gewoon meteen of ze het allemaal nog eens wil beleven.'

'Ik heb wat aantekeningen gemaakt,' begon Rachel schuchter, 'gewoon kort, eerst in Santa Fe, later in Missouri, bepaalde dingen, niks bijzonders, ik was bang dat ik die anders zou vergeten.'

'Mijn meisje,' zei Coffee en legde zijn hand even op die van haar alsof dat allemaal normaal was. 'In Houston hebben ze sinds vorig jaar een ijzeren pers, dezelfde waar ze *The Telegraph & Register* op drukken. Als je wilt neem ik je verhaal mee.'

'Om er een boek van te maken?'

'Een pamflet is zo gedrukt. En binnen een paar weken kunnen ze tot in New York lezen wat jij doorstaan hebt.'

'Ik weet niet.'

'In godsnaam, waarom zou ze?'

'Mensen leven mee met wat ze lezen. Ga jezelf maar eens na, iemand die iets heeft meebeleefd zal zijn oordeel daarover niet zo snel meer klaar hebben.' Hij keek me aan om te zien of ik hem goed begreep. 'Het zou zo veel voor eens en voor altijd duidelijk maken, Rachel. Wie je was en wie je bent geworden. Hoe zou iemand daar niet mee mee kunnen voelen? Het kan dingen rechtzetten.'

Rachel keek nu ook naar mij. Ik overwoog de hele zaak en knikte.

'En bovendien,' Coffees ogen begonnen te glunderen, 'voor vijf cent laat je ze drukken; verkoop je ze voor dertig heb je een kwartje winst, maal vijfhonderd stuks, reken maar uit.'

'En de anderen?' vroeg ik die avond zodra we alleen waren. 'Cynthia Ann, kleine John, is er iets bekend?'

Coffee schudde zijn hoofd. Ik nam een lamp, ging hem voor naar de schuur en wees hem een plek waar hij kon liggen.

'Ik slaap 's nachts,' zei ik. 'Begrijp jij het? Ik ga naar bed. Ik lig, ik zie ze voor me, gek word ik van alle dingen waarvan ik me voorstel dat zij ze mee moeten maken, alles wat ik overdag heb kunnen wegstoppen valt in één keer boven op me, ik draai eindeloos, ze kijken me van alle kanten aan, ik ga weer op, ga maar weer liggen, mijn vingers klauwen in het laken tot het scheurt, maar uiteindelijk val ik in slaap. Toch altijd weer. Alsof ik ze verraad. Onvergeeflijk. Elke ochtend, het eerste wat ik doe, ik praat tegen ze, dat ze maar goed weten dat ik ze niet vergeten ben.'

'Dat is het wreedste aan het leven,' zei hij, 'niet dat het

ooit stopt, maar dat het altijd doorgaat.' Hij gooide zijn zadeltas neer, stapte met zijn laarzen de strobak in en schopte rond door de vulling om het ongedierte eruit te jagen. 'Ik heb het niet opgegeven, ergens daarbuiten zijn ze.'

'En niet pissen in het hooi,' zei ik, 'daar doen we hier niet aan. Als je vannacht moet, loop je even naar het water.'

Hij sprong als een soldaat in de houding en salueerde.

'Ik heb heel goed gehoord wat ze allemaal over jou zeggen, Holland Coffee.' Ik draaide me bij de deur om en bekeek hem nog eens. 'Je ziet er onbetrouwbaar genoeg uit, waarom zou ik ze niet gewoon geloven?'

'Omdat het niet zo veel verschilt van wat mensen over jou zeggen. Of over Rachel. Dat de omgang met indianen haar heeft bedorven. En je weet hoeveel dáárvan waar is.' Hij schoof de tas onder zijn hoofd en ging liggen. 'Dat is wat mensen het eerste verliezen zodra hun bestaan wankelt, het vermogen om iets van meer kanten te bekijken.'

Om half vier hoorde ik Holland Coffee, die bij het eerste licht zou wegrijden, uit zijn strobak kruipen. Ik liep naar het raam en zag hem op de wasplaats. Hij zette zijn lamp naast zich neer en trok zijn hemd uit, boog voorover en dompelde zijn hoofd met schouders en al onder in de watertrog. Daar bleef hij, hoe lang zal het geweest zijn, een minuut, anderhalf, tot het oppervlak tot rust kwam. Al die tijd alleen die benen en die ronde rug, totdat het in me opkwam dat er misschien iets mis was. En nog geen stuiptrekking. Ik zei tegen mezelf dat ik me niet aan moest stellen, dat een mens niet zomaar sterft aan een slokje water, en trouwens, wou hij dood, dan wou hij dood, deert mij dat wat, dus ik keerde me om en wilde weer gaan liggen, maar ineens trok ik de deur open en stond ik buiten. Alles sliep. In de doodse stilte hoorde ik mijn eigen hartslag. Geen enkel leven zag ik, zelfs zijn flanken trilden nu niet meer. Ik rende naar hem toe en ik was op nog geen paar meter van hem toen hij overeind schoot, zijn bovenlichaam doorverend naar achter als bij een dier dat opduikt uit zee. Met een diepe kreun hapte hij lucht alsof het schraapte langs zijn longen. Zijn lange haren zwaar van het water veerden van de plotselinge kracht recht overeind en verspreidden een brede waaierkam van druppels die me vol in het gezicht raakten en de voorkant van mijn hemd in één klap zo doorweekten dat het aan mijn lichaam kleefde. Hij duwde zijn vuisten in zijn zijden, die in en uit gingen als bij een paard in galop, en dwong ze tot een ritme. Toen hij op adem was draaide hij zich om en zag me staan.

'Morgen,' lachte hij verbaasd, boog voorover, schudde zijn haren als een hond en begon druppels van zijn borst en rug en buik te vegen. Zijn huid glom in het flakkerende lamplicht. 'Da's vroeg.'

Met één hand hield ik mijn kraag bij elkaar, terwijl ik met de andere mijn haar probeerde te fatsoeneren, want ineens was ik degene die eruitzag alsof ik bijna was verzopen.

'Ja,' hakkelde ik, 'ja, ach, ik was wakker.'

'Toch niet om mij?'

'Welja, om jou zeg, zal iemand daarom een minuut minder slapen?'

'Het spijt me,' ging hij verder alsof ik het tegenovergestelde had gezegd. 'Nergens is het zo stil als onder water. Ik blijf er elke ochtend zo lang ik kan, want je weet hier nooit met wat voor geweld de dag van zich zal laten horen.'

Hij gooide zijn hemd over mijn haren en begon ze droog te wrijven, alsof hij zijn paard roste.

'Hier daarmee.' Ik griste hem die stinkende lap uit handen en zwiepte ermee om zijn oren, maar het scheen zijn humeur alleen maar goed te doen.

Ik kookte koffie en gaf hem een reep spek voor onderweg.

'Ik neem wat van die stof,' zei ik toen hij zijn paard had ingespannen. 'Voor Rachel.'

Hij trok het dekzeil aan één kant open, sprong op de bak en opende een paar kratten. Ik koos een lap mousseline, genoeg voor een jurk, een eind bies om het af te zetten en zijden linten, glanzend wit, om haar een plezier te doen. Alles rook naar de gelooide bizonhuiden die het merendeel van de lading vormden.

'Heb jij eigenlijk geen voornaam?' vroeg Coffee.

'Je kunt me noemen zoals iedereen me noemt.'

'Nee,' hij dacht even na, 'nee, dat lukt me niet.'

Ik snuffelde nog wat door zijn spullen, kocht jute en ijzergaren om zakken van te naaien, een kopergeslagen melkemmer en een krat whisky, maar het meeste was indianenwaar, want hij ging hun kant uit.

'En dit dan?' vroeg hij en haalde een kartonnen sierdoos tevoorschijn, vol met gekrulde gouden letters, zo'n overdreven ding, zeker uit zijn Franse zending. 'Enig in zijn soort op het hele continent, dat garandeer ik je.' Hij haalde het deksel eraf. 'De prijs is ernaar, maar dan heb je ook wat.' Het ding zat vol zeepjes, allemaal spuugroze met lichtgroen, zodat je ogen er pijn van deden. 'Ruik eens,' hij duwde hem in mijn gezicht, 'en dat dan elke wasbeurt.'

'Probeer je me iets duidelijk te maken?' spotte ik. 'Luister Holland, als het nou zo meteen licht is, moet jij eens goed rondkijken waar we hier zijn. En als je een volgende keer nog eens komt, breng me dan dingen die we hier nodig hebben, gereedschap, houtskool, lampenolie, en niet van die fantasieartikelen.'

De lach zakte uit zijn gezicht.

'Ik weet verdomd goed waar wij zijn.' Hij sprak zacht, maar plotseling zo dringend dat zijn stem ervan trilde. 'Verdomd goed. En hoe je ook heten mag, ik zeg jou één ding: er is inderdaad godallemachtig veel waar je best zonder kan, maar één ding is nergens harder nodig dan hier.'

Zonder een verder woord stapelde hij alles wat ik gekocht had op elkaar en ik gaf hem het afgesproken bedrag.

'Sallie,' zei ik om nog wat te zeggen, 'het is Sallie.' Hij knikte, gaf me de koopwaar, sjorde het dekzeil dicht, klom op de bok, klikte tegen zijn paard en spoorde het aan met de teugels.

'Zie je dan,' bromde hij, 'Sallie.'

Toen ik het huis binnenkwam was Rachel al op, en omdat de mousseline een verrassing voor haar verjaardag moest blijven heb ik alle spullen in de voorraadkast verstopt, achter de gort en een zak haver. Dagen later pas, toen ze in het veld was, dacht ik eraan alles nog eens te bekijken en de strikjes en linten beter voor haar weg te bergen. Toen ik dat gedaan had en aan mijn jute toe was, ontdekte ik daartussen iets hards, en zodra ik het afwikkelde viel de Franse doos eruit en al die smerige Parijse rotzeepjes vlogen over mijn schone vloer. Ik begon te huilen, eerst alleen wat druppels die als vanzelf over mijn wangen liepen, minutenlang, zachtjes zonder snikken of wat ook, maar toen langzaam kwam het van steeds dieper, en steeds hoger moest ik mijn borst uitzetten om nog lucht te krijgen, lucht die naar buiten kwam met halen die ik niet meer kon bedwingen, tot mijn benen ervan trilden en het wel leek of alles van mijn vingers tot mijn tenen met me meejankte. Zoiets onbenulligs, dat weet ik wel, een geschenk van niks, iets wat ik niet eens wilde hebben, maar het overviel me, zo onuitstaanbaar vriendelijk dat alle tranen die ik twee jaar lang dwars door alle verlies heen had opgepot nu ineens met zijn allen besloten tegelijk naar buiten te willen. Ik vervloekte die kerel en zijn fantasietjes, en hoopte maar dat niemand voortijdig uit het veld naar huis zou komen en mij daar zou zien zitten, op mijn knieën in die wufte stinklucht met één hand tegen mijn mond gedrukt om het niet uit te schreeuwen, terwijl ik met de andere die weeroze, kotsgroene plakjes bij mekaar graaide en in de zakken van mijn schort propte.

6

En ze deed het nog ook. Elke avond na het eten pakte Rachel een lamp, stak de inktpot bij zich en verdween met haar kasboek onder de arm het bos in. Ik had het er niet op. Ik weet wat gedachten met je doen als er geen mens is om ertegen in te gaan. Maar mocht ik mee? Geen denken aan. Niemand mocht in de buurt komen. Rotklus, schrijven. Waarom zou je eraan beginnen als je niet wilt dat iemand het leest? Het hele idee lijkt mij dat je iets wilt laten weten wat te groot is om hardop te zeggen. Ik zou tenminste niet weten waarom een zinnig mens zichzelf anders zo'n pijn zou doen. Maar goed, zo ging het dat hele voorjaar en een groot deel van de zomer; je mocht er niet naar vragen, je mocht er niet naar wijzen, Rachel waakte over dat kasboek als een ander over zijn leven. Achteraf gezien was het dat natuurlijk ook, haar leven, meer dan dat verhaal was er niet over.

Op een avond, eind april, stak er een noordenwind op terwijl ik haar had zien vertrekken in niets meer dan een jurkje. Haar longen waren sinds haar terugkeer niet genezen en ik was niet van plan ze verder te laten aantasten, dus nam ik een wollen vest en ging op zoek. Ik zag een schijnsel op een van de rotsen die over het water hangen. Daar vond ik haar lamp, ik vond haar schrijfgerei, maar zij was nergens te bekennen. Het schrift lag open. De wind bladerde erdoor. Na al die weken was niet meer dan de helft van de eerste pagina beschreven. Vijftien, hooguit twintig regels. Ik deed mijn best ze niet te lezen, legde het vest neer en vertrok. De rest van haar pamflet vorderde in datzelfde tempo, alsof elk woord eerst nog helemaal geleefd moest worden. Voor elke zin die ze produceerde liep ze uren in gedachten. Toen ik niet langer kon aanzien hoe dit haar verzwakte, heb ik haar gesmeekt niet verder van mij weg te gaan, bang als ik was dat ze mij zoals de anderen zou ontglippen.

'Je moest eens weten,' lachte ze, 'in mijn hoofd zijn ze allemaal nog zo in leven!' En ze ging als iedere avond. Ziedaar de zegen van al die schrijverij.

Aan het eind van het voorjaar keerde James terug, gedesillusioneerd, van zijn zoveelste vergeefse zoektocht naar Cynthia Ann en haar broertje. Hij deed zo monter als hij kon, maar je zag het meteen: houding, blik, stem, alles verried dat de nieuwe teleurstelling hem had veranderd. Ik denk niet dat hij het zelf toen wist, maar diep van binnen had hij al opgegeven. Kun je dat iemand kwalijk nemen wanneer hij werkelijk alles heeft gedaan wat mogelijk is? Geloof me, dat kan.

Ik wilde mijn kleinkinderen terug. De enige reden dat ik elke ochtend opstond was dat ik tegen mezelf zei dat dit weleens de dag zou kunnen worden waarop ik mijn lievelingen weer op zou kunnen tillen. De gedachte dat zo'n dag misschien nooit zou komen kon ik niet toestaan. Niet bij mezelf, niet bij een ander. Iemand die zo dacht kon ik niet in mijn omgeving verdragen. James wist dit en zei niets, maar met nieuwe plannen, waanzinnig, overmoedig zoals vroeger, kwam hij ook niet. Tot dan hadden we nachten bij elkaar gezeten, peinzend over alle mogelijkheden en onmogelijkheden om ze vrij te krijgen. Wie een nieuwe inval kreeg greep de ander in zijn enthousiasme vast, en wanneer het plan toch onhaalbaar bleek porden we elkaar weer uit de put. In deze strijd was James mijn enige makker, en uitgerekend hij liet de woede doven die mij staande hield. Hierom kan er geen pardon bestaan voor deserteurs.

Ik incasseerde de nieuwe tegenslag anders. Mijn hoop laaide er juist van op, hardnekkig, zoals een vlam soms aanwakkert wanneer iemand hem probeert uit te blazen. In mij groeide een eenzame vastberadenheid. Als ik er dan alleen voor stond, zou ik mijn toekomst in elk geval recht in de ogen zien, gevaarlijk, onverzettelijk, zoals ik twee jaar eerder de jonge krijger had aangekeken die John en mij ontdekt had in onze schuilplaats tussen de bitternoten. Die jongen met zijn riem zonder trofeeën en aan zijn hoofdtooi niet meer dan die ene miezerige grijze veer. De paniek waarmee hij ons lot in handen nam, verscheurd tussen wat hij wilde en wat er van hem verwacht werd! De angst die op dat moment door zijn oorlogskleuren heen brak was de mijne. Maar ik ging staan, bleef staan, rechtop, en heb hem uitgedaagd. Dit bracht hem van zijn stuk, en secondenlang was ik de baas. Dat was het moment waarop ik hem had kunnen vragen ons te doden, zodat erger ons bespaard zou zijn gebleven. Dat heb ik niet gedaan. Hoe vaak heb ik mezelf dat kwalijk genomen. Lang heb ik gedacht dat het wel uit lafheid moet zijn geweest dat ik toen heb gezwegen. Nu, door de verslagenheid van James, begon het me te dagen dat er ook moed voor nodig was, ja, dat ik die toen misschien wel opbracht omdat ik een reden zag om door te willen leven. En de dagen daarna, hoeveel kansen heb ik toen niet gekregen om alsnog op te geven en in de dood te vluchten, maar geen van alle heb ik ze gegrepen. Kennelijk zag ik zin in overleven, welke kan dat anders zijn geweest dan de redding van degenen die nog te redden waren? Voortaan, wanneer alles me dreigde te ontglippen, haalde ik me die jonge Comanche voor de geest en hoe wij tegenover elkaar stonden, bevroren in de strijd, moed peurend uit elkaars aarzeling.

Mensen denken dat geloof de leegte kan vullen die hun vervlogen hoop bij hen heeft achtergelaten. Dus stichtte James, hunkerend naar berusting, nog diezelfde maand zijn eigen kerk in een klein bakstenen schoolgebouw aan Harmon's Creek. Vastgelopen in zijn aardse speurtocht zocht hij verder in de geest. Uren per dag zat hij geknield in gesprek met de Heer. De eerste weken waren wij nagenoeg de enigen die naar zijn preken kwamen luisteren, maar hij had de kunst zo goed van zijn vader afgekeken dat het woord zich snel verspreidde. De Parker-manier van preken trok steeds meer gelovigen en wel ten koste van Zebediahs grootvader, die zijn banken zag leeglopen. Die oude legde zich daar niet bij neer. Hij herkende in deze geloofsopleving bij zijn gemeenteleden geen ingrijpen van boven, enkel de hand van de duivel. Dat James zijn diensten in de middag hield, zodat mensen die dat wilden beide kerken konden bezoeken, deed zijn rivaal nauwelijks bedaren. Die opende de aanval met een lastercampagne, waarbij hij vol inzette op de omgang van onze familie met indianen. Niet alleen omdat wij met ze hadden onderhandeld en misschien wel wie weet wat hadden beloofd om onze kinderen terug te krijgen, een aantal van ons, zo betoogde hij, had ook met hen 'gelegen'.

Zebediah bloosde toen ik hem hiernaar vroeg en durfde mij niet aan te kijken. Hij was die zondag nog uit de kerkbank opgestaan, zei hij, en had Rachel en mij verdedigd. Flink, maar dat had niet gehoeven. Zelfs wie de ware toedracht niet kende, had die heel best zelf kunnen raden. Dat onze verkrachtingen ons ongeluk waren en dat iedere 'omgang' met grof geweld was afgedwongen, maakte op de gelovigen echter minder indruk dan het feit dat het niet bij zomaar één enkele man gebleven was maar bij 'God weet alleen hoeveel!'. Het ging erom dat 'het wilde zaad destijds met ruime hand gezaaid was' en dat 'de kwade oogst' nu tijdens de kerkdiensten van James zou worden binnengehaald. Zebediahs grootvader daagde zijn gemeente triomfantelijk uit en bazuinde dat iedereen die ons ondanks alles toch de toekomst van zijn ziel wilde toevertrouwen onze diensten vooral moest blijven bezoeken. God zou later zelf het kaf wel van het koren scheiden.

'Ze kunnen ons beter dompteurs noemen dan herders,' zei John ooit toen we elkaar net kenden. 'Het winnen van een ziel is als het temmen van een paard. Je gaat in gevecht met iemands wil, maar pak hem te hard aan en je breekt hem. Het dier zal je voor altijd volgen, heel gedwee, maar voor de strijd heb je er niks meer aan. In een noodgeval kun je er niet meer op vertrouwen, want het heeft verleerd zelf te denken. Dit is de pest met mensen: als ze eenmaal geloven bestaat het gevaar dat ze alles aannemen.'

Sommigen bleven direct weg. Degenen die wel kwamen opdagen verwachtten dat James iedere twijfel zou wegnemen. Keer op keer werd hij gedwongen zich te verdedigen tegen nieuwe aantijgingen. Twijfel aan zijn eigen loyaliteit kon hij snel en hard weerleggen, maar de verwijten tegen Rachel en mij waren zo ongrijpbaar dat hem dat meer moeite kostte. Zo werd er gezegd dat wij door onze aanvallers waren 'aangestoken'. Zelfs zij die ons het best gezind waren, neigden ernaar te geloven in de theorie, verspreid door een apotheker uit Huntsville, dat juist omdát wij ons tegen onze verkrachtingen zo heftig hadden verzet, indiaans bloed zich wel met het onze vermengd móést hebben en nu dus door onze aderen stroomde. Zaken als deze werden te berde gebracht waar we bij stonden, omdat mensen benieuwd waren naar onze eerste reactie. Het was ondraaglijk om aan te horen, maar nog erger te moeten zien hoe James worstelde om een antwoord te vinden dat de ongelovige Thomassen tevreden zou stellen zonder dat het ons verder zou kwetsen. Al snel bleef ik met Rachel uit de kerk weg, maar daarmee ging de storm nog niet liggen, integendeel, hij stak vaker op en uit onverwachte hoek. Later dat jaar werd James toen hij nietsvermoedend Montgomery binnenreed van zijn paard getrokken door ene William Shepperd, een man die hij helemaal niet kende maar die hem betichtte van medeplichtigheid aan een paardendiefstal die kort daarvoor door een bende indianen was gepleegd. James sleepte de lasteraar voor de rechter en kreeg gelijk, maar dit was pas de eerste van een hele rij van dit soort rechtszaken. Kort hierna kregen Rachel en ik op een nacht bezoek van een groep ruiters met brandende toortsen. Ik maakte haar wakker, instrueerde haar te vluchten door het achterraam, sloeg een doek om mijn schouders, pakte een geweer en liep naar buiten. Het waren vijf mannen die zich bekendmaakten als 'verontruste burgers'.

'Lijkt me sterk,' zei ik, 'dat jullie ook maar half zo verontrust zijn als ik.'

Daarop begonnen ze me uit te maken voor dingen waarvan ik blij was dat Rachel ze niet kon horen en staken ze twee van onze karren in brand.

'Waar zijn jullie dan bang voor?' riep ik. 'Wat mij is gebeurd kan jullie morgen overkomen!' En terwijl ik het zei begreep ik dat ik juist daarom zo'n schrikbeeld voor ze was.

In een flits zag ik de waarheid opflakkeren tussen de vlammen op het erf, vast en onveranderlijk als een wet van de natuur: een hinde verstoot haar hertenkalf zodra het door een mensenhand is aangeraakt. Begint het meteen zijn eigen voedsel te zoeken dan maakt het kans te overleven, maar verspilt het tijd door nog achter de kudde aan te sjokken en af te wachten of het weer wordt opgenomen dan sterft het.

Ik stormde op het vuur af en trok de remmen van de karren los, tilde de dissels op en duwde ze daaraan een voor een de kreek in, waar ze tot over de wielen in verdwenen, zodat het karkas tenminste behouden bleef. Op dat moment hoorde ik een van die kerels, die allemaal straalbezopen waren en erg moesten lachen om het schouwspel, twee keer smerig boeren, waarna hij zich afwendde van zijn paard en zijn maag leegbraakte. Ik begon tegen hem te schelden dat hij zijn vuiligheid zelf op zou moeten ruimen en wel meteen, voordat het in de grond trok, of dacht hij soms dat ik zo gek was dat voor hem te gaan doen, dat er in de schuur een emmer en een bezem stonden en of hij weleens voort wou maken. Mijn uitval paste zo slecht bij de dreiging die er van hen uit ging dat ze elkaar aankeken, onzeker over hun volgende stap. Toen de eerste zijn paard wendde en wegreed, volgden de anderen, waarvan er een nog onze honden doodschoot, die bij hun hok aan de poort zaten vastgebonden, enkel om zich een houding te geven. Deze mannen zijn niet terug geweest, zoals ze dreigden te doen, maar de zekerheid die James in zijn geloof dacht te vinden leek door die hele onderneming van hem verder weg dan ooit.

Holland Coffee kwam die winter langs. Ik dacht niet dat ik het ooit zou zeggen, maar hij was welkom. Ik herkende hem van veraf aan zijn oude liedje.

'Ik ben vast niet de eerste klant die aan jou zijn vingers brandt!'

Hij zong het om mij kwaad te krijgen en ik heb hem niet teleurgesteld.

'Jij weet gewoon niet hoe je hogere kunst moet waarderen, Sallie!' lachte hij, terwijl hij me met één arm gestrekt van zich af hield en met de andere mijn slagen afweerde alsof het vliegen waren. 'Miss Rachel!' riep hij, en ongeduldig tegen mij: 'Waar zit ze, is ze in de buurt? Ik heb iets wat haar goed zal doen.'

Tussen zijn lading had hij een pakket drukwerk dat hij in Houston had opgehaald. Hij straalde van trots toen hij het haar overhandigde. Het waren vijftig exemplaren van Rachels verhaal, met zorg gezet over zestien pagina's en gedrukt zoals hij beloofd had op de Telegraph Power Press. Ze gaf me er een maar ik kon me er niet toe brengen het te lezen. James las het, maar hij wilde er met niemand over spreken.

Magere reden voor een feest, je ellende zwart op wit te zien, maar we hadden al lang niks beters te vieren en nog minder te verwachten, dus liet ik James een kalf slachten, waarvan ik een zachte ragout trok en de tong in bier kookte. Lucy en Martha hadden kreeftjes gevangen in de kreek en brachten kweeperengelei mee en een paar potten met allerlei soorten ingemaakte bessen en bramen. Rachel bakte zoet brood en legde gedroogde tomaten te weken in olie met salie. Ik welde rozijnen, suikerde noten, had al een halve kist appels geschild en was bezig ze op stokjes te prikken en in de warme kaneelsiroop te dopen, toen ik voelde dat Cynthia Ann naast me stond en meehielp. Dat bestond niet. Het was mijn hart dat met me op de loop ging, maar zo overrompelend dat ik had moeten opkijken om te zien dat het niet waar was. Dat deed ik niet. Ik liet het zo en hield mijn blik strak op het trage geborrel in de pan.

'Deze is voor jou, lieverd,' zei ik, want er was niets wat zij zó lekker had gevonden, 'en deze, deze is voor je broertje.'

We maakten ruimte in de schuur en bouwden daar van kratten en planken een tafel en zetten gladeiken kisten neer om op te zitten. Holland holde pompoenen uit en sneed in de bast stervormige gaten die als je er een vetkaars in brandde naar alle kanten uitstraalden. Iedereen trok zijn zondagse kleren aan en hoewel dat eigenlijk te fris was droeg Rachel voor het eerst de jurk die we van de witte mousseline hadden genaaid. Ik vulde de waston met warm water, haalde de Franse doos onder mijn bed vandaan, koos een van de zeepjes die ik steeds te overdreven gevonden had voor zomaar alledag en boende er mijn huid en spoelde er mijn haren mee alsof we in de stad woonden.

Zeker een half vat bier ging erdoorheen en voordat een fles gin leeg kon raken haalde Holland alweer een nieuwe van zijn wagen, zodat ik de tel volledig kwijt was. Zo liep het feest misschien wat uit de hand, maar het liep tenminste, dat was het grootste wonder, want ik was gewoon vergeten dat er zoiets als uitgelatenheid bestond. Flauwe grappen, die ieder zinnig mens al bij het eerste woord zou uitjouwen, wou ik wel twee of drie keer horen en later vroeg ik er nog eens om, omdat ik gewoon dankbaar was dat die onnozelheden in al die jaren geen spat waren veranderd. Na het eten moest ieder van ons om de beurt een lied beginnen, waarna de anderen bijvielen, zo vrolijk dat Holland op een gegeven moment Rachel van haar stoel trok om te dansen. Martha en zelfs Lucy volgden hen en daarna James en ik, en iedereen deed voor de anderen zo vreselijk zijn best om met zijn gedachten niet te veel bij de afwezigen te zijn.

'Jij bent nou een kerel naar mijn hart,' begon James tegen middernacht, 'jij hebt ons tot zover niks dan goeds gebracht, je snapt gewoon niet waarom mensen jou niet moeten.' Hij priemde met zijn wijsvinger in Hollands borst. 'Snap je toch niet? Weet iemand het, dan moet hij het nu zeggen, maar ik heb geen idee. Ze moeten jou niet en wat ik wil weten is: waarom? Dat wil ik weten en ik zal het je zeggen ook, zal ik het je zeggen? Dat komt omdat jij niet duidelijk bent, dat zeg ik je. Ze weten niet wat ze aan jou hebben. Aan welke kant de man staat! Waarom doe je dat niet, hier, nu, vanavond, ons eens precies duidelijk maken waar jij precies staat.'

'Geen denken aan,' antwoordde Holland uitgelaten, 'ik ben net zo blij dat ik even zit.'

Maar ik ken mijn Parkers, ze hebben een hardnekkige dronk en James bleef porren.

'Ze wisten het bij mij ook even niet,' zei hij. 'Achterdocht, kletspraat, aantijgingen. Dan zit er maar één ding op, je maakt een vuist en laat hem met een rotklap neerkomen. Ik heb ze laten zien dat ik een man van God ben. Is het niet zo Granny, ik heb op de kansel geslagen dat de splinters rondvlogen!'

'Ik voel ze nóg steken,' beaamde ik koel, 'zo flink is hij geweest.'

'Niet iets waar je twijfel over wilt laten bestaan, nietwaar, de onwrikbaarheid van je geloof. Neemt iedere twijfel over een mans karakter weg. Waarom kom je zondag niet getuigen, verbaas ze, maak een vuist, doe een bijbellezing.'

'Ik ben geen man van de Bijbel,' zei Holland.

'Je gaat me godverdomme niet zeggen dat jij afvallig bent.' James gooide zijn armen in de lucht, verloor zijn evenwicht en gleed zijlings van zijn kistje. 'Dat ga je me niet zeggen, hoor, want ik laat je vallen als gloeiend ijzer.'

Holland stak zijn hand uit en trok James weer op zijn plek.

'Ik ken de Heilige Schrift tot op het moment waarop het misging.'

'En dat is?'

'Zodra ze van de boom eten.'

'Adam en Eva die uit de hof van Eden worden gestuurd?' James schudde zijn hoofd. 'Dat gebeurt op pagina drie.'

'Eigenlijk nog eerder zelfs, wanneer God ze waarschuwt. Daarmee is alles gezegd wat een mens moet weten.'

'Dat is me, nou, dat is nogal... En dan die volgende tweeduizend bladzijden?'

'Illustratie. Enkel nog voorbeelden van wat daar meteen aan het begin al staat. Daar hou ik van, een verhaal dat eerst duidelijk maakt waar het om gaat. Geen wonder dat het zo is aangeslagen.'

'Hij maakt een grapje, James,' kwam ik ertussen, 'trek het je niet aan. Nietwaar Holland, dit is weer zo'n pesterij? Hij doet het om te plagen en als je erop ingaat heeft hij plezier.'

'Ik zou erom kunnen lachen als mensen het zagen, maar ze lezen er gewoon overheen. Heb jij het gezien, Sallie?' Dit was voor het eerst dat Holland mijn echte naam noemde in het bijzijn van James. Die kéék me aan. 'Ze zien het geen van allen omdat ze voordat ze dat boek openslaan hun oordeel al klaar hebben. Dat is de ware erfzonde. Terwijl het er toch voor ze staat uitgespeld: de boom van de kennis van goed en kwaad! Overal mag je van eten, maar daarvan niet. De mens verkeert in het paradijs zolang hij dat onderscheid maar niet kent. Zolang hij niet kan bepalen wat goed is en wat kwaad blijft hij gelukkig. Dit is onze oorsprong en onze enige uitweg. Maar God – wat een fatale slordigheid – verspreekt zich en laat zich ontvallen dat de dingen twee kanten hebben. Dat was tot daar aan toe geweest als de mens de dingen dan ook gewoon van twee kanten zou bekijken, maar niks daarvan, hij is nieuwsgierig. Hij wil precies weten wat dat dan voor kanten zijn en zodra hij daarachter is deelt hij alles in: dit is goed, dat is kwaad. Zo duidelijk. Zo veilig. Wat een geruststelling! Nu hij dit zo helder weet, dat is kwaad, dit is goed, hoeft hij niet meer te twijfelen. Hij kiest de kant van het goede, ondubbelzinnig, want hij is een best mens, zodat hij voortaan zeker weet dat hij het recht aan zijn kant heeft en nooit kwaad doet. Geen vergissing mogelijk. Kwaad, weet hij voortaan, is wat mensen doen die anders handelen dan hij. Nou, dat weet hij dan, proficiat en veel plezier ermee, maar zijn onschuld is hij kwijt, zijn paradijs is hij verloren.'

'En alles wat daarna kwam, de geschiedenis, heeft de mensheid die hele zware strijd soms voor niks gestreden?'

'Er was helemaal geen strijd geweest als we dat onderscheid tussen goed en kwaad niet waren gaan maken. Dan was er geen geschiedenis geweest, want wat is die meer dan oorlogen en veldslagen? Ze worden gevoerd door mensen die overtuigd zijn dat ze aan de goede kant staan. Allebei. Altijd weer. Hoe kan dat? Nee, geloof me, wil ik mijn geloof bewaren dan moet ik na die eerste twee pagina's stoppen, daarna word ik moedeloos.'

'Dus jij beweert dat we beter af zouden zijn als we allemaal nog steeds naakt zouden rondlopen?'

'We zouden niets hebben om ons voor te schamen. We zouden geen schaamte kennen, want we zouden niet weten of ons lichaam goed of slecht was. Schaamteloosheid lijkt mij het allerhoogste wat een mens kan bereiken, iets van God, net als onschuld, een staat van genade.'

'Een mens moet toch zeker weten wat goed en kwaad is?'

'Zoals de slang zei tegen Eva.' Holland boog naar James toe, legde zijn handen op tafel, palmen naar boven, en sprak langzaam en geduldig alsof hij iets moest uitleggen aan een kind. 'Wat ik beweer is dat ieder mens ervan uitgaat dat hij goed doet. Altijd, onder alle omstandigheden neemt hij zijn beslissing met het beste voor ogen. Ook wanneer hij besluit tot iets wat rampzalig voor ons is, is dat voor hem op dat moment het goede.'

'Schrale troost,' zei ik geïrriteerd, want als ik ergens de pest aan heb is het aan mensen die proberen te tornen aan wat ik voel.

'En het slechte in de mens...?' vroeg James.

'...is niet meer dan een verschil van mening,' vulde Holland aan. 'Of dacht jij dat er mensen bestaan die elke ochtend handenwrijvend opstaan met het idee vandaag eens een vreselijk kwaad te gaan bedrijven?'

'En toch doen ze het.'

'En wij net zo goed. Maar zo voelen we dat niet, omdat wij het voor onszelf kunnen verantwoorden. Net als zij. Zij weten zeker dat ze het recht aan hun kant hebben. Niet anders dan wij. Stel je voor, hoe zou het zijn als wij die zekerheid niet zouden hebben. En zij net zomin. Als we zouden twijfelen. Als de dingen niet het een of het ander waren, maar ze meerdere kanten zouden hebben, zoals ze die hadden voordat wij die kennis vraten en alles opdeelden in goed of kwaad, en wij zouden hun kant kunnen zien en zij die van ons.'

'Ik heb in mijn leven heel wat dronkemanspraat aan moeten horen,' zei ik en stond op. 'Ik heb altijd geprobeerd te denken: ach, het zijn maar kerels, weten zij veel! Van alle vuiligheid is dit de eerste die ik niet meer aan kan horen.' Ik liep weg want ik wilde niet huilen waar hij bij was, maar halverwege verbeet ik me en draaide me weer om. 'Voor je nog iets zegt, Holland, denk er goed om waar je hier bent. En je hebt gelijk, het is verdomd het paradijs niet, dus ik raad je aan te kiezen aan wiens kant jij staat en wel als de sodemieter!'

'Ik sta waar ik ben neergezet, Sallie, tussen alles in, net als jij.'

7

Holland was die zondag in de kerk, niet voor James maar om Rachel bij te staan. Zij had besloten de pamfletten met haar verhaal onder de kerkgangers uit te delen. Ze kon zich niet voorstellen dat iemand nadat hij dat gelezen had nog slecht van haar kon denken. Zo jong was ze.

Ik wist dat niets zou helpen. Hoe hard James zijn vuist ook nog liet neerkomen en hoe luid hij erbij preekte, het bleek niet genoeg om de kwaadsprekers te overstemmen. Hoe valser een beschuldiging hoe liever mensen die aannemen. De nieuwe bleek dan ook bijzonder hardnekkig. Het ging hierom: op Roans prairie, twintig mijl van Montgomery, was een weduwe, ene Mrs. Taylor, met haar drie kinderen neergeschoten door tien indianen, en in haar doodsstrijd had zij ter plekke nog een vierde gebaard. Een aantal mannen zette de achtervolging in onder aanvoering van Jerry Washam, een neef van een van James' parochianen, die het nieuws verspreidde. Het spoor voerde hen de Navasota over en omhoog langs de Brazos totdat ze het vlak in de buurt van Fort Parker bijster waren geraakt. Dat wij daar in die tijd allang niet meer woonden, belette niemand om rond te bazuinen dat James iets met de moord op Mrs. Taylor van doen moet hebben gehad, hoe of waarom kon niet schelen, en dat de Parkers de daders hadden helpen vluchten.

Dat de gemoederen zo makkelijk verhit konden raken

had te maken met de snelle toename van het aantal van dergelijke overvallen. Aangespoord door het gemak waarmee ze ons hadden verjaagd, gingen de Comanche vaker nog en willekeuriger dan voorheen over tot de aanval. Sinds dat ongeluk ons had getroffen was hetzelfde tientallen andere families overkomen, waarbij tal van blanke vrouwen en kinderen waren meegenomen die nu in slavernij over de vlakten trokken. De mensen om ons heen waren als de dood en wie zich bedreigd voelt is niet ontvankelijk voor argumenten. Dat wij in hetzelfde kamp zaten als zij, ja, dat wij zelfs de enigen van de hele parochie waren die iets dergelijks ook echt aan den lijve hadden ondervonden, scheen er niet meer toe te doen. James moest zich opnieuw verdedigen en met bewijzen komen dat wij geen sympathie koesterden, uitgerekend voor het volk dat ons te gronde had gericht.

'Zal ik ze anders zondag eens vertellen wat ik van ze denk?'

'In godsnaam, hebben we geen ellende genoeg?'

'Niet wat ik denk van de slapjanussen in die kerkbanken van je,' zei ik, 'maar van de Comanche, wat ik daarvan vind, van die zogenaamde vrienden van ons, zal ik eens vertellen wat ik die zou aandoen als ik de kans kreeg, wat ik daarmee doe als ik die tegenkom? Waarom zou ik niet? Zondag ben ik van de partij, ja, en ik neem het woord. Ik zal die schaapjes van jou, die in hun hele leven nooit iets hebben meegemaakt en veel te fijn zijn om te weten wat een ander voelt, eens één keer zeggen hoe ik aan Cynthia Ann denk, elk moment onafgebroken, elke dag, elke nacht. Zal ik ze eens uittekenen hoe ik haar dan voor me zie, wat ze denkt en zegt en aan heeft en voor mijn ogen allemaal moet ondergaan, mijn lieveling, de pijn en de vernedering, hoe ze om hulp roept en hoe ik bid – ik wel, ik weet wat bidden is! – dat ze nog maar leven mag als we haar vinden, dat ik er dan zelf nog ben om haar te troosten en dat ik haar ooit nog één keer voelen kan en tegen alle vuiligheid verdedigen. Dat zal ik ze vertellen met zijn allen, dat zal ik eens doen al moet ik erin blijven. Knappe jongen die daarna nog durft te twijfelen aan welke kant wij staan.'

'Liever niet,' zei James. Dit was zijn antwoord. Terwijl de hand die ik voor mijn mond had geslagen zo trilde dat ik hem met de andere beet moest grijpen om hem stil te houden, zei hij het, zacht maar beslist: 'Het zou beter zijn als wij degenen die verdwenen zijn niet meer zouden noemen.'

Ik staarde hem aan. Uit alle macht probeerde ik de vragen, die als braaksel in me opkwamen, binnen te houden en weer in te slikken, want ineens begreep ik wat hij daarop zou kunnen antwoorden en ik dacht die waarheid op de een of andere manier nog uit te kunnen stellen. Maar die kwam. Daar was ze al.

'Zolang wij onder de Comanche belangen hebben, blijven wij verdacht,' ging James verder, 'dat is de hele oorzaak van deze nieuwe ellende. Hoe kunnen mensen zeker van ons zijn? Zolang wij reden hebben om te onderhandelen, om ons te laten chanteren – want dat is wat ze zeggen – tot samenwerking met benden die Cynthia Ann en kleine John misschien gevangenhouden, zo lang zullen ze ons buitensluiten.'

'Des te beter,' zei ik, 'want mensen die mij vragen de zoektocht naar mijn eigen bloed op te geven, al was het om mijn ziel te redden, daar wil ik niet bij horen!'

James zweeg.

Nu wist ik alles.

'We moeten,' zei hij uiteindelijk. 'Wíj leven, Granny, wíj moeten door.' Hij durfde me niet meer aan te kijken, maar ik greep zijn polsen en liet me voor hem op de grond vallen. Hij gaf een schreeuw en deinsde achteruit, maar ik liet me meesleuren. Hij probeerde me van zich los te maken, maar tevergeefs, want in mijn beleving was hij niet degene aan wie ik hing, maar hield ik vast aan die twee kinderen.

Die zondagochtend was het Rachel zelf die ze het eerst zag. Toen ze mij riep dacht ik even dat het vlinders waren die over de binnenplaats fladderden, prachtige roomkleurige vleugels met donkere randjes, en ik dacht nog: wat een rare tijd om te ontpoppen, maar toen merkte ik dat ze niet vlogen maar dwarrelden. We moesten een paar keer springen voor we er een uit de lucht konden plukken. Het bleken snippers papier, zwartgeblakerd aan de randen. Toen rook ik ook dat er ergens iets gebrand had.

'Kom op,' zei ik, en ik wilde mijn neus volgen om snel te zien of er ergens iets geblust moest worden, maar Rachel bleef staan, starend naar het aangebrande velletje dat ze in handen hield. Het bevatte een fragment van haar verhaal. We vingen nog twee, drie rondwaaiende flarden en vonden ten slotte de hele stapel, die zij een week tevoren had uitgedeeld, smeulend en nog rokend voor de poort.

Al was het de enige koele plek in de hel dan zou ik er nog geen voet meer over de drempel zetten, en er was geen sprake van dat ik Rachel onder deze omstandigheden, zoals James wilde, met hem mee naar zijn kerk zou laten gaan. Het incident had hem allerminst aan het twijfelen gebracht, integendeel, en hij had zijn gezin om zich heen willen hebben op het moment dat hij plechtig zou verklaren de zoektochten naar zijn verloren familie te hebben opgegeven, zodat voor eens en voor altijd duidelijk werd waar zijn loyaliteit lag. Loyaliteit is voor iedereen iets anders.

Holland wilde Rachel en mij onder deze omstandigheden niet alleen thuislaten. Dat is hem mooi opgebroken, want zodra iedereen vertrokken was zaten we bij elkaar alsof daarginds ons vonnis werd geveld, zo wild speculerend over alle reacties dat het misschien draaglijker was geweest als we ze gewoon hadden aangehoord. Even was ik bang dat die smeerpruim ons zou proberen op te vrolijken met een paar van zijn schandliederen, maar hij ging in de schuur aan de slag met een zaag en een hamer en stoorde ons alleen door af en toe vers water of wat fruit te komen brengen.

Zo zaten we, een uur ongeveer, toen Lucy aan kwam rijden, alleen. Ze sprong af en wilde haar paard vastbinden maar het lukte haar in haar zenuwen niet een goede knoop in de leidsels te leggen, waarop ze die vloekend en trillend losliet en het dier dan maar vrij liet grazen. Er viel niets te zeggen wat een van ons niet wist, zodat we een tijdlang niets anders deden dan huilen en elkaar vastpakken. Martha had de kant gekozen van haar man, dat wist ik al, maar haar gezin was dan ook weer compleet. Lucy had niemand teruggekregen.

'Het komt door wat hij gezien heeft,' zei ze. 'Door wat er gebeurd is op zijn laatste tocht. Dat heeft James veranderd. Zijn denken, alle goeie hoop... Vrouwen waren het, meisjes niet veel ouder dan Cynthia Ann. In Colorado. Drie jonge vrouwen die door een cavalerie waren bevrijd. Anderhalf jaar hadden ze in indiaanse slavernij geleefd, veel korter dan kleine John en Cynthia Ann.' Ze vermande zich. 'Krankzinnig geworden. Ze moesten vastgebonden blijven, opdat ze hun eigen ogen niet zouden uitkrabben. Ze leken niemand te zien en spraken alleen met elkaar, giechelend als gekken, schreeuwend, onverstaanbaar. Een week nadat een oom van hen gekomen was om ze op te halen, spoelden ze aan in een bocht van de Arkansas. Hij had ze door het hoofd geschoten omdat ze niet blank meer waren.'

Een paar jaar in Texas en een mens gelooft van iedereen klakkeloos het ergste, maar hier trok ik toch de streep. Ik riep Holland erbij.

'Ken het verhaal,' beaamde hij, 'behalve dat ze niet brabbelden, ze spraken Kiowa. En ze zaten vastgebonden omdat ze anders waren weggelopen, terug naar hun volk. Ze waren met indianen getrouwd en hadden kinderen die gezoogd moesten worden. Die meisjes waren niet krankzinnig, ze hadden zich gewoonweg aangepast.'

'Ik weet niet wat erger is,' zuchtte Lucy.

'Voor hun familie dat laatste. Die kon het niet aanvaarden.'

'Wie wel?' zei ik.

'Voor een dergelijke keuze wil James niet komen te staan,' zei Lucy. 'Nee, nee, daaraan te moeten denken! Dan is het veiliger om alle hoop te laten varen.'

'Maar denk je werkelijk dat hij tot zoiets in staat zou zijn,' vroeg Holland, 'in zo'n geval, zijn eigen vlees en bloed, zou hij dat kunnen?'

'Nee,' zei ik, 'daar is hij te laf voor.'

Lucy liep naar de trog en schepte met twee handen water.

'Wat kan ik?' Ze waste haar gezicht en bette het droog met haar mouw. 'Ik zal... Dat heb ik hem beloofd, dat ik zal proberen er vrede mee te vinden, als God het wil, op de een of andere manier. Meer kunnen wij toch niet?'

Ik plukte een paar haren los die aan haar voorhoofd plakten en streek ze naar achteren.

'Dacht je?' zei ik. 'Dacht je dat?'

Niet lang hierna, terwijl James naar Harris County was om zich te verdedigen tegen twee nieuwe aanklachten, nu vanwege het niet betalen van schulden, kregen wij het bewijs van het succes van zijn ondubbelzinnige stellingname thuis aan de deur bezorgd. Aan het eind van de middag reden zeven mannen het erf op, onbekenden, geweren in de hand. Ik rende naar binnen om het mijne te pakken, zei Rachel naar haar schuilplaats te gaan en riep Holland, die nog bij ons was omdat een van zijn assen was gebroken, goddank, want anders hadden ze niet geaarzeld. Hij was in de stallen bezig een nieuwe te maken, kwam naar buiten, half ontkleed met zijn gereedschap nog in de hand, en stelde zich voor me op. Ze kwamen om James te doden, en toen ze begrepen dat hij er niet was vroegen ze waar de indiaanse vrouwen waren. Ik heb Holland opzij geduwd en ze gezegd wat ik van indianen denk. Dat bracht ze in de war.

Gevaarlijker dan iemand die op moord uit is, is de man die onverrichter zake moet afdruipen. Ze hadden hun paarden al laten keren toen een van die kerels alsnog zijn zweep trok, die een keer met grote kracht over Hollands rug haalde en riep dat ze binnenkort zouden terugkeren om hun werk af te maken en het huis af te branden. Wie er dan nog was zouden ze neerschieten.

Holland liep terug naar zijn werk. Twee dagen later was zijn wagen gereed. We laadden onze belangrijkste bezittingen op, en toen James terugkeerde stond alles klaar voor de vlucht. We vermeden het open veld en trokken de bossen in, en om geen sporen achter te laten gingen we niet over het pad maar hakten we ons een eigen weg door struiken en kreupelhout, zodat we sommige dagen maar een paar mijl vorderden. Het was volop winter en zo koud en nat dat Rachels longen het begaven. Tegen de tijd dat we Houston bereikten, inmiddels een stad met tweeduizend zielen, en onderdak hadden gevonden, was het voor haar te laat.

Het enige wat ze van huis had meegenomen waren de witte mousselinen jurk, waarin we haar begroeven, en het laatste gedrukte exemplaar van haar avontuur, dat ik bij me stak.

Ik weet nog steeds niet zeker wat dat met een mens doet, zo veel verlies. En als ik het niet weet, wie dan wel? Ik weet dat mensen denken dat het me harder heeft gemaakt, maar zo voelt dat helemaal niet. Als je mij bent en je kijkt van binnenuit naar buiten is het precies andersom: elke nieuwe klap maakt mij weker, kwetsbaarder, en juist de wereld zo veel harder. Zwaarder vooral. Dingen die vroeger luchtig leken krijgen steeds meer gewicht. Je moet je rustig houden om ze nog te kunnen dragen. Misschien bedoelen ze dat. In het begin vervloek je alles en iedereen omdat het zo vreselijk onrechtvaardig is. Waarom jij? Waarom uitgerekend degenen van wie jij zo veel hield? Dat leer je af. Schreeuwen en ontkennen, om je heen slaan en tegen beter weten in proberen vast te houden vraagt te veel energie. Er komt een punt waarop je die gewoon niet nog eens opbrengt. Wat je dan nog rest heb je nodig, alleen om door te kunnen zeulen met die hele last. En voor je het weet is blijven ademen belangrijker geworden dan luidkeels protesteren. Moeheid, daar lijkt het nog het meeste op, een intens verlangen om nu eens heel lang heel erg diep te mogen slapen. Wie weet oogt die murwheid als je haar van grote afstand ziet wel als gewenning.

Er is iets anders, waar je nooit iemand over hoort, misschien omdat het te erg is om te zeggen: in ieder verlies zit een kleine opluchting verstopt. Het kan even duren voor je die vindt, maar ik heb het zo ervaren: je ziet er zo lang zo verschrikkelijk tegen op om wat je lief is op een dag te moeten loslaten, dat je, wanneer dat allerergste eenmaal achter je ligt, ineens merkt dat daarmee ook je grootste angst is weggenomen. Het is een schrale troost, maar de enige. Misschien is het niet meer dan de verbazing dat het leven doorgaat. Zoals je het kende is het voorbij, het belangrijkste heb je opgegeven, maar dat bleek niet het einde, zoals je dacht, er is een ander soort bestaan voor in de plaats gekomen. Veel zin zul je er niet in hebben, maar er ligt hoe dan ook nog iets in het verschiet. Ik maak mezelf wijs dat het zo zal zijn om zelf dood te gaan: je ziet er je hele leven tegen op, je vecht en verliest, en ja hoor, verdomd, aan de andere kant gaat het weer verder. Misschien zal het niet veel soeps zijn, maar onoverkomelijk is het niet.

Ik betrapte me er een keer op, kort na Rachels dood, dat ik vol afgunst zat te kijken naar een paar blauwe gaaien voor mijn raam. Een van hun pasgeborenen was uit het nest gevallen. Om beurten gingen ze ernaast zitten, keken ernaar, duwden er eens met hun snavel tegen en vlogen verder. Noem je dat hard of natuurlijk? Ze hadden geen tijd om te treuren want een volgende dreiging cirkelde alweer boven hun kop. Dat had ik ook willen kunnen, één snelle blik, zoals een ree achteromkijkt naar haar neergeschoten kalf, en ervandoor! Meer hoeft het niet te zijn, dat leer je wel in Texas. Maar ons lukt het niet. Wij moeten zo nodig herinneren. Onze hersens willen rouwen. Het is een godswonder dat iets wat voor het leven zo ellendig is toegerust als de mens het nog zo ver heeft geschopt.

Sinds een jaar, en zoals snel zou blijken voor maar even, was Houston de hoofdstad van onze republiek. Bij de landingsplaats aan Buffalo Bayou begon een brede straat die uitliep in een prairie die zich uitstrekte tot aan de Brazos. Langs die weg waren twee hotels, ieder met een verdieping erop en lange houten galerijen ervoor, een aantal woonhuizen, witgeschilderd, en een blok met elf winkels. Met staken in de grond was aangegeven waar de dwarsstraat zou komen en hier en daar was een enkeling op zijn stukje grond al met de bouw begonnen. Varkens en koeien liepen vrij door de straten, die bij de minste regen volliepen, zodat je tot over je enkels in de blubber wegzakte, en het water van de Bayou was zo smerig dat de ratten er alleen op gin konden overleven. De weg naar San Antonio was nu over de volle lengte begaanbaar gemaakt voor wagens, en inmiddels zo dichtbebouwd dat je aan het eind van elke dagreis wel een boerderij bereikte, zodat je veilig kon overnachten. Bovendien had zich in een zijkamer van het bankgebouw een maatschappij gevestigd die een ijzeren spoorweg wilde bouwen, waarover mensen en goederen op stoomkracht zouden worden vervoerd.

Holland, die geen twee passen kon lopen zonder nieuwe afzet te ruiken, nam mij om me afleiding te geven regelmatig mee als hij met winkeliers ging onderhandelen of de lading wilde zien van schepen die hadden aangelegd in de baai van Galveston. Elke dag arriveerden over de oceaan nieuwkomers van over de hele wereld. Samen met de gokkers, moordenaars, politici en andere avonturiers arriveerden handelaren uit New York, waar paspoorten voor onze republiek, die er voor vier dollar werden aangeboden, gretig aftrek vonden. Veel van de gelukszoekers woonden te midden van hun slaven, soms wel een stuk of duizend, in een tent tussen de velden. Voor al die mannen waren er hooguit zestig vrouwen. Overal oogstten die veel bijval met hun schaamteloze decolletés, Franse hakjes en zijden kousen. Toen de Parijse mode voorschreef dat zij hun rokken langer zouden dragen, publiceerde de *Morning Star*, de nieuwe dagelijkse krant, een vlammend protest van de hoofdredacteur. James en Martha verafschuwden deze stad, die wel een theater had en een filosofiegezelschap maar geen enkele kerk, maar mij gaf het verlichting eens zo veel leven bij elkaar te zien. Overal kwam je mensen tegen die zin hadden in hun toekomst. Ik was gewoon vergeten dat zoiets bestond. Het deed me denken aan de tijd dat ik zelf nog vooruitzichten had, en op de muziek uit de bars kwam er giechelig, onzeker nog, weer wat beweging in mijn ziel. Zodra hij de grond in is gestampt vergeet je dat hoop zo vruchtbaar is, maar ondertussen schiet hij diep in het donker wortel om op een dag onverwacht weer aan de modder te ontspruiten.

Een kwart mijl van de landingsplaats, op de heuvel boven de dokken, stond het Capitool, zeventig voet breed en opgeschilderd in de kleur van perzikbloesem. Ik ben er met Holland een keer binnen geweest. Er was een galerij die hij me wilde laten zien, waar langs de muren schilderijen hingen. Ik had er nooit een gezien. De meeste waren portretten, maar hier en daar hing een landschap en dan was het soms gewoon of de zon van de muur straalde. Er waren kleuren zo vrolijk als je ze zelden in het echt ziet en ik probeerde me voor te stellen hoe het zou zijn om daartussendoor te lopen. Holland zei dat hij tussen de ladingen uit Frankrijk wel zulk linnen had gevonden dat als je het afrolde een dergelijke afbeelding bleek te bevatten. Het ontroerde me dat ik plekken van de wereld kon zien waar ik nooit zou komen. Ik weet niet waarom me dit verbaasde, want ik wist toch wat er met me gebeurde als ik de tekening van Cynthia Ann weer eens ontvouwde en dat gekras van haar bekeek.

Toen we naar buiten liepen zat onze nieuwgekozen president Mirabeau Buonaparte Lamar op een krukje naast de deur. Zijn gezicht was rood aangelopen van het rijden en hij hield zich uit alle macht vast aan de klink terwijl een luitenant aan zijn besmeurde laarzen trok. Toen ik hem zei dat ik een Parker was van de Parkers uit Fort Parker aan de Navasota, nam hij mijn hand en zei: 'Och, mevrouw toch!'

Holland deed goede zaken met de indianen, die rond en soms ook in de stad kamp opsloegen, zoals ze dat gewend waren toen hun vriend Houston nog aan de macht was.

Het waren voor het grootste deel Coushatta's, Alabama's en Caddo's, die kleden, katoen en kruit wilden hebben in ruil voor huiden en hertenvlees. Ik ging dan niet mee, maar nooit vergat Holland hun te vragen naar nieuws over Cynthia Ann en kleine John. Dit leverde niets op dan teleurstelling, tot hij uiteindelijk aan het eind van de lente een Caddo trof die hem bezwoer een maand of twee daarvoor een blank meisje van een jaar of dertien met grijsblauwe ogen te hebben gezien onder de vrouwen van een bende Comanche die zich de Quahada's noemde. Dat niet alleen, maar hij wist dat zij dit meisje op dat moment zo'n kleine drie jaar meevoerden, en hij vertelde dat deze Quahada's dit jaar hun winterkamp hadden opgeslagen in een kloof, drie dagreizen ten westen van Adobe Walls.

Met dit nieuws rende ik de straat op, op zoek naar James, die die middag in een van de saloons met het hoofd van een groep Texas Rangers overleg zou voeren over een veilige terugkeer naar Montgomery. Het goot en ik moest kriskras over straat, bar in bar uit, stuk voor stuk plaatsen waar een vrouw met enig fatsoen zich voor geen goud vertoont, maar met zo'n bericht op zak, wat kon mij het gelach en de vuile opmerkingen deren? Toen ik hem vond, een kruk greep en de heren onderbrak, begreep ik aan hun blik pas hoe ik er moest hebben uitgezien, maar ik streek mijn haren glad, plukte aan de stof van mijn jurk zodat hij niet zo aan mijn lichaam zou kleven en brandde los. De onbekende tegenover hem reageerde enthousiaster dan James zelf. Over de Quahada's bleek hij gehoord te hebben, maar hij raadde me aan mijn nieuwe hoop te laten varen, al was het alleen maar omdat die groep hun winterkamp toch al maanden geleden moest hebben opgebroken, zodat niemand dan God alleen kon weten waar ze nu uithingen.

'Misschien kun je het Hem eens vragen,' zei ik en

stond op, 'want als jullie op een dag tegenover elkaar staan zal Hij van jou vast ook het een en ander uitgelegd willen krijgen.' Op weg naar buiten moest ik me door een groep uitgelaten kerels heen werken. De brutaalste van het stel voelde even aan mijn borsten waarop een ander probeerde hoe diep hij zijn vingers tussen mijn billen zou kunnen krijgen. Ik sloeg er een in zijn gezicht, waar ze hartelijk om moesten lachen, duwde de anderen van me af en liep met rechte rug de regen in, maar meteen om de hoek moest ik houvast zoeken tegen de muur, want ik trilde te erg en wilde overgeven.

Kort hierna stierven de eerste zieken. Met de regens kwam de gele koorts, die zich gedurende de koelere maanden met de muggen in de moerassen rondom de stad had schuilgehouden. De eerste week vielen er veertig doden, daarna in drie dagen al twee keer zoveel, waarop een grote uittocht begon, een stoet van wagenwielen die voren door de hoofdstraat trok, zo breed als kreken. James keerde met Martha en Lucy terug naar Parker's Mill, zijn zakken vol getuigenissen van Lamar, andere politici en helden van de slag bij San Jacinto, die allemaal verklaarden dat hij een eervol burger was en van onschatbare waarde voor ons volk en onze natie. Hij ging er helemaal van uit dat ik met hen mee naar huis zou gaan, maar op de ochtend van vertrek kwam ik niet opdagen. De avond tevoren had ik Martha en Lucy toen we alleen waren verteld hoeveel ik van ze hield. Het kwam volledig uit de lucht vallen en ze antwoordden vrolijk dat ze dat toch zeker wel wisten en dat het natuurlijk wederzijds was, en bogen zich weer over hun borduursels. Maar er was nog zo veel meer wat ik te zeggen had, en ik hield mezelf voor dat ik toch verdomme zeker voor wel hetere vuren had gestaan dan iets te moeten uitleggen over de liefde die een mens voor zijn eigen kinderen voelt, maar mijn keel wou niet meer open. Toen ik aan het eind van de avond naar bed ging heb ik ze een voor een nog een keer tegen me aan gedrukt.

'Wij gaan niet opgeven,' fluisterde ik nog tegen Lucy, maar die wist daar natuurlijk ook niets op te zeggen.

Die nacht sloop ik om vier uur mijn bed uit. Holland wachtte me op aan het begin van de weg naar San Antonio, zodat wij tegen de tijd dat de anderen ontwaakten al ver waren. Dit was de enige manier. Had ik afscheid moeten nemen dan was ik nooit gegaan.

Van alles is erover beweerd. Degenen die me toch al niet vertrouwden hadden hun bewijs dat ik, aangeraakt door wilden, zelf wild geworden was en kennelijk liever bij ze op de prairie wilde leven, maar voornamelijk werd er geroepen dat het een schandaal was.

Schande is voor iedereen iets anders.

Holland was mijn kans om door te blijven zoeken. Daar ging het om en anders niet. Als het iemand ooit nog zou lukken mijn kleinkinderen te achterhalen was hij het. Zouden we ze vinden dan wist hij hoe je met gijzelnemers zou moeten onderhandelen. Dat had hij vaker gedaan en hij kon ze daarbij in hun eigen taal toespreken. Ik wist nog steeds niet of ik hem vertrouwde, maar de gok leek me minder angstig dan de rest van mijn leven thuiszitten en mezelf verwijten dat ik niet tot het uiterste had durven gaan

De rest is onzin. Holland en ik, ach wat, ik had zijn moeder kunnen zijn! Daar ging het toch niet om. Zeker niet op dat moment. Bovendien, nog geen jaar later is hij getrouwd met een meisje uit Fannin County, keurig en wel. Maar dat heeft de praatjes niet uit de wereld geholpen. Mensen zien je zoals ze je het liefste zien, als minderwaardig, zodat ze zelf wat meer lijken. Natuurlijk, een man en een vrouw samen op pad, dat waren we.

En twee mensen week in week uit op weg door de leegte, daar kunnen maar twee dingen mee gebeuren, ze vereenzamen ieder voor zich of ze vereenzamen samen.

Het was het laatste waar ik op dat moment aan dacht, hoe het zou voelen om iemand naast me te hebben. Na al die jaren. Sterker, als ik eraan had gedacht dan was ik nooit met hem meegegaan, we scheelden twintig jaar. Ik had mezelf te belachelijk gevonden. Bovendien, dat hele hoofdstuk had ik afgesloten. Of liever, dat was voor me gedaan.

'Godverdomme,' riep Holland toen ik hem dat eens probeerde uit te leggen. We hadden er tegen die tijd al heel wat omzwervingen op zitten. Onderweg had hij me weleens aangeraakt, een enkele keer zelfs geprobeerd een kus van me los te krijgen, want een man blijft een man, maar als ik hem afweerde drong hij nooit aan. Ik had lang genoeg geleefd om dit te zien als iets wat erbij hoorde, zoals die stenen op de weg die je voor het behoud van je wielen even opzij moet schoppen, en nam het hem nooit kwalijk want het ging hem niet om mij maar omdat zijn natuur zijn loop moest zoeken. Ik weet niet waarom ik hem die dag meer vertelde. Misschien was dit mijn manier om hem eens aan te raken, in elk geval zei ik hem dat hij van mij op dat vlak niets hoefde te verwachten. Dat het voelde alsof ik was opgebruikt. Ik weet niet waar ik de woorden vandaan haalde, maar het deed me goed ze eens te vinden. Dus zei ik het een keer, dat ik indertijd door zo veel man verkracht ben. Ik hoorde er zelf bijna van op, want op de een of andere manier had ik die herinnering van mezelf losgekoppeld, en nu schrok ik ervan hoe hard het klonk mijzelf en die gebeurtenis in een en dezelfde zin te horen. Maar ik gooide het eruit, dat ik die manier van liefhebben heb begraven met de doden, voorgoed voorbij, omdat je nu eenmaal geen liefde kunt bedrijven met een wond.

'Godverdomme, Sallie!' Ik dacht dat hij vloekte omdat ik hem zijn zin niet gaf, en nam mezelf al kwalijk dat ik hem teleurstelde, maar het ging hem er juist om dat ik mezelf tekortdeed. 'Jij hebt meegemaakt wat sommige vrouwen mee moeten maken. Enkel en alleen omdat ze vrouwen zíjn. Ik vind het vreselijk, maar dat is de wereld. Een man zou zo veel geweld niet overleven, dat weet je net zo goed als ik, maar jij hebt de kracht gevonden om daarna weer overeind te krabbelen. Omdát jij een vrouw bent, Sallie, nog steeds, godverdomme, juist nu, juist daarom meer vrouw dan ooit!'

Daarna is er zeker een half jaar verstreken, als het niet langer was, zonder dat hij nog aanstalten maakte, totdat wij ergens, enkele dagreizen ten westen van Santa Fe, op zoek naar water de bergen in trokken. Op een avond herkende Holland een pad dat hij eerder was gegaan en van die ontdekking raakte hij door het dolle heen. Er was een plek niet ver daarvandaan, zei hij, die hij mij per se wilde laten zien. Het kostte ons een omweg van drie dagen, maar uiteindelijk bereikten we een kloof, waarin zich halverwege, hoog boven de grond, de ingang tot een grot bevond. Ik heb hem nog flink aan mijn kop laten zeuren, want ik was niet van plan aan die klim mijn leven te wagen om in een berg vleermuizenstront te kunnen zitten, maar er leek hem zo veel aan gelegen dat ik ten slotte toegaf. Hij drenkte repen katoen in alcohol en maakte er toortsen van zodat we licht zouden hebben, en droeg voedsel en dekens mee naar boven.

Niks was er te zien dan rotsen, maar hij wilde maar dieper en verder en hield vol dat het de moeite waard was. Ik mag dan nog zo weerbarstig zijn, soms kan ik me in situaties laten brengen waar ik helemaal niet op mijn gemak ben. Dan zit ik er al middenin voor ik mezelf af kan vragen waarom ik het in hemelsnaam zover heb laten komen. Na een minuut of twintig stopte hij, spreidde de dekens uit en zei dat ik moest gaan liggen en mijn ogen op het gewelf moest houden. Ik bekeek dat smoel van hem dat oplichtte bij de fakkel, die hij tussen een paar rotsen vastklemde, en zei tegen mezelf dat hij, als hij kwaad wilde, daar al veel eerder kans toe had gehad, en dat ik, als hij zijn verstand had verloren, maar beter kon doen alsof ik hem zijn zin gaf.

'Daar komen ze,' zei hij na een tijdje, 'zie je ze?' Maar ik zag nog geen steek. Holland pakte mijn pols, heel vanzelfsprekend, en omsloot hem alsof hij me ergens heen wilde leiden. Zo lagen we. Naast elkaar. Te wachten tot mijn ogen aan de schemer gewend waren. Toen ontdekte ik de eerste, een hand, daarna nog een en meer, rondom doken ze op. Handen. Tientallen, honderden. Handafdrukken op het steen. Overal op het plafond van de grot en tegen de muren hadden mensen lang geleden het bewijs van hun bestaan achtergelaten door een hand tegen de rots te leggen, vingers gespreid, en er een rode kleurstof overheen te blazen, lichter dan bloed, menie misschien, zodat de grond die ze bewoonden hun contouren voor altijd zou onthouden.

'Wie zijn dat?'

'Mensen die plaats voor ons hebben gemaakt. Ze steken hun hand naar je op.'

Ik schoof tegen hem aan, zodat hij zijn arm onder mijn hoofd kon leggen.

'Het is hun boodschap aan ons.' Hij fluisterde, want elk woord kaatste van alle muren terug.

'Maar wat proberen ze te zeggen?'

'Dat we maar zo kort hebben.' Hij boog zich over me heen. Ik had gedacht dat het steen koud zou aanvoelen, maar de aanraking deed mijn huid juist goed, alsof de aarde haar warmte voor ons had vastgehouden en deze nu heel voorzichtig aan onze lichamen afstond. Langzaam hervond ik op die plek iets van mijn trots, dat kleine beetje eer dat nodig is om hier te overleven. En al die tijd hield ik mijn ogen maar wijdopen om niets te hoeven missen, zwaaiend, glimmend in het licht van de toorts over de hemel van de grot, die melkweg van handpalmen.

*

Het wild was schaars en de winter wilde niet naar huis. Het volk leed honger en moest zich nu snel kunnen verplaatsen om de bizon te vinden, maar onder hen was een man, zo oud dat hij niet meer verder kon. Vaak wist hij niet meer waar hij was en zien kon hij ook niet meer. Hij kon zijn familie nergens meer mee helpen zoals vroeger en hielp hen enkel achterop.

Op een dag moest zijn zoon een besluit nemen. Er was te weinig voedsel om nog met de grijsaard te delen. De tijd was gekomen dat zijn vader de bergen in zou moeten. De man riep Peta Nocona bij zich, zijn eigen zoon.

'Jongen,' zei hij en gaf hem een deken van het soepelste leer, 'het spijt me, maar we kunnen je grootvader niet langer verzorgen. Breng hem daarginds die berg op en laat hem daar. Wikkel hem maar in deze deken, zodat hij zijn laatste uren ten minste warm zal zijn en zacht kan liggen.'

Nocona keek zijn vader lang aan, maar uiteindelijk nam hij de deken, tilde zijn grootvader op zijn schouders en droeg hem de berg op. Daar zette hij hem neer op een plateau met een weids uitzicht, zodat zijn voorouders de oude man al van ver zouden kunnen zien en hem snel konden ophalen. Hij wikkelde hem in de leren deken, maar nadat hij afscheid had genomen bedacht Nocona zich en trok zijn mes. Hij ging achter zijn grootvader staan, sneed met een snelle, krachtige haal de deken in tweeën en nam een helft mee terug.

'Is het gebeurd?' vroeg zijn vader toen hij thuiskwam.

Nocona knikte.

'Maar die halve deken, waarom heb je die mee teruggebracht?'

'Die heb ik nodig, vader,' zei Nocona. 'Als jij zo oud bent en we niets meer voor je kunnen doen, zal ik jou erin wikkelen wanneer ik je de bergen in breng.'

De man zweeg en knikte. Met zijn beslissing had hij zichzelf vooruitgeschoven in de tijd. Zijn zoon was nu volwassen en voor hemzelf zat er niets anders op dan de volgende grootvader te worden. Zo werd het bepaald, en toen de bizons kwamen en er weer voldoende was voor iedereen mocht Peta Nocona een bruid kiezen, en uit alle jonge vrouwen koos hij Na-udah, het meisje dat hij zelf gevangen had.

8

'Cynthia Ann.'

Hoe vaak ben ik kotsmisselijk geworden bij het idee van die naam op indiaanse lippen. Bij de gedachte dat ergens een van hen zich over haar heen boog en de gore moed zou hebben haar naam in zijn mond te nemen.

'Cynthia Ann.' Quanah herhaalt hem nog eens. Traag, alsof hij de klanken uitprobeert. Hij proeft ze, voorzichtig, alsof ze kapot kunnen, vóór op zijn lippen, als een kind dat een vreemd woord leert.

De woede die ik heb gevoeld omdat een onbekende haar die naam elke dag gewoon kon influisteren, terwijl ik hem uitschreeuwde, jaar in jaar uit, zonder dat zij me ooit zou horen.

'Cynthia...' Quanah kijkt me aan, '...Ann.' Hij knikt. De veren dansen onder aan zijn vlechten. Zijn mond blijft streng, maar zijn ogen lachen. Alsof hij mij een plezier doet.

Had me gezegd dat ik op een dag de naam van mijn kleindochter uit de mond van een Comanche zou horen zonder dat ik hem ervoor zou laten betalen met zijn leven, ik had je voor krankzinnig versleten. Maar hier zit ik. Tegenover hem. Ik hoor het aan. Quanah, die haar naam uitspreekt. Ik hou me in. Ik zeg tegen mezelf dat ik er maar aan heb te wennen. Zo is het nou eenmaal, een kind heeft er recht op de naam te kennen van zijn eigen moeder.

Niet te geloven wat ik hem allemaal verteld heb. In mijn woede eerst, en toen ik eenmaal moegeschreeuwd was, kalmer, met minder moed maar meer details. Onbewogen heeft hij alles aangehoord. Geen poot heeft hij uitgestoken, niet om te troosten maar ook nooit uit protest. Alles heeft hij zwijgend aangehoord. Wanneer ik iets smerigs over zijn volk zei, keek hij me alleen maar aan, zodat ik mijn eigen venijn voelde steken. Als ik stilviel, tuurde hij over mijn schouder in de verte, net zo lang tot ik mijn geesten had verjaagd en mezelf weer in de hand had.

Natuurlijk heb ik niet alles gezegd. Gaat het hem aan hoe een mens zijn dagen doorkomt zonder vreugde? Dat merkt iedereen vanzelf wel als het zover is. Dan zullen ze begrijpen waarom jij altijd koste wat het kost iets op moest houden, terug moest houden, niet voor hen maar om jezelf, en waarom jij je nooit meer helemaal hebt kunnen geven, omdat je nu eenmaal niks anders meer had om op te steunen dan die illusie dat er aan jouw leven toch nog iets de moeite waard was. Dit heb ik allemaal dus ingeslikt en meer. Ben ik hem de waarheid soms verplicht? Enkel omdat hij niet alleen zijn vaders zoon is?

De leider van de Comanche knikt nog maar eens om mij aan te sporen en kijkt me vol verwachting aan.

'Cynthia Ann?'

Bij haar zijn we dus aanbeland.

'Omdat jij zelf zo verdomde koppig bent,' zei John vroeger als ik weer eens moeite had een nieuw paard naar mijn hand te zetten. 'Snap dan dat zo'n dier niet gewoon maar één wil heeft, zoals jijzelf, maar twee. De ene is bereid zich te onderwerpen, de ander is zijn trots, en ze zijn even sterk. Je moet hem de een gunnen wil je de andere voor je laten werken. Voel je die spanning dan niet, in iedere stap, met elke beweging van zijn hoofd? Die tweestrijd is de bron van al die energie. Dat is die voortdurende rilling van zijn flanken, die blik, het briesen door die tanden in dat bit. Hij doet alleen wat je zegt als jij hem de kans geeft jou te laten weten wat hij wil. Soms geeft hij toe, soms moet jij toegeven. Hij volgt je bevelen alleen op als jij hem af en toe laat merken dat je best weet dat hij eigenlijk de baas is. Want dat is hij, de krachtigste van de twee en de gevaarlijkste. Dat hij je in het zadel laat is zijn verdienste, niet die van jou. Dat hij gaat waar jij heen wilt is een gunst die je onmogelijk met geweld kunt afdwingen, enkel en alleen door je aan hem over te geven. Maar overgave, daarvan heb jij nou eenmaal geen greintje in je.'

Zo doe ik Quanah mijn verhaal, met een dubbele wil, een die alleen maar tieren kan en een die smeekt. Laat me het een om het ander te kunnen.

'Wou je me dood hebben?' vraag ik. 'Morgen. Morgen meer.'

De zon staat laag. Een half uur, driekwart hooguit, dan is het donker. Die stinkende knol van hem wordt nerveus. Hij ruikt de coyotes die op zoek gaan naar de karkassen die vandaag zijn achtergebleven en de wolven die wachten op schemerprooi. Het kreng scharrelt al een tijdje in de buurt, stampt af en toe ongedurig met zijn hoeven op de grond en zou zich gewoon tegen me aan schurken als ik hem niet telkens met een paar rake klappen van mijn stok weer uit de buurt zou jagen. Die is al net als zijn baas, hoe harder ik mep, hoe halsstarriger.

'Morgen is de laatste dag,' begint Quanah. 'Ik zou veel tijd verspillen als ik nu naar de stad moest rijden en in de ochtend weer terug moest komen.'

Pech, zou ik willen zeggen. Ik heb net mijn hele dag aan die jongen verdaan, maar daar hoor je hem niet over.

Zonder een woord laat ik hem achter en ga het huis binnen. Alles doet zeer. Hoeveel uren heb ik daar gezeten? Mijn knieën willen niet. Alles voelt doof. Achter in mijn longen steekt het en mijn hart lijkt zo geschrokken van het nieuws dat ik nog in leven ben dat het ineens tekeergaat alsof ik hol in plaats van slof. Ik zet de ramen open, zodat de wind dwars door het huis trekt. Ik moet liggen. Even. Sluit mijn ogen, en probeer te voelen hoe de hitte zich langzaam door de ruimte verplaatst. In godsnaam. Eventjes alleen maar dat.

Als ik weer buiten kom om de olielamp aan te steken zit hij er nog net zo, onbeweeglijk. Ik breng het licht mee en zet het tussen ons in op de bank. Met een hand tast ik in mijn schortzak en trek de broodhompen tevoorschijn die ik uit de keuken heb gepakt en een paar repen droogvlees. Hij neemt ervan. We kauwen.

'Begrijp je dan niet wat dat voor een mens betekent om zo lang geleefd te hebben?' zeg ik.

Quanah ontsluit een waterzak, veegt de tuit schoon en biedt hem aan.

'Of worden jullie niet zo oud?' Ik pak hem het ding uit handen, wrijf het met de zoom van mijn jurk nog eens af en drink. 'Anders zou je toch moeten weten dat je een mens van mijn leeftijd maar niet eindeloos in zijn verleden kan laten rondpeuren. En Cynthia Ann...' Ik neem nog een paar slokken. Er sijpelt water uit mijn mondhoeken. In een straaltje loopt het langs mijn kin, over mijn hals tussen de bedding van mijn borsten. Het trekt in de stof van mijn jurk, een klamme plek, koel als de avondbries erover strijkt, die uitvloeit rond mijn hart. 'Ik weet niet of ik het kan. Dat deel van het verhaal, ik heb er nooit over gesproken, daarover niet. Ik weet niet of daar wel woorden voor bestaan. En dan nog, wat valt er te zeggen, ik heb gezocht, jaren, jarenlang, eerst met Holland

Coffee samen, later alleen en toen heb ik het opgegeven.' Ik sta op, haal een emmer water door de ton en zet die neer voor het paard, dat staat te eten van het onkruid dat onder mijn veranda uit groeit. Het schudt zijn hoofd zo breeduit dat ik achteruit moet wijken. Ik pak het bij zijn manen en duw het naar de grond totdat het drinkt.

'Ik vroeg u niets,' zegt Quanah. 'Waarom zou ik vragen naar dingen die u onmogelijk kunt weten?'

Ik sla het dier tegen zijn schoft, keer op keer met vlakke hand. Kalmerend, dat doffe zachte petsen op die warme huid. Spieren verend als een kussen, stevig als een muur. Ik zou ertegenaan willen leunen en mijn hoofd tegen zijn zijde laten rusten. Of nee, erop klimmen en gewoon maar wegrijden.

'Ik was in die jaren natuurlijk maar klein,' zegt Quanah.

'Natuurlijk.'

Hij staat op, maar ik durf hem niet aan te kijken.

'Maar ik weet nog wel het een en ander. Over haar.'

'Ja, ja,' zeg ik en doe, zoals een kind dat doet, mijn ogen dicht alsof hij daarmee weg zal gaan. 'Ach ja, dat zal ook wel, dat kan niet anders.'

Nu staat hij tegenover me, het paard tussen ons in, en hij streelt het van zijn kant. Hij kan niet weten wat hij me aandoet, maar ik vervloek hem toch. Wat moet ik met nog meer herinneringen? Ik bezwijk al bijna onder degene die ik heb. Als je geleefd hebt, heb je verleden genoeg. Waarom willen mensen je altijd nog meer bezorgen? De waanzin, te denken dat er tussen alles wat gebeurd is iets te vinden zou zijn wat nu nog van belang is. Wees dankbaar dat je niet alles weet en laat mij erbuiten. Vergeten is de enige ontsnapping die we nog hebben.

'Morgen,' zeg ik. 'Morgen misschien.'

Quanah begint zijn zadeltas los te sjorren. Ik bekijk dat gezicht. Ik probeer haar erin te vinden.

Hij wijst de bescherming van de boom of de veranda af en kiest, God weet waarom, een open plek. Daar stampt hij de aarde aan en hurkt neer. Met snelle, korte halen plukt hij er de scherpe steentjes uit en gaat liggen.

Vanuit mijn bed kan ik hem zien. Aan de rand van de prairie ligt hij als een van die lichamen die na een overval zijn achtergelaten in het maanlicht.

Persoonlijk heb ik ze altijd liever ín de grond gezien, maar ik hou mezelf voor dat deze indiaan anders is. Hoe je het ook wendt of keert, dit keer gaat het om mijn vlees en bloed.

Ik draai me om.

Twee, drie uur later sta ik alweer op. Zodra ik het raam opendoe slaat een koude wind naar binnen, maar de tijd dat de beelden van de nacht zich lieten wegblazen is allang voorbij. Ik sla een deken om en loop naar buiten.

Ik weet het nu. Ergens tussen alle schimmen in mijn kamer zag ik het ineens, de gelijkenis. Het gaat niet om ogen of haren, niet om de onverzettelijkheid of die op elkaar geklemde kaken. Het is niet de houding, dat hoofd altijd zo afwachtend achterover, zodat het lijkt alsof je op de mensen neerkijkt, niet dat fronsen van de wenkbrauwen alsof de minste aanblik van een vreemde aankomt als een aanslag op je ziel. Geen bepaald gebaar verbindt ons, geen bijzondere klank of wending in de stem. Het is hoe hij daar ligt. Dat lichaam in de leegte. Dat hoopje in het halfduister. Dat ben ik. Dat is zij, maar dan ook exact.

Mensen als wij herkennen ons niet in een ander. Wij zien onszelf niet in elkaar. Daarvoor zijn we te ver weg. Rondom ons is het kaal. Daaraan zijn wij te herkennen.

Ik loop erheen, maar halverwege moet ik stoppen. Dat ik er toch nooit eerder bij heb stilgestaan dat wij met zovelen zijn! Het duizelt me. Wat zijn wij zonder het te weten in ons eentje een overweldigende meerderheid. Zo vol pompt dit besef door mijn bloed dat ik even bang ben dat mijn hart het niet zal kunnen verstouwen.

Ik heb me bedacht. Eigenlijk wil ik terug naar binnen, maar Quanah heeft me vast allang gezien. Het zijn net beesten, je kunt niet ongemerkt bij ze in de buurt komen. Waarschijnlijk houdt hij me zelfs de hele tijd al door zijn wimpers in de gaten en vraagt hij zich af wat ik hier sta te doen. Dus loop ik door. Om me een houding te geven. Maar als ik naast hem sta, zie ik dat hij wel degelijk slaapt. Mooie krijger is me dat, ik zou nu een steen kunnen pakken en hem zo zijn hersens inslaan. Niks voor mij om daarover te aarzelen. Maar ik trek de deken van mijn schouders, gooi die over hem heen en luister hoe hij ademt. Mijn heupen knikken twee keer pijnlijk voor ze over hun dooie punt zijn en het duurt even voordat mijn onderrug ook wil wat ik wil, maar uiteindelijk hang ik net diep genoeg voorover om hem in te kunnen stoppen, eerst pak ik de lap bij twee punten en trek hem over zijn voeten. Ik steun mijn handen op mijn bovenbenen, schuifel een paar passen om hem heen en buk opnieuw om zijn rug te bedekken, dan de hele operatie nog eens, al strammer nu, maar toch een stukje overeind, wat naar links en dan weer een beetje door mijn knieën, om de deken ook van boven recht te leggen en zijn schouders eronder te krijgen. Maar dan, daar hang ik met mijn goeie gedrag, zo half boven hem en wil overeind, maar alles trilt en er schieten van die steken door mijn bil en tussen mijn schouderbladen dat het lijkt alsof het brandt, en wat ik ook probeer, alles zit vast, en ik wil nog schuin zo achteruit schuifelen in de hoop ongemerkt weg te komen, maar op de een of andere manier hel ik ineens te ver naar voren en ik kan wel net op tijd mijn armen strekken, zodat ik hem niet plet, maar dan, daar ga ik, ik val niet echt languit maar leun met één hand half op hem, zodat hij wakker schrikt en overeind schiet, waardoor ik alsnog mijn evenwicht verlies, maar pijn doe ik me niet, want hij grijpt me net op tijd, maar helemaal tegenhouden kan hij me ook niet meer, zodat ik, in een eeuwigheid lijkt het, als een onnozelaar zo heel traag naast hem op de grond glijd.

Goddank zit ik met mijn rug naar de maan, maar zijn gezicht wordt er volop door beschenen. Hij had me niet verbaasder aan kunnen kijken als ik die steen had gepakt en hem een doodsklap had bezorgd.

'Kijk aan,' zeg ik met een air alsof ik op een afspraak kom waar ik al lang verwacht werd, 'daar ben ik dan.' Ik zoek een luchtige houding alsof zo'n nachtelijke overval volstrekt normaal is, maar hij zit nog als verlamd. Je vraagt je af hoe ze dat doen als de cavalerie aanvalt. 'Het spijt me,' mompel ik. 'Ik dacht, ik weet niet wat ik dacht, dat het misschien te koud was.'

Je bent het gewoon verleerd, zeg ik tegen mezelf, iets aardigs voor een ander te doen, kennelijk is dat ook iets wat een mens moet bijhouden, net als spieren en je uithoudingsvermogen, en op datzelfde moment schieten de tranen in mijn ogen, niet omdat mijn lijf het heeft begeven, maar van schaamte denk ik, en ik begin te snikken, zoals mensen doen die nooit iets hebben meegemaakt, want te midden van alles wat mij is overkomen is me natuurlijk ook heel veel ontgaan.

Zo zitten we, God weet hoe lang, flank aan flank, elkaar alleen maar aan te gapen, totdat ik, ineens, voel dat hij naar lucht hapt, en hij draait zich van me af in een poging zich nog in te houden, maar werpt dan weer een blik op me en barst in lachen uit.

Even raak ik daardoor alleen maar verder verloren, maar dan durf ik te kijken en zie die mond van hem, eindelijk eens zonder die weerbarstige grimas maar juist wijdopen blij, en van plezier laat hij zich, knieën opgetrokken, achterovervallen. Heen en weer rolt hij, mijn achterkleinkind, en met twee handen steunt hij zijn zij, en die stoere kerel giechelt als een meid met van die hoge uithalen, zodat ik niet anders kan dan in zijn vrolijkheid wel meegaan, zoals dat allemaal heel vanzelf zou zijn gegaan als ik hem van kleins af aan gewoon op schoot had kunnen hebben, dus ik laat me achteroverzakken, waarom niet, totdat ik naast hem lig, en op de adem die ik haal voor mijn verdriet golft telkens ook een stoot geluk naar buiten.

Zodra we uitgesnikt en weer ontspannen zijn, krabbelt Quanah overeind, buigt zich over me heen, strekt zijn armen naar me uit en tilt me op. In indiaanse handen. Dit is voor het eerst sinds die godvergeten dag. Ik heb altijd gezworen dat ik mezelf van kant zou maken voordat ik me ooit nog eens door zo'n rooie hond zou laten aanraken, en voor dat doel hou ik altijd een wapen binnen handbereik. Zo veel nut hebben al die plannen waarmee een mens zich tegen zijn noodlot indekt. Ik voel zijn vingers onder mijn rug en rond mijn dijen. Ik kan zijn hart in zijn borst horen kloppen. Hij draagt me naar het huis en de veranda op. Met mijn voeten duwt hij de deur naar mijn kamer open en legt me op bed. Als hij ziet dat ik goed lig, wil hij weer gaan.

'Het is goed,' zeg ik zachtjes. 'Cynthia Ann. Morgen hebben we het over haar.'

'Ja,' zegt hij, en in de deurpost draait hij zich nog even om. 'Morgen gaan wij het hebben over Na-udah,' en bij het noemen van die naam, die ze droeg toen hij haar kende, gebaart hij, zoals hij dat gewend is, ook de betekenis. Ik kan het net zien met achter hem op de muur de schaduw van zijn gebaren flikkerend in het lamplicht.

Die gebaren moeten mijn kleinkind voorstellen: 'Naudah, iemand die is gevonden.'

Dit brengt me tot mezelf.

'Nee,' zeg ik fel, 'zo is het niet.' Ik had me bijna laten inpakken. 'Niet voor ons. Zo is het niet gegaan.'

Ik ga rechtop zitten en verras hem door hem van repliek te dienen in de gebaren van zijn eigen volk, die Holland me geleerd heeft: ik zet net als hij mijn handpalmen plat tegen mijn haar, haal ze er als een kam langs, en steek mijn rechterwijsvinger voor me gestrekt omhoog. Maar dan strek ik mijn linkerarm uit en scheer daar met mijn rechterhand als een hakmes overheen.

'Zij is niet gevónden, zie je, integendeel, jouw moeder was iemand die wij hebben verloren.'

Deel drie

Gods adem

Denk niet dat ik je kwaad wil doen
Je krijgt gewoon een nieuw lichaam
Nou vooruit, draai je kop naar het noorden en lig stil!

Gebed voor het doden van een adelaar

I

Eén keer heb ik de prairie in lichterlaaie gezien. Vraag me niet waarom die beelden uitgerekend afgelopen nacht door mijn hoofd kwamen spoken, ik heb er jarenlang niet aan gedacht, maar nu doken ze op, helder alsof ik er weer middenin stond. Als het vuur zelf kwamen ze; terwijl ik de ene herinnering uit alle macht probeerde te smoren, vlamden er rondom weer andere op.

Ook toen was het nacht. We werden gewekt, Holland en ik, door de geur, de zware, zoete lucht van brandend gras, eerst alleen wat vlagen, vluchtig op de straffe wind. Resten van een kampvuur, dacht ik, dat iemand ergens verderop had uitgetrapt, Mexicanen misschien, of een paar jagers. In geen geval indianen. Die zijn te geslepen om zich zo te verraden.

Onze paarden werden onrustig. Ik stond op om ze te kalmeren. Ze waren mijn stem gewend en meestal bleken een paar woorden genoeg, te laten weten dat we bij ze zijn, en anders drinkwater bijvullen, een handje voer erbij, even losmaken desnoods en een eindje verderop laten grazen, maar nu bleven ze zo schichtig dat ik hun teugels niet durfde te laten vieren. Dit ging niet zomaar om een ratelslang die ze hadden gehoord of een coyote die ze roken. Ik hield er rekening mee dat er volk in de buurt was en wij misschien zelfs al werden gadegeslagen, dus durfde ik Holland niet te roepen. Zodra ik me omdraaide om hem te gaan waarschuwen, zag ik achter onze kar de horizon oplichten alsof het ochtend werd.

Op hetzelfde moment begon de grond onder mijn voeten te trillen. Wat dat betekende wist ik. Terwijl ik op de wagen toe rende, sprong Holland er al af. Gestaag zwol het gedender aan, terwijl de hemel verder aangloeide. Hij pakte me bij mijn arm om dekking te zoeken, maar ik rukte me los, stapte eerst nog op een wagenwiel en griste het oude geldkistje met de kindertekening onder mijn deken vandaan. Daarmee rende ik achter hem aan in de richting van een klein rotsblok, nauwelijks een meter hoog, dat onze enige hoop was. Terwijl we daarachter knielden, zag ik onze paarden steigeren. Het leren tuig sneed in hun vel. Mijn impuls was erheen te gaan om ze los te snijden, maar Holland greep mijn arm en hield me tegen. Er was geen tijd. Een van de dieren wist zich in zijn paniek los te rukken. Het andere bleef vastgebonden achter, bloedend langs zijn riemen, tanden bloot, ogen zo wild weggedraaid dat je niks dan wit meer zag. De beving was nu zo nabij dat je de hoeven kon horen, honderden, duizenden, van een kudde bizons die op hun vlucht door blinde angst werd voortgejaagd. Holland stootte mij aan. Verstaanbaar maken kon hij zich niet meer, maar hij gebaarde dat ik mijn hoofd tegen de grond moest drukken en het met mijn armen moest beschermen. Even kon ik het briesen van de bizons horen. Ik zag nog hoe de snelste van het stel zich voor de andere uit stortten, links en rechts van ons, eerst nog rond de wagen totdat die voluit werd geraakt en kantelde alsof hij niets woog. Onder het gewicht van een groep jonge stieren brak de houten bak. Het canvas werd van de huif gescheurd en aan flarden gereten. In een regen van brokken en splinters begon de achterliggende horde zich over de resten heen te werken en ook de voorste dieren die over de wielen waren gestruikeld werden door hun soortgenoten vertrapt. Meer heb ik niet gezien, want op dat moment sprong een aantal kalveren met hun ouders over de rots en over onze hoofden, waarna alles onderging in razend stof en steenslag.

Na die stormloop daalde met het gruis een stilte neer. Ik schudde mijn haren en spuugde het zand uit mijn mond. De aarde wolkte nog en door die waas vond ik de eerste resten van onze bezittingen en ons paard dat onder de voet gelopen was en stervende. Ik knielde erbij neer. Er viel niets meer te helpen. Holland trok me ervandaan en schoot het dier in één keer door de kop. Om van onze bezittingen te redden wat er te redden viel pakte ik de zoom van mijn rok op, hield die als een buidel bijeen in de hoop daarin nog het een en ander mee te kunnen nemen, en verdwaasd begon ik op te rapen wat ik van onze spullen nog herkende.

Ik zag de nevel die rondom neersloeg wel steeds geler oplichten en almaar feller kleuren en ik hoorde in de verte ook al wel nieuw geraas, hoger dit keer, gierend met de storm, maar had nog helemaal niet door dat het gevaar waaraan wij net waren ontsnapt maar een voorbode was geweest van wat ons echt te wachten stond.

Een brandende struik *tumbleweed* kwam hortend aangerold vanuit de mist. Lag hij even stil dan laaiden de dorre takken op, maar kreeg de wind er weer vat op dan werd het vuur door zijn eigen snelheid getemperd en tuimelden de takken verder als een gloeiende bol. Na die eerste volgden er eerst twee of drie, maar daarna meer, en ik stond daartussen met wat spullen in mijn rok gebonden terwijl de dreiging tot me doordrong. Holland kwam naast me staan en pakte mijn hand en zo keken we naar wat steeds beter zichtbaar werd achter de stofsluiers, waarvan er nu met elke windstoot meer werden weggeblazen, een lichtende muur van vlammen die op ons af kwam, zo breed als we konden zien gevolgd door rookkolommen, hemelhoog.

De zoom van mijn rok gleed uit mijn vingers, zodat alles op de grond viel behalve het dierbaarste, dat ik omklemde. Een paar tellen aarzelde ik nog, maar toen rukte ik me van Holland los en begon te rennen, weg van het razende gevaar.

'Nee,' riep hij, 'nee!' Hij kwam me achterna, greep me opnieuw beet en wilde me tot stoppen dwingen, maar ik liet me niet inhouden. Daarop wierp hij zich boven op me en drukte mij met zijn volle gewicht tegen de grond. 'Luister goed,' hijgde hij, want niet alleen werd het steeds warmer, ook leek de lucht steeds zwaarder te worden, stroperig, alsof je adem aan je longen plakte. 'De raad die ik je nu ga geven is de belangrijkste die een mens kan krijgen. Doe wat ik zeg en je hebt er je hele leven plezier van. Of laat het en dan is het zo voorbij. Wat denk je, blijf je kalm, lukt dat?'

Ik knikte.

'Ik weet dat je maar één ding wilt, dat wil ik ook, en dat is ervoor wegrennen. Maar dat gaan we niet doen, oké?'

Het leek me waanzin, maar ik hield me kalm en hij trok me overeind.

'Zonder paard maken we geen enkele kans,' zei hij, 'tenzij jij denkt dat je sneller bent dan de wind.' Hij bleef mijn pols stevig vasthouden, want hij voelde dat ik er nog steeds elk moment vandoor zou kunnen gaan. 'Zie, de vonken komen al meegewaaid, zo meteen laaien links en rechts nieuwe brandjes op. Binnen de kortste keren worden we ingehaald en ingesloten. Je wilt alleen maar weg, dat weet ik wel, maar dit is die ene keer dat je moet ingaan tegen wat je voelt. Hier.' Hij trok mijn rok los en scheurde die in repen. 'Ik wil dat je je haar opbindt, strak, zodat er niks onderuit komt. Kom.' Hij trok me naar de brokstukken van de wagen, vond een watervat dat het had overleefd en sloeg de deksel eraf. Met zijn tanden draaide hij de waterkruik open die hij aan zijn riem had hangen en goot de inhoud over me uit. Daarna drenkten wij onze kleren in het vat zo goed en zo kwaad als dat ging en een paar losse repen stof om voor ons gezicht te binden.

'Die muur die daaraan komt is hooguit een paar meter dik. Daarachter smeult het, de aarde rookt, maar wat er was aan gras en onkruid is opgebrand. Wij wachten hier.'

En dat deden we. In mijn borstkas ging het tekeer als in zo'n kraal waar ze een beer met een stier laten vechten, zo klauwde mijn instinct om zich heen. De hitte nam snel toe en ook de felheid van het wakkeren, een licht waar je al niet meer recht in kon kijken. Ik begon te bidden en hoewel ik niets liever wilde dan overleven vroeg ik om te mogen sterven voordat het vuur ons zou bereiken. Op dat moment viel alles stil. Een tel leek de wind te zijn gaan liggen. Maar daar was hij alweer. Hij was op slag gedraaid nu alle lucht werd aangetrokken door de vlammen. Niet langer woei hij ons in het gezicht, maar hij duwde ons nu op volle kracht in de rug en in de richting van het vuur, dat zo nabij was dat het aan ons zoog.

'Het is zover,' schreeuwde Holland. 'Denk eraan.' Hij keek me aan en schatte in of ik zou volgen, 'aan de andere kant is alles anders!'

Om een aanloop te kunnen nemen deed hij een paar passen terug en haalde diep adem. Ik deed hetzelfde, greep zijn hand en trok hem mee de vlammen in.

Ik schraap het griesmeel van de bodem van de pan. Ik vergat helemaal te roeren, zo ging ik maar door over die brand. Ik wil Quanah laten weten dat hij niet de enige is die heeft geleerd te overleven op de vlakten. Ik zet een kom voor hem neer en trek er wat stroop over.

'Wen d'r maar aan,' ik pluk een korst uit de brij en wijs

erop, 'als het allemaal doorgaat, als jij het allemaal gaat doen zoals je beweert, als jullie je zogenaamd bij ons – hoe zeg ik dat netjes? – willen aansluiten, begin dan alvast maar eens met je aan te passen aan onze smaak.'

Ik kan er niet tegen als hij lacht. Dat voel ik in mijn lijf. Alsof het mijn eigen kind is. Van het ene moment op het andere wordt alles week, alsof je iets onder de leden hebt. Dan welt de weemoed in me op als stront in een gistende beerput. Krankzinnig zou een mens ervan worden, niet te weten of je blij moet zijn omdat zoiets zo onverwacht toch nog heel even in je leven langskomt, of helemaal kapot omdat het zo meteen weer weg is.

'Welkom in de beschaving,' zeg ik en steek zijn lepel expres zo in de kom dat hij er rechtop in blijft staan.

En wat is het helemaal? Zijn oogopslag wordt zachter. Zo jong als hij is, verschijnen er kleine kraaienpootjes, zacht, rond en soepel in zijn gladde huid. O God, dan weet ik even gewoon niet wat ik moet. Niks liever wil ik dan dat hij me op die manier beloont, dan voel ik me dankbaar als een bakvis voor de aandacht van haar eerste liefde, of liever gezegd: als een moeder die zich over een wieg buigt. Even dat idee dat je elkaar begrijpt. Je weet dat het niet kan, en toch lijkt het alsof er zoiets als een verband bestaat tussen dat bewustzijn en het jouwe. Dan moet ik op mijn lip bijten om me goed te houden. Je zou het niet verdragen als het langer duurde, want in die paar tellen dat hij zich laat zien, word ik zelf zichtbaar. En voor een lijf zo oud als dat van mij is dit te zwaar. Te laat. Dat is het verdriet in die vreugde. Eerlijk, je zou er dood van kunnen blijven, te merken dat het minder pijn doet wanneer iemand hard voor je is dan hartelijk.

En wat heeft hij helemaal te lachen?

Hij is de verliezer.

Dat volk van hem loopt op zijn laatste benen. Van de tienduizenden die rondtrokken toen John en ik naar

Texas kwamen zijn er zo'n anderhalf duizend over. Hij mag zich groothouden en rondstappen met een air alsof hij iets te onderhandelen heeft, maar in feite is Quanah naar Fort Sill op weg om zich over te geven, niks meer. Er is niemand hier die niet van dat nieuws gesmuld heeft. Afgelopen winter heeft Mackenzie ze er eindelijk onder gekregen. De vierde cavalerie had de laatste jaren al veel goed werk gedaan, maar nu is de zaak voorgoed beslist. Vier maanden lang zijn de Comanche onafgebroken opgejaagd en ingesloten. Ten slotte is een van de gevangenen tijdens een marteling doorgeslagen en is de ligging van Quanahs geheime kamp verraden. Het bleek in een onbekende kloof te liggen die door een klein stroompje was uitgesleten in de rotsen nabij Palo Duro. Van daaruit deed hij de aanvallen die hem zijn reputatie van tovenaar bezorgden omdat hij na afloop in het niets leek op te lossen. Het doodlopende ravijn lag zo verborgen dat de verkenners aanvankelijk wel de gapende kloof vonden, maar nergens een ingang. Toen ze op hun buik naar de rand waren gekropen zagen ze diep onder zich een tentenkamp dat zich wel drie mijl langs het water uitstrekte. Uiteindelijk stuitte Mackenzie op een modderpad, te laag voor een man te paard, zodat iedereen moest afstappen, en zo smal dat de soldaten een voor een naar beneden moesten. Zodra de indianen begrepen dat ze waren verraden klommen honderden vrouwen en kinderen in paniek tegen de steile wanden omhoog. De mannen vochten hevig, zodat een flink aantal alsnog te voet kon vluchten en Quanahs verliezen beperkt bleven, maar vrijwel al hun rijdieren moesten ze in de diepte achterlaten. Mackenzie liet het kamp in brand steken en maakte de paarden af, alle veertienhonderd. Bij deze slachtpartij die zesenhalf uur heeft geduurd, werden meer kogels gebruikt dan tijdens het hele gevecht. De aanblik van de berg karkassen schijnt menige soldaat te veel geworden te zijn, en toen de generaal met zijn mannen wegreed zaten ze onder het bloed en de stront die uit de ingewanden was gespat, maar ze reden in alle rust omdat ze wisten dat dit Quanahs einde betekende. Zonder paarden konden de resterende Comanche niet meer vechten, niet meer jagen en zich nauwelijks nog verplaatsen. Binnen enkele weken doken de eersten op bij de agentschappen, ziek en uitgemergeld. Velen zijn omgekomen in de sneeuw. Van de rest zit nu een groot deel vast in een kamp bij Cache Creek, omringd door soldaten. De grootste woestelingen zitten opgesloten in de ijsopslag bij het agentschap. Eén keer per dag wordt daar een stuk rauw vlees naar binnen gegooid, waar ze zich op storten als wolven. Geboren op de open vlakten, trotse mannen die hun hele leven vrij hebben rondgetrokken: een paar dagen gevangenschap is genoeg om ze hun verstand te laten verliezen. Van dat stelletje is Quanah de leider. Hij heeft gezien hoe ze eraan toe zijn. Die weet wat hem te doen staat, geen twijfel mogelijk.

Op deze dag heb ik gewacht.

Ik heb me altijd voorgesteld hoe dat volk op een dag zou creperen, en heb geholpen waar ik kon. En dan zal ik nou mijn plezier laten bederven? Hoe had ik moeten weten dat hun aanvoerder mijn eigen vlees en bloed zou zijn? Dat hij me vlak voor zijn ondergang op zou zoeken en tegenover me zou zitten, daar had toch geen mens rekening mee kunnen houden? En dat hij me daarbij aan zou kijken met die ogen, die hij van zijn moeder heeft.

'Dus het is eindelijk met jullie gedaan?' zeg ik om die grijns van zijn gezicht te krijgen. Al die jaren heeft alles me helder voor de geest gestaan en nou zou ik me op de valreep door zo'n snotaap in de war moeten laten brengen? 'Weet je wat het is?' Ik schud mijn hoofd als iemand die zijn geluk niet op kan. 'Ik heb geen diep geloof. Ik ben nou eenmaal nooit bang genoeg geweest om de verantwoordelijkheid voor mijn leven uit handen te geven. Maar hiervoor heb ik gebeden, God nou, en hoe, dat het op een dag zover zou komen: afgelopen uit! En na alles, dat ik het dan ook nog mee mag maken, ja, dan moet je toch toegeven dat er méér is.'

Even prakt hij zwijgend door de pap in zijn kom en neemt een hap, maar als hij zijn blik weer op mij richt is die nauwelijks veranderd, minder vrolijk, dat wel, maar eerder inniger dan koeler, alsof die woorden van daarnet bij ons allebei even hard zijn aangekomen.

'Dat klonk...' er plakt een meelklont in zijn keel, 'zoals u dat zei...' Hij neemt een slok om hem naar binnen te werken. 'Het klonk alsof u iemand kent die er iets bij heeft gewonnen.'

Na het ontbijt lopen we de veranda op. Ik ga op de houten bank zitten, mijn vaste stek. Quanah heeft een kruk uit de keuken meegenomen en neemt recht tegenover me plaats, heel onhandig, vooral als er een stilte valt, want dan kun je niet anders dan elkaar aankijken, zoals daarnet aan tafel, toen we die eindeloze dag ineens voor ons zagen met alles wat daarin nog te zeggen valt zo tussen ons in als een berg gloeiende kolen. Ik geef met vlakke hand een roffel op de zitting van mijn bank ten teken dat ik hem dan nog liever naast me heb. Die plank is breed genoeg voor twee. Als je het dan even niet meer weet, kun je tenminste in de verte staren.

Alsof er maden zijn gekropen uit een stuk vlees waarvan je net gegeten hebt. Anders kan ik het niet omschrijven. Lichamelijk mankeer je niks, en toch word je onpasselijk omdat het idee aan je blijft vreten. Zo knaagt er op dit moment iets aan mijn maag, een onrust die ik niet zo een, twee thuis kan brengen. Alsof mij opnieuw iets dierbaars wordt afgenomen. Alsof ik niet hard genoeg gevochten heb. Iedere keer dat de minste genegenheid voor die jongen ook maar de kop opsteekt, begint alles wat me zo lang goed gevallen is ineens te smaken naar bederf.

Dus hou ik mezelf voor wat het eigenlijk voor kerel is die naast me zit. Als laatste opperstrijdheer, hoeveel slachtoffers heeft hij gemaakt? Hoe vaak is hij vooropgegaan bij de laatste verschrikkingen die hebben plaatsgevonden na de nederlaag bij Adobe Walls, toen Quanahs alliantie uiteenviel en alle stammen weer in losse bendes op hol sloegen? Is dat geen bloed genoeg om elke bloedband in te smoren? Kan er een instinct bestaan dat tegen zoiets opweegt? Had ik me de afkeer maar beter ingeprent, zoals ik die vorige zomer gevoeld heb toen ik uit de eerste hand moest horen over de vrouwen die gevonden zijn met messen in hun onderlichaam. Waar zijn ze, nu ik ze nodig heb om mijn woede te voeden, de beelden die me maanden hebben achtervolgd van de mannen die als oogst van alle haat op staken gespietst in de prairie waren geplant?

Kotsmisselijk word ik ervan, omdat het voelt alsof ik Cynthia Ann ermee verraad, maar die jongen is ook haar kind, en telkens weer borrelt dat besef bij me omhoog. Soms is het dan te laat om het nog weg te slikken en komt mijn vertedering bij me op als braaksel.

'Waarom zou je Mackenzie nu ineens vertrouwen?' vraag ik.

'Hij heeft ons asiel beloofd.'

'Waarom zou hij, als hij jullie eenmaal bij elkaar heeft, zijn werk niet afmaken en jullie gewoon neermaaien zoals hij dat met jullie paarden heeft gedaan?'

'Binnen het reservaat mogen we niet worden aangevallen of gearresteerd, daar zorgt het agentschap voor. Het leger mag er niet in.'

'Jullie mogen er niet uit, zul je bedoelen. Ach jongen,'

zeg ik geërgerd, 'je hebt geen idee, wat weet jij nou helemaal van grenzen?'

Hij denkt na en schuift dan een stukje in mijn richting.

'Ik weet wie ze heeft uitgevonden,' antwoordt hij. 'Mag ik?'

Ik schik op.

'Mijn vader heeft verteld dat er toen hij klein was helemaal geen grens bestond. "Die is meegekomen met jouw moeder," zei hij. "En zij is het enige goede wat hij ons gebracht heeft." Op een keer toen wij uit rijden gingen vroeg ik hem om mij die grens eens aan te wijzen. Ik wist dat het een lijn was en dat je hem niet kon zien, en dat hij nu eens hier was en dan weer daar, zodat je nooit zeker wist waar hij zich bevond, maar ik begreep maar niet hoe hij mensen kon tegenhouden als hij alleen uit lucht bestond.'

Weer wil Quanah opschuiven.

'Neem me niet kwalijk.'

Met zijn heup stoot hij tegen de mijne.

Ik zucht demonstratief en ga nog een keer verzitten.

'Drie dagen reden we,' gaat hij verder, 'tot we aan de rand van een plateau kwamen. Ik was een kind en had die middag voor het eerst een fazant geschoten. Ik mocht haar zelf om vergeving vragen, haar ziel eren, zoals ik dat mijn vader had zien doen, en uitleggen waarom het nodig was geweest haar te doden. Ik wist niet wat me gebeurde. Dat je iets waar het leven uit is, kunt laten voortbestaan, zo simpel, enkel door er aandacht aan te schenken, dat was nieuw voor me. Als toveren voelde dat. Ik denk niet dat ik al begreep wat dit voor ons eigen leven inhield, ik herinner me alleen hoe uitgelaten ik was. De hele dag bleef ik er vol van, en ik was allang vergeten dat wij ergens naar op weg waren toen mijn vader stilhield, zijn arm uitstrekte en met zijn vinger een denkbeeldige lijn trok over de vlakten in de verte. "Tot daar komen ze dit jaar," zei hij. "Vorig jaar moest je nog een volle dag verder trekken tot je aan het gebied kwam dat zij het hunne noemen. Het jaar daarvoor drie dagen." Er was niets te zien. Maar ik had de ziel van de vogel die ik had geschoten net zomin gezien en toch had ik hem duidelijk gevoeld. Die twee dingen heb ik op dezelfde dag geleerd. Ik heb altijd het idee gehouden dat ze met elkaar te maken hebben. Wij konden die grens nergens zien, maar het feit dat jullie erin geloofden was genoeg om hem in het leven te roepen.'

Midden in dat verhaal kijkt Quanah me aan en vraagt: 'Kunt u misschien nog een kléín stukje opschuiven?'

Demonstratief kijk ik naast me. Ik heb precies nog een handbreed. Wat wil hij, dat ik van die bank af lazer? Ik snap werkelijk niet waarvoor die kerel zo veel ruimte nodig heeft, maar op hetzelfde moment schuift hij al in mijn richting. Met een nijdige ruk maak ik voor de allerlaatste keer plaats, maar al mijn ergernis lijkt aan hem voorbij te gaan.

'En al zien we hem nog steeds niet, die grens, met elk jaar zijn we hem beter gaan voelen. Hij is honger. Hij is de stank van de berg rottende karkassen van onze paarden. Hij is de schande omdat we de grafvelden van onze voorouders niet hebben kunnen verdedigen. Hierdoor is hij niet langer rond om, maar in ons. Een paar weken geleden heb ik mijn volk verzameld en ik heb hen toegesproken. Aan deze kant rest ons niets dan onze moed. Daarmee kunnen we tot de laatste man vechten of we kunnen onze kracht aanwenden voor het allerzwaarste. Ze hebben geluisterd. Dat is waar Mackenzie me dankbaar voor is. Er is een kans dat hij te vertrouwen is. Om ons uit te roeien heeft hij nog hooguit tot het eind van de zomer nodig. Als het hem daarom ging zou hij ons geen keuze hebben gelaten.'

En op die woorden geeft hij me weer een zetje.

'Klein stukje nog?' vraagt hij.

'Klein stukje?' bries ik. 'Ik zit nog op een halve bil. Ik moet me al tegenhouden om er niet af te glijden, wat wil je, dat ik op de grond ga zitten, ga toch weg, zo meteen val ik van die veranda en dan mag jij me oprapen. Wat moet je toch, ben je krankzinnig? Ik kan nergens meer heen!'

'Net zomin als wij,' zegt Quanah met zo'n triomfantelijk lachje, 'en toch wordt ons ook elke keer maar weer gevraagd om nog meer plaats te maken.'

Als ik naar hem uithaal, duikt hij ineen en speels weert hij me af, kirrend als een kind dat gekieteld wordt.

'Nee, nee, *nococo*,' lacht hij, 'niet doen, oma, nee!'

Mooie dingen. Die bestaan. Ze zijn ergens. Ik weet het omdat ik er afbeeldingen van heb gezien. Lampen van kristal, marmeren beelden en geknoopte tapijten om aan de muur te hangen met eenhoorns erop en zonnestralen van gouddraad. Ze stonden in de Franse blaadjes die Holland Coffee voor me meebracht uit de haven van New Orleans. Daarin stonden al die voorwerpen die iemand naar het leven had getekend, en soms waren die tekeningen ingekleurd met waterverf: dieprode gordijnen, banken met gebeeldhouwde poten en kussens van lichtblauwe zijde. Er zijn rijke stoffen te koop die ik nooit zal aanraken en geslepen edelstenen waarvan ik me de schittering alleen kan voorstellen, maar ze hebben namen zo prachtig dat je je alleen door ze uit te spreken al beter gaat voelen. Ergens is iemand op ditzelfde moment misschien wel bezig een tafel te dekken op de manier die ik ken uit die prenten, met kleden van damast en zilveren messen en schalen die glimmen, zodat daarin de lichtjes van de kandelaars te zien zijn. Rondom hangen spiegels en overal staan bloemen in alle kleuren. Dames komen binnen in lange jurken met roesjes en linten, aan de arm van heren die horloges dragen. Als het koud wordt, bergen ze hun handen in een mof van spierwit bont en ze branden vuur dat ze oppoken met koperen siertangen, die ze daarna neerleggen op een verguld haardstel met daarop de kop van de sfinx van Egypte. En ondertussen praten al die gasten met elkaar en ze lachen zo'n beetje en nippen van hun wijn, heel voorzichtig, want iedereen heeft glazen van kristal.

Wat heb je daaraan, zou je zeggen. Wat kan het je schelen dat al die dingen er zijn als je ze toch nooit in het echt zult zien? Daar heb ik geen antwoord op. Ik weet alleen dat iemand ze heeft gemaakt. Niet omdat ze nodig waren, maar alleen omdat ze mooi zijn. Zoiets bestaat.

Ik heb plaatjes gezien van schilderijen die in kerken hangen of soms bij mensen thuis. Ze stellen groene bossen voor of stenen ruïnes, met allerlei mensen die zo goed als bloot zijn of heilig of allebei. Ze dansen of betasten elkaar en de knapste van het stel is van alle kanten met pijlen doorboord maar hij kijkt erbij alsof hij toch gewonnen heeft. Er zitten geleerden aan tafels met grote boeken erop die ze bestuderen en jongelui met kragen als wagenwielen die bier drinken en zingen en muziek maken.

Zo is de wereld vol moois. Ik zal er nooit zelfs maar in de buurt komen, niet één keer kom ik aan zo'n tafel te zitten. Ik drink uit een mok en als mijn vingers koud worden ga ik er gewoon bovenop zitten, maar die plaatjes, die heb ik toch maar mooi gezien. Dat neemt niemand me af. Al die dingen zijn ergens. Daar word ik vrolijk van.

'Toe nou, nococo, toe!'

Iets dergelijks overkomt me nu met Quanah, die voor me wegduikt, spelend, lachend. Alsof ik een plaatje heb gezien van iets wat heel ver weg is. Iets wat al die tijd bestaan heeft. Iets waarvan anderen, die het beter hebben dan ik, elke dag genieten, maar wat ik me nou eenmaal nooit heb voorgesteld, gewoon, omdat ik tot een paar minuten geleden van het bestaan niet wist. Er verandert niks. Het is buiten mijn bereik en daar blijft het. Maar het voelt goed om te weten dat het ergens is.

'Laat dat,' gilt hij, 'oma, nee!'

*

Op een dag waren vier zusjes met hun broertje buiten het kamp aan het spelen. Er was nog nooit iemand gestorven, zo lang is dit geleden. Ze speelden krijgertje en zaten elkaar achterna tot ze moe waren. Daarna plukten ze zoet fruit en gingen ermee naar de rivier om het daar op te eten. Ze waren loom van de hitte, leeg van het rennen en landerig van het lachen, en toen ze al het lekkers ophadden stapte er een het water in om de anderen nat te spatten. Hun gegil en gekrijs weerkaatste tegen de wanden van de kloof. Ze schrokken. Even dachten ze dat ze wilde beesten hoorden die hen wilden aanvallen, maar toen begrepen ze dat ze zelf al dat lawaai maakten en dat ze niets hadden te vrezen dan zichzelf. Dit idee deed hen rillen van plezier, want bang zijn om niks is een geweldige manier om verveling te verdrijven. En bang zijn voor jezelf smaakt helemaal naar meer.

'Jij was de beer,' zei een van de meisjes tegen haar broertje, 'en dan waren wij bang voor jou.'

Ze zei maar wat, gewoon omdat ze nog niet wilde dat het spelletje al voorbij zou zijn, maar de jongen begreep niet meteen wat ze bedoelde en keek verbaasd naar zijn andere zusjes.

'Ja,' riep een van hen, 'ja, dan is hij de beer en wij zijn als de dood voor hem!'

'Jasses,' beaamde nummer drie, 'nou, wat is 'ie eng!'

Het vierde meisje zei niks. Zij was van nature veel rustiger dan de anderen, en omdat ze de hele zaak eerst eens wilde overdenken deed ze een paar passen in zijn richting totdat ze oog in oog stond met haar broer, en toen, ineens, begon ze heel hard en heel erg hoog te gillen.

Terwijl de jongen stond bij te komen van de schrik zetten zijn zusjes het op een rennen. Uitgelaten schreeuwden ze en ze zweepten elkaar op van plezier. Hij ging erachteraan, want zo lang hij zich kon herinneren hadden ze samen gespeeld en hij wilde niet achterblijven. Hij kon ze nauwelijks bijhouden, want hoe harder hij liep hoe sneller zij voor hem wegholden. Zodra een van zijn zusjes omkeek en zag dat hij ze nog steeds op de hielen zat, begon het hele groepje weer te schreeuwen. Ze riepen de vreselijkste dingen over allerlei verschrikkingen die hun te wachten stonden als ze door het monster zouden worden ingehaald, en omdat een mens nergens zo snel aan went als aan zijn eigen angst, moesten ze steeds ergere dingen bedenken om hun spel spannend te houden.

'Hij gaat ons vast en zeker verscheuren!' riep de een.

'En dan zal hij ons opeten!' wist een ander.

'Hij kluift ons af. Die laat niks van ons over dan een hoop botten in een plas bloed!' beaamde nummer drie.

'Aan de andere kant,' begon de kalmste van het stel, 'als je nou eerst alles eens met je volle verstand overdenkt...' Maar haar knieën knikten en met twee handen greep ze haar haren, krijsend als een varken voor de slacht.

Zo weerkaatsten ze elkaars schrik, steeds wilder, steeds benauwder, als een bal die ze uit alle macht in de lucht moesten zien te houden.

Ondertussen was hun broer het spel allang zat. Eng zijn in je eentje verveelt nou eenmaal eerder dan bang zijn met zijn allen. Dus stak hij zijn armen in de lucht om te laten zien dat hij er genoeg van had. Zijn zusjes zagen dat maaien van zijn klauwen echter als een teken dat de jongen hen nu echt ieder moment kon gaan bespringen. Ze gierden het uit omdat hij zich eindelijk in het spel leek te verliezen en tegelijk konden ze hun plas nauwelijks nog ophouden omdat de beer nu helemaal los was. De jongen werd boos omdat zijn zusjes alleen maar nog doller rondsprongen en riep dat ze moesten ophouden, maar alles wat zij hoorden was een angstaanjagend grommen.

Goed, dacht hij, als ze er dan niet uit zichzelf mee stoppen, kunnen ze het krijgen zoals ze het hebben willen, en hij liet ze eens goed zijn tanden zien. In de paniek die volgde, probeerde hij zijn zusjes met grote sprongen de pas af te snijden. Steeds kwader werd hij omdat ze hem er niet bij wilden hebben en tegelijk wilde hij er al helemaal niet meer bij horen, want wat moet je met mensen die jou niet meer kunnen zien zoals je bent? Hij hoefde maar naar ze te wijzen of ze vlogen de boom in, zo'n macht had hij over ze, enkel en alleen omdat er eentje met het plan gekomen was dat ze bang voor hem zouden zijn. Dit idee was zo verdrietig dat de jongen zich erin verloor. Hij gaf zich over aan zijn woede en ging volledig op in het spel.

De eerstvolgende keer dat de zusjes weer om durfden te kijken, konden ze hun broer niet meer herkennen; alles wat ze zagen was een bloeddorstige beer, want zoals hij gezien werd, was hij geworden.

Over de hele aarde heeft hij ze achternagezeten, totdat ze hun toevlucht zochten in een boom. Ze klommen naar de top, maar hij sloeg zijn scherpe nagels in de bast en kwam ze achterna, zodat ze nergens meer heen konden vluchten, alleen nog recht omhoog. Sindsdien staan ze aan de hemel als sterren. Elke avond kun je daar de vier zusjes van de beer zien. Die vier lichten aan de ein-

der, dat zijn ze. En hun broer is die steile berg daarginds, die zo eenzaam oprijst uit de vlakte, waar hij is versteend met zijn armen naar hen uitgestrekt.

Zo komt elke angst in de wereld, zomaar, omdat iemand op een dag besluit te geloven dat er een gevaar bestaat.

2

God, de leugens die ik in de loop van de tijd heb moeten aanhoren. Elk jaar dook er wel ergens iemand op die beweerde dat hij Cynthia Ann met eigen ogen had gezien, dood, levend of krankzinnig. Van oost naar west tot Canada aan toe kwamen de sporen, en altijd weer liepen ze dood of bleek alles alleen bedacht om een beloning los te peuteren. Dat ik dit keer, na al die jaren, het nieuws over haar nog één keer serieus wilde nemen, was alleen omdat zo'n onwaarschijnlijke boodschapper het kwam brengen.

Eerst herkende ik hem niet. Hij kwam in zijn eentje aanrijden, de laatste week van december, op een boerenkar, stoffig, smerig, een kerel als alle anderen. Hij steeg af, nam zijn hoed af en liet hem aan de rand zo'n beetje door zijn handen glijden.

'Granny Parker?'

'Die is te oud om thuis te zijn voor snotapen die niet eens het fatsoen hebben om zich voor te stellen.'

'Ik hoor het al,' zei hij, 'dat kleine hartje blaft nog altijd van zich af.'

'En wat mooier is,' beet ik hem toe, 'het heeft nog tanden ook.' Ik zat op de veranda. Om de hork te laten zien hoe dankbaar ik altijd ben voor ongevraagd bezoek graaide ik een hemd uit de mand en boog me over mijn verstelwerk alsof ik alweer vergeten was dat hij bestond.

Afdruipen deed hij niet. Hij stond om mijn botheid te grinniken, zoals alleen mensen doen die me lang genoeg kennen. Dat maakte me toch nieuwsgierig. Ik bekeek die vlooienzak nog eens en er was iets aan die scheve grijns wat ik herkende maar niet meteen kon thuisbrengen.

'Het is toch zeker Granny?'

'Niet voor jou, ventje. Voor niemand niet. Dit hier is niemands Granny. Niet sinds God weet wanneer.'

Hij liet zijn hoofd hangen en schudde het, schuurde eens flink met zijn vingers door zijn baard, en had alweer een of ander binnenpretje.

'*Waar trekt ze het van...*' begon hij met een raar stemmetje. Hij pulkte omstandig tussen zijn kiezen, trok er zogenaamd iets taais tussen vandaan en deed alsof hij het voor iemand ophield, '*...gordeldier?*'

'Zebediah,' zei ik. 'Wel verdomme, Zebediah Grimes! God, kind toch, wat heeft het leven jou voor streek geflikt?'

Wat betekent die jongen voor me? Niks toch zeker. Nooit meer een gedachte aan gewijd. Had ik hem niet teruggezien dan was het mij best geweest. Wat zeg ik, dat was me liever geweest. Maar daar stond hij, een man van, nou wat zal hij geweest zijn, halverwege de dertig met de kop van iemand die meer dood dan leven heeft gezien. Waarom zou dat mij aan moeten grijpen, dat alle hoop eruit is? Het zoveelste brutale smoelwerk is verstard, nou en, is dat een reden voor de duivel om de stop uit mijn maag te trekken? Ik voelde mijn kracht er gewoon uit weglopen en naar mijn voeten zinken. Wat is dit voor bestaan hier, dat uiteindelijk alles sloopt en smoren wil? Terwijl hij op me af kwam, voelde ik alle houvast uit mijn vingers glippen, alsof ik op dat moment pas voor het eerst, pas eindelijk echt begreep hoeveel tijd er eigenlijk verstreken was, of nee, niet de tijd, wat kan mij het schelen dat we ouder worden, nee, om ademhalen ging het. Al die moeite die een mens doet om maar door te leven. Zo veel hartslagen verder en wat dan nog, dat is wat die kop naar me schreeuwde. Wat denkt hij wel? Zou ik, na alles wat ik te boven ben gekomen, me nou door zo'n snotjong even laten zeggen dat het allemaal bij nader inzien tevergeefs was? Had ik soms moeten opgeven om een paar van die verbeten groeven rond die lebmond van hem? Zo veel mensen voor wie ik een moord zou doen om ze terug te zien al was het van een afstand, en wat krijg ik, Zebediah Grimes!

'Wat heb ik,' vroeg ik toen hij mij de hand wilde schudden, 'een besmettelijke ziekte?'

Ik wenkte hem en draaide hem een wang toe. Hij drukte er een kus op en heel even raakte zijn gezicht het mijne. Ik was nog niet zo oud als nu, maar toch waren er al zeker vijftien jaar verstreken zonder dat mijn huid die van een ander had gevoeld.

Zebediah had zijn familie al vroeg verlaten en een tijdlang in de buurt van Jacksboro gewoond. Tegenwoordig trok hij rond en verdiende de kost, zoals steeds meer mannen, met de jacht op bizons. Hij schoot er een paar honderd in de maand. Daarvan stroopte hij er zo veel hij kon, nauwelijks de helft. Van het vlees leefde hij en de huiden verkocht hij aan de dichtstbijzijnde handelspost. Het was zijn droom er op een dag zelf een te beginnen, zodat hij direct zou kunnen handelen met de markten in Virginia en New York, waar het soepele leer steeds meer opbracht. Van de rest sneed hij alleen de staarten af. Die leverde hij voor drie dollar per bundel in bij militaire posten, waar ze vanwege de rotting meestal meteen werden verbrand. Het doden van bizons is nooit van hogerhand afgekondigd, maar iedereen was er blij mee en alle commandanten betaalden ervoor. Elke afgeschoten kudde was er een minder voor de indianen, die voor hun voedsel, tenten en kleding volledig van de beesten afhankelijk waren. En hoewel er altijd weer nieuwe bizons opdoken – alleen al op één enkele tocht langs de Arkansas en de Cimarron hadden Zebediah en zijn maten er kort tevoren in een paar dagen enkele miljoenen geteld – was er geen kolonist die bij het zien van een veld vol kadavers geen voldoening voelde omdat de slacht zijn vijand weer een hak zette.

'De laatste maanden heb ik de jacht uitgebreid,' zei hij grijnzend. 'Je weet van de moord op de Shermans?'

'Ik weet dat het om iemand ging die zwanger was.'

'In Stag Prairie, klein boerenbedrijf helemaal in het westen van Parker County. Groep Comanche komt binnen en wil eten. Zij voert ze, maar ze worden wild. Die vrouw probeert haar drie kinderen nog in veiligheid te brengen, maar ze is niet snel genoeg. De indianen halen haar met zwepen neer en beuken haar kop tegen de muur. Als ze het huis hebben geplunderd slepen ze het mens naar buiten, steken haar vol naalden, gewoon voor hun plezier, rukken de kleren van haar lijf en ze beginnen...'

'Ja, het is goed,' zeg ik kortaf, 'ik zie het ook zo wel voor me.'

'Zodra ze allemaal geweest zijn scalperen ze haar, schieten haar vol pijlen en laten haar achter. Ze baart haar kind, natuurlijk zo dood als een deurnagel, maar zelf leeft ze nog vier dagen.'

'Zo gaan die dingen. Ik ken zo veel van die verhalen. Kan ik er iets aan doen? Moet ik iedereen zijn ellende aanhoren?'

'Het was de drieëntwintigste slachtpartij daar in de buurt in een paar maanden. Nou goed, een aantal mannen zet een klopjacht in. Ze alarmeren kapitein Ross van de Texas Rangers, die de daders achternazit tot aan de Pease. Boeren uit Belknap en Jacksboro slaan op de vlucht. Onder de overblijvers worden vrijwilligers geronseld voor een strafexpeditie. Nieuws gaat als een lopend vuur en van alle kanten komen mensen zich bij de militie aansluiten. Kooplui uit Weatherford en Palo Pinto geven ons gratis koffie en bloem en ammunitie voor nop. Mensen staan langs de weg en stoppen ons koek toe en repen droogvlees.'

'Wat had jij daar te zoeken?'

'Ze lieten me het lichaam zien, wat ervan over was. Ze lieten het zien aan iedereen die durfde. Niemand met een ziel in zijn lijf zou daarna nog weigeren. Zesennegentig man waren we samen. Een van ons, Jack Cureton, werd aan het hoofd gezet. In het kamp waren alle mannen uitgelaten, alsof ons iets moois te doen stond. De eerste nachten was iedereen vrolijk. Gedronken werd er en gelachen, alles om het maar niet koud te hebben, want God, hoe bar kan het worden? Alle dagen regen, alle nachten vorst. Een groot deel van de tocht ging door *mesquite*, waaraan onze paarden zich openhaalden, en over diep zand, waarin ze wegzakten, en nergens was drinkwater te vinden behalve in gipspoelen, zodat op het laatst iedereen diarree had. Hoe dan ook, na een week of drie kwamen we bij de Pease. Die doorwaadden we stroomopwaarts een mijl of vijftien, steeds in het spoor van bizons, zodat we niet in het drijfzand zouden vastraken. Daar overnachtten we; Rangers, het leger en de vrijwilligers ieder op een andere plek vanwege de paarden, want er viel nauwelijks iets te grazen. Het wemelde er van de wolven, meer dan ik er ooit bij mekaar heb gezien, zodat we in een rechte lijn moesten liggen, ieder met een vuur om ze af te schrikken. Die nacht heeft niemand een oog dichtgedaan van het gehuil. Volgende morgen, we waren nog aan het opbreken, komt een van de verkenners terug, helemaal rood van opwinding. Heeft hij een stinkdier gevonden, gestroopt, geroosterd, botjes afgekloven, nog geen mijl stroomopwaarts, zomaar bij toeval, gewoon omdat hij even ergens ongezien wou schijten.'

Zebediah zweeg om te kijken hoe dit nieuws bij me aankwam.

'Lieflijk allemaal,' zei ik, 'die details en alles, ik zie het gewoon voor me. Waarom in godsnaam krijg ik dat...'

'Wacht,' hij glunderde, 'het wordt nog mooier.'

'Dat is nauwelijks voor te stellen,' verzuchtte ik vals, maar hij was zo vol van zijn eigen verhaal dat het niet in hem opkwam dat het een ander zou kunnen vervelen.

'Het vuur gloeide nog na. Wie daar ook aan het eten zijn geweest, ze zijn amper tien minuten weg. Vrouwen en kinderen, aan de voetsporen te zien. Ligt er een *hackberry* omver, die ze aan het kaalplukken waren. Hebben onze paarden gehoord of zo, want er staat nog een mandvol die ze in hun haast zijn vergeten. Hebben intussen waarschijnlijk de rest gewaarschuwd, maar ver kunnen ze nooit zijn, dus wij erachteraan. Dan hoor ik raven. Ineens. Lucht is er vol mee. Ze krijsen. Ik ken dat, gek word je ervan, ze ruiken vers bloed en volgen je als je aan het jagen bent. Kortom, ergens in de buurt moet een bizon net zijn neergelegd, dus ik waarschuw Ross. We volgen de rivier, maar een uur later: nog niks. Word ik teruggestuurd om te kijken of Cureton en de rest met de kwartiermakers die eerst nog moesten laden, niet te ver achteropraken. Rij ik een eindje, maar vind ze niet meteen en zin om helemaal terug te gaan heb ik niet, straks mis ik alle actie. Dus ik een heuvel op om verder te kunnen kijken, kom ik boven, loop ik naar de andere kant, zie ik onder me, nog geen tweehonderd meter lager, een Comanche-kamp. Ligt het niet aan de rivier, maar aan een kreekje, slimme sodemieters, om de bocht van een heuvel, net uit het zicht van Ross en de rest. Ze hebben mij niet gezien, want het stormt dat het striemt en overal stuift zand, maar ik hen wel. Helemaal in paniek. Meeste mannen zijn er al vandoor, maar een stel vrouwen staat nog een tent neer te halen. Ik weet hoe snel ze daarin zijn, paar minuten heb ik, hooguit. Dus ik naar Ross. Die verdeelt zijn mannen, één groep krijgt opdracht zich op de heuvel te laten zien, zodat de vrouwen op de vlucht slaan, de andere om ze op te wachten om de bocht van de kreek. Het werkt, ze rennen ons zo tegemoet. Aanleggen en vuren, meer is het niet, aanleggen en vuren.'

Hier viel Zebediah stil. Ik liep naar de put en bracht hem vers water. Hij dronk zonder me aan te kijken, bijna de hele kan. Ik zei niks. Ik ken dat soort verhalen. Je moet ze niet te vaak vertellen, ze maken je mond even droog als je ziel.

'Sommigen konden nog bij hun paarden komen,' ging hij verder, nu langzamer, alsof hij ineens geremd werd door te veel gedachten. 'Maar die waren zo zwaarbeladen, tentpalen, doeken, vleesvoorraden, dat ze maar niet in galop kwamen. Wij haalden ze op ons gemak in en gingen ertussen rijden. Links, rechts, links, het kon niet missen. Lastiger waren de honden die ze bij zich hadden, overal waren ze, stuk of vijftien, twintig, en maar bijten en maar blaffen om hun baasjes te beschermen. Verdommen het om stil te staan die krengen, vier, vijf kogels per stuk hebben we daaraan moeten verschieten. Het geluid alarmeerde een groep krijgers, die meteen rechtsomkeert maakten, en een tijdlang is er fel gevochten, maar uiteindelijk hadden we de meesten geraakt en kon de rest niet anders dan vluchten. We verspreidden ons en gingen erachteraan. Ik zat met Ross en nog een stel anderen een groepje op de hielen, twee vrouwen, die als eersten vielen, en een grote, lange man, die we in zijn rug hadden geraakt, maar die nog leefde. Toen we hem vonden zat hij, één arm rond een boom geslagen om overeind te blijven, te zingen, zijn doodslied, "O zon, jij blijft, o maan, jij blijft, maar wij moeten gaan", je kent dat wel. Op dat moment werd hij herkend door onze tolk, een Mexicaan, die zijn familie aan Peta Nocona had verloren. En verdomd, de man reageerde op die naam, Peta Nocona, en draaide zich naar ons toe, zo goed en zo kwaad als dat ging, maar altijd trots. Ik heb hem eens goed bekeken, want die naam kenden wij allemaal. Zijn bovenlichaam zat vol strepen in alle kleuren en aan zijn hoofdtooi hingen twee adelaarsveren, eentje vermiljoen geverfd, de ander lang en grijs. Overal goud, om zijn armen, om zijn nek. Op zijn borst een gouden plaat met de afbeelding van een schildpad. Beenkappen van leer, de randen afgezet met haar van overwonnen tegenstanders. Ross kon zijn geluk niet op. Misschien zag hij zich met zijn gevangene achter zich aan al door Austin rijden, maar Peta Nocona weigerde zich over te geven. "Niet aan jullie," zei hij. "Me overgeven doe ik zo meteen pas, na dit leven." Hij pakte zijn speer nog op en wierp hem, maar had geen kracht genoeg. Daarop draaide hij ons weer de rug toe, heel rustig, en zong verder. Ross reed weg en liet de tolk, die graag wilde, het werk afmaken.'

Zebediah haalde eens diep adem, knikte en staarde me aan met dooie ogen die intussen iets heel anders zagen. Hij zat erbij alsof het hele verhaal nu gedaan was en hij er even van moest bijkomen, wat ik allang best vond. Ik begreep nog steeds niet waarom hij uitgerekend mij ermee had opgezadeld, maar zo gaan die dingen. Soms moet je iets kwijt, of je wilt of niet. Dan kleeft er iets aan iemand of er hangt een soort verdriet in de lucht waardoor het je gewoon ontglipt. Zo heb ik zelf eens mijn hele verhaal gedaan achter op een boerenwagen uit San Antonio aan een Spaanse non die zendingswerk ging verrichten. Gewoon omdat het mens tegen me aan viel toen we door een kuil reden, een andere reden was er niet, begon ik alles eruit te flappen, dingen die ik nog geen sterveling ooit had verteld, enkel en alleen om de manier waarop die vrouw in de lach schoot toen ze boven op me lag.

Ik dacht dat Zebediah iets dergelijks was overkomen en dat ik nou eenmaal vandaag de gelukkige was geweest, meer niet, en ik stelde voor dat we siësta zouden houden omdat Zebediah wel net zo moe zou zijn van het praten als ik van het luisteren.

'Geen denken aan,' riep hij. 'Ik wil vandaag nog zo ver mogelijk zien te komen, voor het donker toch zeker dertig mijl, zodat we over een dag of twee, hooguit drie in Belknap kunnen zijn. Ik zou zeggen, doe wat je doen moet, pak wat spullen en we gaan.'

Ik moet hem hebben aangekeken alsof hij krankzinnig was, want nu pas drong het tot hem door hoe hij in zijn eigen hoofd was blijven steken en dat ik het enige wat echt belangrijk was nog helemaal niet wist.

'Ze was daar, begrijp je?' zei hij. 'In het kamp, toen we terugkwamen.'

'Wie?'

'Die vrouw. Luitenant Kelliheir had haar gevangen en in leven gelaten, misschien omdat ze een baby bij zich droeg, en hij had er meteen al spijt van ook, want ze vocht als een boskat. Ze had zijn arm en zijn gezicht aan één kant opengekrabd. Hij had haar vastgebonden op haar paard en nog wist ze hem te trappen, en voor onze ogen schopte ze hem keihard in zijn rug. Hij greep zijn pistool, maar Ross beval hem te wachten en liep op het mens toe. Ze stonk. De vrouwen waren slachtvlees aan het snijden geweest toen wij ze overvielen. Ze zat onder het geronnen bloed en alle vuil dat daar weer aan kleefde. Haar gezicht was niet beschilderd. Het leer van haar jurk was opengescheurd, zodat ze halfnaakt was. Ze keek Ross vuil aan, wild, strak alsof ze hem wilde beheksen. Dat is haar redding geweest, want daardoor viel het Ross op. Dat haar ogen blauw waren. "Die is verdomme blank," riep hij, maar niemand wilde het geloven. Om te zien hoe ze zou reageren, nam hij haar mee, met kind en al, naar haar dorp of wat ervan over was. Een aantal soldaten was er aan het plunderen. Ze hadden alle doden, voor het merendeel vrouwen, al gescalpeerd. Overal lagen die tussen onbeschrijfelijke rotzooi: kookpotten, dekens, vlees en bizonhuiden, mocassins en houten kommen, leren tassen met merg, blazen vol soep en worsten, ingewanden gevuld met talk en hersenen. We maakten de gevangene los. Met haar kind op de arm liep ze van het ene lichaam naar het andere. Bij elk knielde ze neer, verslagen, en brabbelde een paar woorden, zodat Ross weer begon te twijfelen. Op dat moment hoorden we geluiden uit het hoge gras aan de kreek en daar plukten we een jongen uit, Comanche, jaar of negen. Begon te huilen omdat ie dacht dat hij zou worden gedood. De vrouw rende op hem af en drukte hem tegen zich aan. Ze zei tegen de tolk dat het haar zoontje was en toen even later twee van onze mannen terugkwamen, die ieder de helft van Peta Nocona's scalp hadden veroverd, vertelde ze dat zij zijn vrouw was en hij de vader van haar kinderen en dat ze zijn lichaam wilde zien. En inderdaad, toen ze erbij stond begon ze me te schreeuwen, verschrikkelijk gewoon. Ze pakte zijn hoofdtooi van de grond, rukte er een van de adelaarsveren uit en bond die in haar haren. Ze begon te zingen en wilde niet meer weg. Je kreeg haar niet meer bij zinnen. Een van ons nam haar baby en reed ermee weg, maar dat leek ze niet eens door te hebben, zo zat ze te jammeren. We hebben haar uiteindelijk op een paard gehesen en reden weg...' Zebediah aarzelde. 'Over de doden reden we. Je kon ze voelen. We reden eroverheen. Waarom weet ik niet. Ze bewogen onder de hoeven. Onder het gewicht werd de laatste lucht uit hun longen geperst. Als zuchten klonk het. Ja, we zijn over die dooie vrouwen heen gereden. Zo gaat dat.'

'Ja,' zuchtte ik, want toen al kon ik het leven soms zo moe zijn, 'ik denk inderdaad dat dat zo gaat.'

'We sloegen ons kamp op in een bos langs de rivier. Daar hebben we haar schoongeschrobd. Haar gezicht, armen en benen, alles was donker en tanig van de zon, maar er zijn stukken, nou ja, bepaalde plekken, je weet wel, waar de zon niet komt, daar is ze gewoon licht gebleven. Ze verstaat geen Engels, niks, geen woord. De tolk heeft haar de hele nacht ondervraagd, maar nee hoor, en dat zoontje is al even koppig. Uren heeft die buiten in de kou gestaan, vastbesloten, zei hij, om dood te vriezen. We hebben hem in een bizonvacht gerold en vast moeten binden aan een paal bij een vuur, zodat hij warm zou blijven. 's Ochtends was ik er maar net op tijd bij. Op een paar draadjes na had hij de touwen gewoon met zijn tanden doorgeknaagd, zo fel.'

'Al die woorden en je zegt er geen moer mee,' snauwde ik hem toe. 'Wat wil je nou van me?'

'Er is een kans dat zíj het is.'

Ik schudde mijn hoofd, nors, woedend dat mensen het je steeds weer aandoen. Als je eenmaal ligt, kun je tenminste niet dieper vallen, maar nee, ze moeten je zo nodig ophijsen.

'Ze heeft precies de leeftijd van je kleindochter, de kleur ogen.'

Ik had me zo vast voorgenomen me niet nog eens door iemand aan te laten praten dat het misschien nog weleens goed zou kunnen komen en toch, verdomd, nu begon er in mijn maag weer zo'n zenuwstorm op te steken.

'Onderweg naar Belknap heeft ze geprobeerd te vluchten. Dat doen wel meer vrouwen. Vaak laten we ze. Goeie kans dat ze hun weg terug vinden. Zijn wij in elk geval van de zorg af. Maar ik ben erachteraan gegaan en heb haar mee teruggebracht. Ik wil eerst zeker zijn dat het niemand is.'

'Waarom heb je haar niet meegebracht?'

'Eind van de week wordt ze vervoerd naar Camp Cooper. Als er vindersloon voor haar is, wil Ross niet dat ik dat op ga strijken. Nou,' vroeg Zebediah, die vent van niks, alsof hij me een plezier deed, 'wat denk je ervan?'

Van alles wat mensen je kunnen flikken, is hoop geven wel het wreedste.

Dat was mijn Kerstmis. Ik en mijn goedgelovigheid! Drie dagen achter op een kar. Op mijn leeftijd. Iedere keer wanneer ik probeerde te verzitten heb ik mezelf vervloekt omdat ik me er toch weer in had laten luizen. Voortaan kom ik voor niemand mijn bed meer uit, dat heb ik mezelf beloofd, behalve voor de man met de zeis.

Toen we eindelijk aankwamen bleken ze de vrouw om wie het ging te hebben opgesloten in een legertent die zwaar bewaakt werd omdat ze steeds probeerde weg te lopen. Een officier liet me voorzichtig door een kiertje kijken. Daar zat ze. Op een houten krat. Wat moet ik ervan zeggen, er was amper licht en ze zat met haar rug naar me toe. Ik kon net het hoofdje van de baby zien die ze op haar armen wiegde. Ze probeerden haar aandacht te trekken door met hun mes tegen hun geweer te kloppen en zo'n beetje met hun tong te klikken, maar ze deed of ze gek was.

'Gelijk heeft dat mens,' zei ik. 'Wat denken jullie dat het is, een kalkoen? Vooruit, maak open, ik ga er wel in.'

Eerst wilden ze me niet alleen naar binnen laten, bang dat ze me aan zou vliegen, maar ik hield vol. Ik moet de eerste moeder nog zien die om zich heen mept met een kind in haar armen. Een kom geitenmelk vroeg ik en een schaaltje bessen. Ik zette het drinken voor de vrouw neer en begon het fruit te prakken. Ze keek op en leek verbaasd een oud mens te zien, maar er was geen herkenning, niet bij haar, niet bij mij. Ik voelde de teleurstelling nauwelijks nog, zo ervaren was ik daar al in. Maar ja, daar stond ik en ik moest toch wat, dus ik haalde mijn vinger door de fruitpap en hield hem voor het mondje van haar baby, maar eerst wilde ze zelf proeven. Misschien dacht ze dat ik er gif door had gedaan. Ze pakte mijn pols en likte even aan mijn vinger, proefde, stak hem toen tot het middelste kootje in haar mond en zoog hem schoon. Toen knikte ze en mocht ik haar jong voeren.

'Hoe heet ze?' vroeg ik om haar uit de tent te lokken. 'Kijk nou, wat een lieve ogen, hoe oud is ze?' Dat soort dingen waarop iedere moeder wel wil reageren, maar er kwam geen antwoord. Ik deed nog een tijd alsof al mijn aandacht voor het kind was, maar tussendoor keek ik de vrouw aan en zocht nog eens goed in dat gezicht. Om iedere vergissing uit te sluiten probeerde ik me voor te stellen hoe mijn engel er na al die jaren en zo veel ellende uit zou kunnen zien. Kon die huid zo hoornig zijn geworden, dat lijfje verworden tot zoiets? Nee, verzekerde ik mezelf, onmogelijk, wat ze ook allemaal heeft moeten zien, heeft moeten meemaken, zo leeg zouden haar ogen nooit worden. Mijn kleindochter straalde altijd. Altijd. Er brandde een vuur in d'r ziel dat een kudde wilde paarden nog niet had kunnen uittrappen! Geen kans dat die ooit zo zou verstrakken, vergroeien zou tot dit, dit...

'Nee,' zei ik hardop, 'het spijt me, het is onzin.' Ik kwam overeind. Ik wilde weg en gaf het mens het schaaltje zodat ze haar kleintje verder zelf kon voeren. Ze begreep het niet. Al die tijd had ze geen woord verstaan van wat ik zei. Ze kwam overeind en wilde me haar kind geven.

'Nee,' hield ik vol, 'het is goed zo. Ik hoef het niet,' maar ze begreep het niet en drong maar aan. 'Hou het zelf,' zei ik bars, 'vooruit, het is allemaal een vergissing, het is mooi geweest, laat me erlangs,' en maakte me van haar los. Ze brabbelde iets, maar kon zich niet verstaanbaar maken. Ik schreeuwde naar de wacht ten teken dat het onderhoud was afgelopen en keek, terwijl het zeildraad aan de buitenkant werd losgetrokken, nog één keer om. Dat rare wezen stond daar zo beteuterd.

'Neem me niet kwalijk,' zei ik, 'het is niks persoonlijks. Het gaat om iemand anders. Iemand die ik zoek.' Een flap van de tent werd opgelicht en de kop van een soldaat keek om de hoek of de vrouw rustig was. Ik knikte haar nog vriendelijk toe. 'Ik had gehoopt dat je Cynthia Ann was,' zei ik, 'mijn kleindochter.'

'Sinsie An...' zei ze. Even dacht ik dat ze mijn verdriet bespotte en me nadeed, maar toen legde ze haar hand tegen haar borst: '*Me*, Sinsie An.'

3

Ik heb het dan mogen beleven. Wat heb ik daar oud voor moeten worden, een eeuwigheid heb ik moeten zien door te komen, jaar in jaar uit, zonder wat voor nieuws dan ook, zonder enige hoop, geen vooruitzicht, niks. Zo veel donkere maanden waarin ik soms mijn eigen koppigheid vervloekt heb, die me al die tijd voor niks in leven had gehouden. Vraag me niet de nachten te tellen waarin ik mezelf heb beloofd dat ik dit keer echt de volgende ochtend niet zou hoeven zien. En elke keer opnieuw die nederlaag bij het ontwaken, als je merkt dat de dag toch weer gewoon is aangebroken terwijl ze daar nog liggen, naast je koud geworden prak van gisteravond, een paar kogels die je van alles hadden kunnen verlossen, als je de moed maar had gehad om dat allerlaatste strootje uit te stampen dat ondanks alles toch nog in je bleek te smeulen. Een lichtpuntje noemen mensen dat, ik noem het lafheid.

Daar stond ze dan, mijn beloning voor al dat blinde wachten: een volwassen vrouw, helemaal verwilderd, die me niet verstaan kon en maar stond te gebaren en op zichzelf bleef wijzen om te zeggen dat zij eigenlijk mijn kleine meisje was.

Ik heb het allemaal gevoeld hoor, de verdoving van geluk, het ongeloof, alles tegelijk.

'Ze is het,' zei ik tegen mezelf, 'ze is het,' en ik bleef het maar herhalen. 'Dit is ze nou, deze hier, dat is ze,' alsof ik iemand moest overtuigen.

En dan de vreugde die daarbij hoort, die tot je schrik, o God, je schande, eerder voelt als een verlamming, omdat je iedere kans op geluk en elke mogelijke opluchting met alle troost en blijdschap zo diep had weggeborgen dat je gewoon niet meer weet waar je het nou ineens nog vandaan zou moeten halen. De verrassing dat het nieuws goed was, schokte me haast dieper dan wanneer het slecht was geweest. Slecht nieuws ken ik. Ik begrijp het. Het lijkt op een oude hond die al zo lang achter je aan loopt dat je er veel van kunt hebben. Verdriet kan zo vertrouwd worden dat het je houvast geeft, maar ik geef het je te doen om overeind te blijven wanneer je enige droom in één klap uitkomt. Je had je zo goed ingekapseld, maar ineens moet je tevoorschijn komen en dan duurt het even, net als bij een pasgeborene, voordat je huid het verschil herkent tussen een streling en een striem, voor je ogen eraan gewend zijn dat de zon zo straalt.

Zo drong het maar langzaam tot me door dat zij niet begreep wie ik was. Ik zéí ook niks. Ik wist niet hoe. Ik deed haar na en legde mijn hand op mijn borst. Ik zei dat zij mijn kleinkind was, maar dat verstond ze niet. Ik gebaarde erbij: jij, kind, klein, ik, wiegen. Ze mompelde wel iets, maar ik weet niet wat. Nog altijd droeg ze op één arm haar eigen kleine meisje, dat de hele tijd maar aan de lange zilvergrijze veer plukte die aan haar moeders haren bungelde. Ineens kwam ze voor me staan en bestudeerde mijn gezicht door samengeknepen wimpers. Ze legde een hand heel even tegen mijn wang. Nu begon het haar te dagen. Ze deed een stap terug, dacht even na, strekte haar ene vrije arm langs haar lichaam en begon te marcheren. Op de plaats. Te marcheren. Links rechts links rechts trok ze haar knieën op. Ze zwaaide haar armen heen en weer: mars-twee-drie-vier op een onhoorbaar ritme.

Ja, wou ik zeggen, maar alles wat ik deed was knikken. Ja.

Wat ben ik, versteend als een fossiel? Natuurlijk hebben we gehuild! We hebben elkaar gekust en vastgehouden met die kleine meid tussen ons in. En zeker wel was dat van blijdschap en opluchting en niet om iets in het bijzonder, maar gewoon om alles wat wij van elkaar niet wisten en niet hadden meegemaakt.

Maar het was ook dat ik haar rook, ineens die geur van talg en looi die uit haar haren opsteeg en de walm die van haar kleren sloeg, die doordrenkt waren met de sappen van dode dieren die zij had schoongemaakt en God weet misschien zelfs van de lijken die zij had omhelsd. Sinds zij gevangen was, had zij zich niet meer willen wassen en om niet te braken moest ik uit alle macht mijn best doen, en dat alleen al, het idee dat ik ooit zou moeten kokhalzen van haar, naast wie ik nachtenlang geslapen heb! Wat dat kind moet hebben meegemaakt en hoe ze haar familie moet hebben gemist. En ik huilde om haar moeder natuurlijk, om Lucy, die toen ook alweer bijna acht jaar dood was en die zo had geleefd voor dit moment dat ze nou niet mee kon maken. En om mijn andere kinderen en niet te vergeten om Martha, die daarvoor al was gestorven zonder dat ik haar nog heb teruggezien, en iedereen die ik heb moeten begraven doemde op dat moment voor me op, en zo liep alles door elkaar, zodat ik uiteindelijk, zoals iedereen altijd, vooral ook om mezelf huilde.

Heel misschien sloop er toen al iets binnen van teleurstelling, dat durf ik niet te zeggen, al was het maar om hoe ze eruitzag. Ze léék niet op de Cynthia Ann die ik in gedachten levend had gehouden. Die was schoon en knap en lachte veel. Slank was die, meisjesachtig, levendig, en ze praatte ook altijd tegen me, gewoon in mijn eigen taal, háár eigen taal. Dit was natuurlijk de eerste schrik, dat ze me niet meer verstond. En ik had zo veel dingen in mijn hoofd, alles wat ik me had voorgenomen voor het geval het ooit zover mocht komen – bij leven en anders voor mijn part daarna –, en de woorden die ik haar 's nachts zo vaak had toegefluisterd als ik niet kon slapen. Dat er heel veel dingen zijn die ze gemist heeft, maar op een andere manier ook niet, niks heeft ze hoeven missen omdat ik haar altijd en overal toch mee naar toe nam in mijn hart en haar dan alles vertelde, soms gewoon hardop als niemand keek, wat ik zag en dacht en meemaakte en voelde, en ik vroeg ook hoe zij de dingen zag, wat ze beleefde en wat zij daarvan vond, maar nu... Wanneer zou het zijn geweest dat ze haar eigen taal verleerde? Hoeveel jaar hebben mijn gedachten zich tot haar gericht in een taal die zij niet meer beheerste? Woorden verspillen aan iemand die er niet is, is één ding, maar als zelfs de schimmen die je oproept in je geest je al die tijd niet hebben verstaan, hoe eenzaam is dat?

Nee, hier dachten we niet aan, dat kan niet, niet op dat moment. Voorlopig waren wij alleen maar blij. We keken maar en keken en we voelden aan elkaar om te zien of het allemaal wel echt was. Ja, zo was het, uitgelaten waren we, nerveus van opluchting dat alles goed zou komen.

Met mijn vingers kamde ik haar haren en ik streek ze uit haar gezicht. Met spuug veegde ik haar wangen schoon tot het bloed erin terugkeerde en ze weer opgloeiden zoals vroeger, rood als appeltjes. Ik ging bij haar zitten en pakte haar handen, die groot en opgezwollen waren, en begon ze te masseren, zoals ik altijd had gedaan wanneer ze bij me in bed kroop. Ze liet me begaan en sloot haar ogen. Misschien zag zij wel iets van vroeger voor zich. Zo hard als steen waren haar spieren en de kussentjes tussen de vingers helemaal koud. Ik stuurde iemand om wat bladeren van een aloë te plukken, brak ze open en smeerde de ruwe huid in met het melksap, en al die tijd wreef ik zachtjes door, een uur, misschien wel anderhalf, eerst de ene hand, daarna de andere en toen haar voeten nog. Hard was alles en ontoegankelijk, en natuurlijk kon ik ook niet zo veel kracht meer zetten als toen, maar langzaam maakte ik wel iets los en telkens kon ik een beetje dieper tot haar doordringen. Bedwelmend werkte het, de zwaarte van onze herinneringen, de aanraking, de overgave en het ritueel van onze handen, die voortdurende beweging om het vocht uit het vel en het gif uit de gewrichten te persen, steeds in kleine cirkels, zachtjes, zachtjes, draaiende vooruit, en dan het spel dat ik speelde met haar vingers, daar moest ze altijd zo om lachen. Die liet ik dan bewegen door de druk op haar handpalm te vergroten, zodat ze een eigen leven leken te leiden, en kijk, ze wist het nog, jawel, dit moet ze nog geweten hebben, want ook nu krulden haar mondhoeken omhoog en ze keek me even aan, dus ging ik door en liet haar naar van alles wijzen, mijn voorhoofd, mijn kin, boem tegen haar neus en boem tegen de mijne, belachelijk misschien maar zo speelden we, met veel bombarie, alsof ze nog klein was. Dit was de betovering van die paar uur waarin we zo veel moesten inhalen, en door mijn hoofd speelde al die tijd maar één verbazing: dat alles zo vertrouwd kon zijn.

Toen haar kleintje wakker werd, ontblootte zij haar borsten, en ik hield het vast terwijl zij het liet drinken en op dat moment waren we dichter bij elkaar dan ooit. Onze voorhoofden raakten elkaar en we keken elkaar aan en ik weet nog dat ik dacht dat de dood me op dat moment gerust had mogen halen – God, had het maar gedaan! – omdat al mijn wensen nu waren vervuld.

Ik liet een veldbed maken en kreeg toestemming van Ross om die nacht bij mijn kleindochter te slapen. Nou ja, we lagen naast elkaar. Geslapen heb ik niet. Ik was te vol van alles en wilde nog zo veel. Ik berekende hoeveel tijd wij overhadden om samen te zijn en ik maakte plannen voor haar herstel en haar geluk. Het eerste wat me te doen stond, was haar weer gewoon te leren spreken. Half en half was ik daar al mee begonnen door alles te benoemen, 'handen, voeten, knie, vingers, ogen, haar' terwijl ik haar kind vasthield, van wie ik nu begreep dat ze het Topsannah noemde, en door heel nadrukkelijk 'goedenacht' te zeggen toen we gingen liggen en dat te herhalen tot ze het zo'n beetje nazei. En ik wilde liefst meteen aan de slag om een jurk voor haar te maken. De volgende ochtend zou ik er iemand opuit sturen om een mooie zachte stof te halen, wit, vrolijk, zodat Cynthia Ann niet langer in stinkende vellen zou hoeven te lopen. Elke dag zou ik haar handen masseren tot ze weer geslonken waren en nooit zouden die meer zwaar werk doen, daar zou ik wel voor zorgen, zodat haar vingers weer zacht zouden worden en als een magnolia zo blank. En als ze dan eenmaal tot rust gekomen was en aangesterkt door al het lekkers dat ik haar voor zou zetten en waarvoor ik de recepten in mijn hoofd al aan het doornemen was, dan zou haar gezicht vanzelf wel ontspannen en de lach zou erop terugkeren en ze zou haar rug weer rechten. Zachtjes, zachtjes zouden we met elkaar omgaan en we zouden ons van iedereen terugtrekken, zodat we nooit meer een lelijk woord zouden hoeven te horen en we nooit meer iemand ook nog maar één klap zouden zien uitdelen, zodat alles voortaan kalm zou blijven in ons leven en we langzaam konden bijkomen en genezen van alles wat ons was aangedaan. Een keer zouden we misschien nog een reis ondernemen, naar Houston wellicht of naar San Antonio, maar alleen op het moment dat we van iemand zouden horen dat daar een van die circussen was aangekomen die tegenwoordig rondtrekken, met acrobaten en wilde dieren, want ze moest nog altijd een keer een olifant zien, dat heb ik haar ooit beloofd nadat ik haar over Old Bet had verteld, hoe oud die was en toch zo sterk en trots en onaantastbaar. Slap van het lachen was Cynthia Ann geweest toen ik geprobeerd had na te doen wat nou eigenlijk een slurf was. Dit is dus het eerste wat ik morgenochtend doe, dacht ik, want dat herinnert ze zich vast, zo met mijn arm aan mijn neus en dan maar slingeren, dat doe ik ja, meteen zodra het licht is.

Ach, ik dacht die nacht zo veel. Het was met gemak de mooiste van mijn leven. Ik stelde me ook voor dat wij voortaan alle dagen samen zouden zingen. Dat had me misschien moeten waarschuwen, want wie zingt er nou elke dag? Misschien zouden we ook weer kunnen gaan zwemmen met zijn tweeën, dacht ik, dat zou voor mij ook goed zijn. Ik wilde wel van alles ondernemen, want ik voelde me voor het eerst in jaren helemaal niet oud. Integendeel. Druk was ik en levendig, alsof de tijd had stilgestaan, alsof al die verspilde jaren niet gewoon verloren waren maar ook werkelijk waren opgelost. En ik zag ook de hele tijd maar beelden, van haar en mij, ik zag ons gewoon voor me, zoals we bij elkaar zouden zitten en hoe ik haar zou verzorgen als ze ziek werd. En ik zag mezelf haar wakker maken, heel voorzichtig, want ze mocht in haar leven nergens meer van schrikken en – krankzinnig, vraag me niet waar ik het vandaan had – maar ik zag ons met een mand de velden in trekken en dan samen bloemen plukken, iets wat ik van mijn levensdagen nog niet gedaan had, maar wat me nou ineens het enige leek wat nog van belang was. Lacherig werd ik ervan en het zoemde helemaal in mij, mijn maag leek wel een bijenkorf, en dankbaar was ik dat me zoiets nog gegund werd. En ineens wist ik het, waar het op leek: op wat een mens overkomt als hij verliefd is. Dat alles mogelijk lijkt. Ik hield ineens weer van het leven, en verdomd, ik hád natuurlijk ook voor het eerst in al die jaren weer iemand om echt van te houden.

Ik draaide me om, zodat ik tegen haar aan kon liggen, en drukte een kus op haar blote rug. En nog een paar. Ze pakte mijn hand, trok hem naar zich toe en hield hem vast, maar ik wist meteen dat ze mijn geluk niet deelde.

'Waar is dat jongetje gebleven?'

Ik schoot de eerste de beste wachtcommandant aan. Het was nauwelijks licht. De bevelhebbers sliepen nog. Een lange slungel was het. Volgens mij had hij gedronken. Hoe dan ook, hij had geen idee wie ik bedoelde. Moet ik daar mijn tijd aan verspillen? Ik vroeg meteen naar Ross, of die in het kamp was en in welke tent.

'Maar dat is de kapitein,' stamelde hij, en probeerde me tegen te houden toen ik eropaf stapte. 'Die kunt u niet storen!'

'Zo moeilijk is dat anders niet,' zei ik zonder te stoppen. 'Ik heb in mijn leven al zo veel mensen gestoord, ik durf te wedden dat het me vandaag weer gaat lukken.'

Hij greep mijn arm, maar omdat ik een vrouw was en zo oud dat ik zijn moeder wel had kunnen zijn, durfde hij niet genoeg kracht te zetten. Ik rukte me los en stapte bij Ross naar binnen.

'Die kleine jongen,' vroeg ik, 'waar is die?'

Ross lag op bed. Hij greep naar zijn kleren, maar toen drong het tot hem door dat hij die niet kon aanschieten zonder dat ik zijn volle glorie te zien kreeg. Dus hield hij ze in een bundeltje zo'n beetje voor zich, als een nonnetje dat betrapt is bij het baden.

'Welke jongen?'

'Haar zoontje.'

Ik vond het onverdraaglijk dat ik niet eens wist hoe hij

heette. Ik kende hem alleen als de lastpak uit dat hele verhaal van Zebediah, en daar had ik in mijn opwinding geen moment meer aan gedacht. Er was in mijn hoofd gewoon geen plaats voor andere gedachten. Tot ineens ergens in die afgelopen nacht, toen ik de snelheid van Cynthia Anns ademhaling voelde, de verstarring in haar lijf en begreep dat zij niet sliep.

'Ik wil weten waar hij is,' herhaalde ik, 'haar andere kind.'

'Van wie, van de indiaanse?'

'Nee,' zei ik, 'van mijn kleindochter.'

Ross keek me aan alsof ik iets geks zei. Die blik. Wat zal het geweest zijn, ongeloof, iets van spot, medelijden misschien?

En nog ontging het me.

Toen ik terugkwam in haar tent zat Cynthia Ann het kleine meisje te wiegen. Ik liet een teil brengen en met warm water vullen. Ik nam het kind van haar over en legde het op de matras. Ik zei mijn kleindochter dat ze zich uit moest kleden. Ik deed het voor en wees dat ze in het water moest stappen. Toen ze eenmaal zat knielde ik naast haar. Ik had op dat moment een moord gedaan voor een van Hollands Parijse zeepjes, maar alles wat ik had waren een schrobber en een bos kruiden.

Hij was weg, die jongen, haar zoontje. Ze hadden hem achtergelaten in het vorige kamp, vertelde Ross, omdat er geen land mee viel te bezeilen. Zodra ze waren opgebroken om verder te trekken en hem los hadden gemaakt zodat hij mee zou kunnen reizen, had het kind om zich heen geslagen en gebeten als een dolle hond. Ze beloofden Cynthia Ann dat ze hem geen kwaad zouden doen zolang zij gedwee zou zijn, maar toen ze op de wagen zat en werd weggevoerd kwam de jongen niet achter zijn moeder aan.

'Je moet het hem nageven,' zei Ross, 'we waren allemaal onder de indruk. Zo flink als hij daar stond, minutenlang, rechtop en zonder een krimp. Zelfs toen zij in paniek raakte en hem begon te roepen is hij niet gezwicht. Zo stond hij, dat jong, vuistjes gebald. Het enige waaraan je kon zien dat het hem te veel werd, was dat hij zich omdraaide. Dat was alles wat hij deed: zich omdraaien en weglopen, niet rennen, nee, heel rustig liep hij de vlakte in. Dat tuig bezorgt ons genoeg ellende, ik hoef het er toch zeker niet met de haren bij te slepen, dus heb ik bevel gegeven door te rijden. "Quanah!" schreeuwde ze, uw kleindochter, "Quanah! Quanah!", maar omkijken ho maar. Ze kunnen zo koppig zijn.'

Ik dacht dat ik het van haar af kon wassen, ik dacht het echt. Dat het een bezoedeling was, die misschien een tijd zou moeten weken, maar uiteindelijk los zou laten en als drab zou achterblijven op de bodem van de teil. Dat het van buiten zat, een aangekoekte korst die ik kon openpulken en afkrabben, een oude slangenhuid die na flink schuren loslaat en leeg wordt achtergelaten. Ik zal ze laten zien, dacht ik toen ik haar in bad deed, wat daar voor prachtigs onder vandaan komt. Ik gniffelde bij het idee hoe zij zich hun ogen uit hun kop zouden schamen, hoe ze allemaal hun woorden zouden moeten terugnemen zodra Cynthia Ann weer zichzelf was en gefatsoeneerd. Alsof ze zich verkleed had zoals vroeger, in een oud laken, en die vermomming nu elk moment kon afrukken, met zo'n glunderend koppie omdat ze ons allemaal beet had gehad. Natuurlijk wisten wij al die tijd dat het niet echt was, maar we hebben het spel meegespeeld om haar nog even in die waan te laten. Zo boende ik en boende ik door en ik boende tot ze rood was.

Ten slotte wilde ik beginnen aan dat haar, vet, stoffig en van bloed en zweet aaneengekoekt. Ik schepte water met een nap en goot het eroverheen. Ik nam wat soda, wreef het in en spoelde het weer uit. God, ze had zo'n prachtige kop haar! Met mijn vingers probeerde ik de knopen te ontwarren en ik begon die smerige veer die ze erin had gebonden los te peuteren.

Ze greep mijn pols.

Ze wilde het niet hebben.

Ik lachte, want ik dacht dat ze een grapje maakte, dat ze wilde stoeien zoals wanneer wij samen baadden toen ze klein was. Ik liet haar en deed net of ik eerst ergens anders bezig ging en toen ze het niet meer verwachtte plukte ik nog eens aan die veer. Weer greep ze me, harder dit keer.

'Stel je niet aan,' zei ik, 'nou is het mooi geweest,' rukte me los en sjorde nog eens aan die stinkende pluim.

Ze schreeuwde en stond op.

'Wat is dat?' riep ik, en ik probeerde haar terug te duwen in de teil, 'Wat moet je met dat ding? Zo kan ik je haren toch niet lekker wassen, ga zitten, kind, vooruit, we maken je weer mooi.'

Ze verdomde het gewoon. Ze week voor me terug en stapte uit het water, dat over de grond klotste. Toen ik mijn handen naar haar uitstak weerde ze me af alsof ik haar geweld wou aandoen.

En nog drong het niet door.

Ik gooide haar een doek toe zodat ze zich kon afdrogen en liep naar buiten om de commandant om een schoon hemd te vragen en wat andere kleding die ze zou kunnen dragen totdat ik een jurk voor haar gemaakt had.

Toen ik terugkwam was ze met haar kleintje verdwenen. Ik was niet meteen ongerust. Ze had haar oude gore kleren aangedaan. Ik dacht dat ze even was gaan plassen in de bosjes aan de rand van het kamp, en toen het te lang duurde ben ik gaan kijken of ze misschien een van de andere tenten binnen was gegaan. Ik vroeg aan een soldaat of hij haar gezien had. Hij gaf niet eens antwoord maar sloeg direct alarm. Een groep van twintig werd bewapend en reed uit.

'Laat ze haar alsjeblieft geen pijn doen,' zei ik tegen Ross, 'in godsnaam. Waar is die hele heisa nou voor nodig?'

'Ze wil maar één ding en dat is naar huis.'

'Uiteraard,' zei ik nog stompzinnig, 'wat dacht je dan? Natuurlijk wil ze naar huis!'

'En dan zijn ze tot alles in staat. Wij hebben dit vaker aan de hand, mevrouw, en ik zeg u: niks maakt ze zo onberekenbaar als heimwee.'

En ja hoor, eindelijk, ik begreep hem.

Cynthia Ann had gedaan wat iedere moeder zou doen, niet anders dan ik zelf had willen doen toen ze háár bij míj weghaalden. Als ik die dag niet aan de grond had vastgezeten, was ik ook de vlakten in gerend om haar te zoeken. Dit had ik moeten inzien, maar ik kon het niet, net zomin als ik de vergelijking trok tussen die ontvoering en deze. Die eerste keer dat Cynthia Ann met geweld werd weggerukt had ze ons moeten achterlaten, de tweede keer haar kind. Toch leek het ene me een misdaad en het andere een redding. Zo zag ik dat. En ziet zij dat anders, dacht ik, dan is dat van verdriet. Het enige wat me te doen staat, is van haar houden. Ja, zo stond het me voor ogen. Ik hield nog meer van haar dan ooit en nam me voor haar hoogstpersoonlijk alle liefde te verschaffen die zij nog had in te halen.

Een uur later was ze terug. Drie man moesten haar vasthouden, zo vocht ze. Ze durfde me niet aan te kijken. Ze werd op een kruk gezet. Er kwam een nieuwe tolk, een Mexicaan, Martínez, die haar aan het praten kreeg.

'Ze houdt van u,' zei hij, 'ze herinnert zich u.'

'Dat mag ik toch verdomme hopen.' Ik probeerde er een beetje bij te lachen, vriendelijk, in de hoop dat ze zou kalmeren, maar de spieren in mijn gezicht reageerden niet.

'Ze weet nog dat ze lang geleden in een huis woonde met een omheining helemaal rondom.'

'Dat klopt, ja, houten palen helemaal rondom, maar daar gaat het toch niet om?'

'Ze houdt van u, maar met u meegaan kan ze niet. Ze heeft nu kinderen en haar leven is bij hun familie.'

'En ik dan,' vroeg ik, 'heb ik geen leven dat ik leven moet?'

Hij vertaalde het, maar er kwam geen antwoord.

'Ze is alles wat ik heb.'

Ook dat vertaalde hij.

Niks.

'En nu?' vroeg Ross.

Ik dacht na.

'Breng me een bowiemes,' zei ik.

Hij keek me aan, zo geschrokken dat ik bijna zelf begon te twijfelen. Maar als ik iets in mijn kop heb, heb ik het niet in mijn kont.

'Vooruit, sta niet te staan, geef me een mes en laten ze haar stevig vasthouden.'

Hij schatte me in maar gaf ten slotte een hoofdknikje, waarop een van de anderen me zijn dienstmes aanreikte.

Ze hielden haar vast, twee man aan iedere kant en een om haar benen stil te houden.

Ik ging achter haar staan.

Ik sneed de veer uit haar haren en gooide hem op de grond. Daarna pakte ik een andere pluk en sneed hem af en zo sneed ik verder, lok na lok, maar mooi werd het niet.

4

Ze hebben weleens geprobeerd mij in een trein te krijgen. Over tweeëndertig mijl hadden ze gedacht me te gaan vervoeren, van Harrisburg aan de Bayou naar Richmond aan de Brazos. Ik denk er niet aan! Het waren de eerste rails die hier waren gelegd en het liep nog lang zo'n vaart niet als tegenwoordig, maar ik moet het nou eenmaal niet hebben. Ze durfden nog aan te dringen ook, die lui van de spoorwegen. Minder dan drie uur zou het kosten, in plaats van dagen heen en weer geschud te worden over koeienpaden en karrensporen. Ik heb ze laten weten wat ik liever had tot ze wit wegtrokken van spijt dat ze erover begonnen waren. Voortrazen zonder dat je er zelf iets over te zeggen hebt. Vastzitten op een pad waar je niet meer af kunt. Recht op het eind af denderen zonder er nog uit te kunnen. Mij niet gezien. Het doet me te veel aan leven denken.

'Heb je er weleens aan gedacht,' zei Holland eens, geen idee meer waar het was, ergens onderweg in de maanden dat we samen op pad waren, 'heb jij er weleens rekening mee gehouden, Sallie, dat je misschien zou kunnen vergeven?'

Er waren wolven in de buurt, dat weet ik nog wel, of nee één wolf. Eén maar, dat was juist zo vreemd. Ja, het was midden op de dag en we reden door een eindeloze droogte. Dat dier herinner ik me. Het liep al uren achter ons in de hoop op wat etensresten. Als we stilhielden, bleef hij op een afstand toekijken. En ik weet nog dat ik de hele tijd maar dacht: waar zou de rest zijn?

Dit was wat ik dacht nadat Holland die vraag gesteld had: waarom is dat stomme beest niet bij de andere, dacht ik, maar eigenlijk wist ik het en ineens voelde ik me zo veel dichter bij hem dan ik me bij Holland voelde.

'Vergeven...' Ik herhaalde het alsof ik erover na moest denken.

Natuurlijk wist ik niet hoe dat mottige beest was afgedwaald en of hij nog hoop had de rest van de roedel terug te vinden. Het enige wat hij wou was eten. Ik leunde naar achter, reikte in de bak en grabbelde rond.

'Vergeven,' zei ik, 'nee, dat gun ik ze niet.'

Mijn vingers vonden de zak met droogvlees. Ik deed een greep en wierp een paar repen naar buiten.

Holland schudde zijn hoofd.

'Maar Sallie lief,' verzuchtte hij zacht, 'daar gaat het toch niet om.'

Een mens kan nou eenmaal niet zomaar uit- en overstappen. Als er onderweg al plekken zijn waar je misschien nog een afsprong had durven wagen, ben je er al voorbij voordat je het doorhebt. Bovendien, waarheen kan een mens anders kijken dan vooruit?

Om haar terug te krijgen zou ik Cynthia Ann moeten leren bereiken. Als ze me maar kon verstaan, zei ik tegen mezelf, dan zou ze wel kalmeren. Ze zou dingen herkennen uit mijn verhalen over vroeger en langzaam maar zeker weer aan me wennen. We zouden de oude rijmpjes kunnen opzeggen, en als het nodig is, dacht ik, dan leer ik haar alle kinderliedjes gewoon nog een keer opnieuw, zodat we samen kunnen zingen, en ze zou zich weer bij me thuis gaan voelen, zodat ze de verschrikkingen van haar wilde leven die nu door haar hoofd spoken zou vergeten. Is het niet afdoende de buitenkant aan te pakken, goed, dan gaan we van binnenuit te werk.

Holland had weleens geprobeerd mij wat gebarentaal te leren. Ik dacht dat het uit verveling was. Een spelletje om de eentonigheid van onze lange tochten te breken. Ik zag het nut ervan niet. Zodra we die taal nodig hadden was hij er altijd om het woord te doen. En vooral: het was de taal waarin de moordenaars van John, terwijl ik voor ze op de grond lag, zich vrolijk hadden gemaakt over mijn verdriet. Moest ik daarop studeren? Af en toe aapte ik Holland na om hem een plezier te doen, maar waarom hij soms zo aandrong, waarom hij geïrriteerd raakte dat ik niet beter mijn best deed, dat heb ik nooit begrepen. Totdat ik tegenover Cynthia Ann stond. Sindsdien vervloek ik mezelf dat ik toen niet beter heb opgelet. Geen idee of Holland misschien, zonder het te willen zeggen, voorvoeld had dat ik haar, die ik boven alles liefhad, op een dag zou terugkrijgen als een van hen die ik zo lang heb gehaat.

Het weinige wat ik van zijn lessen had onthouden zat in mijn lijf, niet in mijn kop. Alsof ze wilden meepraten kwamen mijn spieren bijna vanzelf in beweging, soms uit ergernis als ik een pleidooi hield dat Cynthia Ann niet verstond, soms ook zomaar, midden in de lange stiltes, wanneer wij bij elkaar zaten, verlegen met onze eigen onmacht, dan ineens haakten mijn middelvingers als ringen in elkaar – 'vriend' – of omklemde mijn rechterhand de vingers van de linker en liet ze – 'vergeten' – dan ontglippen.

Af en toe antwoordde ze op een soortgelijke manier, maar vaak begreep ik haar niet. In gebaren lukte het me niet haar te laten weten wat ik voor haar voelde. Om dat op een dag duidelijk te kunnen maken, besloot ik, zou ze haar eigen taal opnieuw moeten leren spreken. Sterker, alles wat ze was vergeten zou haar van begin af aan weer moeten worden bijgebracht, en meer, de scholing die ze in de jaren van haar gevangenschap had moeten missen, zou haar nu alsnog gegund moeten worden. Ach, ze was altijd zo bijdehand geweest, de slimste van ons allemaal, en met de juiste scholing zou ze de achterstand niet alleen inlopen, ze zou ons vast en zeker allemaal voorbijstreven. Alle kennis van de wereld zou voor haar openliggen, misschien zou ze boeken kunnen leren lezen en muziek kunnen maken en tekenen en al die dingen doen waarmee die vrouwen uit de geïllustreerde bladen in Parijs hun tijd zoekbrengen, en daarin zou ze troost vinden, een compensatie voor alles wat ze had moeten lijden. Zo zat ik maar te denken in mezelf, en omdat ik mijn plannen niet aan haar duidelijk kon maken, hield ik ze binnen, waar het gewoon begon te gisten en te jubelen. Zo was het. De mogelijkheden en de omvang van de hele onderneming brachten me in een roes. Als je haar op dat moment zo zag zou je het niet zeggen, maar er lag een leven vóór haar zoveel beter dan het mijne!

Cynthia Ann merkte wel hoe ik om mijn binnenpretjes straalde. Het leek net of ze het voelde, mijn vertrouwen in haar toekomst, en of het haar goed deed, want na een paar dagen kwam ze tot rust. Ze deed echt haar best om zich de woorden in te prenten die ik voorzei. Maar ik was ongeduldig. Het ging me niet snel genoeg, en zelfs al had ik haar in een jaar tijd alles kunnen bijbrengen wat ik wist, ik wilde meer van haar. Ze moest niet worden zoals ik, maar zoals ik had willen zijn. Daarvoor zou ze onderwezen moeten worden. Maar hoe, door wie en waar moest ik dat van doen? Ik leefde van het land en de goedheid van mijn buren. Ik heb daarover nooit geklaagd, maar voor die schat van me was het me ineens niet goed genoeg. Op een nacht, toen de teleurstelling aan mijn maag begon te knagen, besloot ik dat ik hulp moest zoeken, en de enige die me te binnen schoot was Sam Houston.

De volgende dag, toen ik Ross liet weten dat ik met Cynthia Ann naar Austin wilde reizen om de gouverneur te spreken, wilde hij niet dat ik alleen met haar zou gaan en stuurde Zebediah met ons mee. Hij vond mijn kleindochters gedrag nog steeds te onbetrouwbaar. Bovendien waren er onlusten in de stad vanwege de politieke ontwikkelingen.

Ik wist van niks. Wat er verderop in de wereld gebeurt, is alleen van belang voor mensen die zelf niks meemaken.

Maar Ross hield vol dat het gewichtig was en legde het me zo uit: zoals iedereen hier gevreesd had, was Abe Lincoln afgelopen november tot president van de Verenigde Staten gekozen. Uit Texas had hij geen enkele stem gekregen en amper honderdduizend uit de overige zuidelijke staten. De abolitionisten in het Noorden waren nu dus aan de macht. Een serie geheimzinnige branden had de Texaanse gemoederen al eerder verhit. In de buurt van Waxahachie en Denton waren boerderijen en schuren aangestoken, waarop de kranten berichtten dat de daders uit het Noorden kwamen en dat dit pas een voorbode was van wat ons te wachten stond als de afschaffers van de slavernij het voor het zeggen zouden krijgen. Ingezonden stukken volgden met verschrikkelijke verhalen over slavenopstanden en politici die waren vergiftigd. In Dallas is daarop een aantal negers opgehangen door een woedende menigte en in Fort Worth hebben ze drie blanke mannen gelyncht omdat ze het met zwarte vrouwen hielden. Inmiddels hadden al vijf zuidelijke staten zich afgescheiden, en ook in Texas klonk overal opnieuw de roep om onafhankelijkheid. Alleen Sam Houston lag weer dwars. Hij had het verdomd een conventie bijeen te roepen om de afscheiding te bespreken, maar zijn eigen partij, de democraten, had – tegen de grondwet in – er nu zelf een afgekondigd, zodat op dat moment vanuit de hele staat militante groepen naar de hoofdstad optrokken om afscheiding te eisen.

Zo stonden de zaken ervoor, zei Ross en hij stelde voor dat wij met onze reis zouden wachten tot de gemoederen waren gekalmeerd.

Ik heb hem eens aangekeken.

'Na wat wij hebben meegemaakt,' zei ik, 'dacht je dat wij terugschrikken van een paar boeren met hooivorken?'

De ongeregeldheden, probeerde hij nog, zouden Cynthia Ann te veel kansen bieden om alsnog te vluchten en in de massa te verdwijnen. Ik lachte hem in zijn gezicht uit en zei dat mijn kleindochter inmiddels weer helemaal aan me gewend was, dat zij net als ik zover was dat ze niet meer wilde omkijken, enkel nog vooruit.

Naarmate we Austin dichter naderden, kwamen we steeds vaker oude vlaggen met de Texaanse ster tegen. Groepjes ongeregeld hadden hem aan de dissels en de huiven van hun wagens gebonden of aan de achterbogen van hun zadel bevestigd. Sommige ruiters hadden hem als een cape rond hun nek geknoopt en ik heb er een gezien die van een staak een standaard had gemaakt die hij omhooghield, strijdvaardig als een cavalerist bij een aanval.

We bereikten de stad tegen zonsondergang. De eerste die merkte dat er iets aan de hand was, was Cynthia Ann. Ze staarde geschrokken naar de huizen in de verte, waar voor mijn ogen nog niets te zien was, week achteruit en kroop als een bang dier weg in de wagen. Ik ging naar haar toe en hield haar vast, maar ze liet zich niet kalmeren. Ondertussen viel de avond en zag ik het zelf ook: een vuurgloed, die in lange rode lijnen boven de daken uit straalde, alsof de straten in brand stonden. Toen we dichterbij kwamen konden we de lichten beter onderscheiden; fakkels waren het, duizenden, waarmee de opstandelingen elke avond in lange optochten rondtrokken.

We vonden onderdak bij John Henry Brown, eigenaar van een krant die een paar kolommen had gewijd aan de vondst van Cynthia Ann. Hij was zelf te druk met de conventie om ons te ontvangen, maar zijn vrouw was van het soort dat niet genoeg omhanden heeft om zichzelf bezig te houden. Zij sloeg nog voor we binnen waren een arm om Cynthia Ann heen en leidde haar bij me vandaan alsof het haar kleindochter was en niet de mijne. Ze trok haar naast zich op een bankje, keek haar nog eens hoofdschuddend aan en moest op haar lip bijten om zich goed te houden.

'Stel je toch voor,' jammerde ze tegen mij, 'stel je nou toch gewoon eens voor.'

'Maakt u zich geen zorgen,' zei ik droog, 'ik héb het me voorgesteld, heel lang en haarscherp.'

Ze gaf me een knik van verstandhouding, bemoedigend, alsof wij zij aan zij uit hetzelfde dal moesten klauteren. Met gesloten ogen duwde Mrs. Brown het arme kind tegen haar boezem en ook verder bleef ze zich opdringen als een barmeid op zoek naar bijverdienste. Ze brabbelde tegen haar en probeerde haar de hele tijd maar aan het lachen te krijgen. Ik denk dat ze de begrippen indiaans en infantiel verwarde, want ze stelde zich aan als een opoe boven een wieg. Midden in die voorstelling werd het haar te veel. Ze wendde haar gezicht af, sloeg haar ogen ten hemel en begon te huilen.

Ik heb geen hoge pet op van mensen die je willen troosten. Best mogelijk dat andermans ellende ze echt raakt, prachtig, waarom niet, maar dan toch vooral vanwege het idee dat hun iets soortgelijks zou kunnen overkomen en hoe zíj zich daaronder zouden voelen. Dit is niet hetzelfde als je verplaatsen in een ander, eerder het tegenovergestelde. Het gaat ze nou eenmaal makkelijker af de situatie op zichzelf te betrekken en zich voor te stellen welk effect die op hun eigen leven zou hebben dan het gevoel van de ongelukkige te doorgronden en dáárop te reageren. Misschien dat medeleven verdriet kan verlichten, medelijden maakt het in elk geval alleen maar zwaarder.

De volgende ochtend lokte Mrs. Brown ons haar slaapkamer binnen. Daar stond een teil warm water klaar die naar rozenwater geurde. Ik zei dat dit niet nodig was omdat mijn kleindochter en haar kind brandschoon waren, maar Cynthia Ann stribbelde niet tegen. Klein en verlegen stond ze overdonderd door het vreemde mens. Na het bad trok mevrouw haar mooiste kleren uit de kast en bleef nog wel een uur bezig Cynthia Ann en Topsannah daarin op te tutten, glunderend als een klein meisje dat in de weer is met haar poppen. Tegen elven, toen de eerste belangstellenden arriveerden, bleek ook nog dat ze haar vriendinnen had uitgenodigd om met hen te pronken. Eerst kreeg iedereen thee van blauwe bessen met pompoencake en de kans om mij over ons ongeluk uit te horen.

Toen mijn meisje dan uiteindelijk naar beneden kwam, geurend fris zoals ik me haar goed herinnerde, mooi gemaakt zoals ik haar mooi had willen maken, gekleed zoals ik dat zelf had willen kunnen doen omdat ik vond dat zij dat zo verdiende, leek ze droeviger en meer misplaatst dan ooit. Halverwege de trap bleef ze staan en keek me aan, half smekend, half verongelijkt. Zo stond ze daar boven me, Topsannah op haar arm en een hand met wit weggetrokken knokkels om de trapleuning geklampt.

En die vrouwen om ons heen maar klappen, elkaar aanstoten en kreetjes slaken. Dit moet het moment zijn geweest waarop ik eigenlijk al wist dat wij bij voorbaat allebei hadden verloren.

Het nieuws dat Cynthia Ann in de stad was, ging rond als de kippenziekte en de hele ren liep uit om over het fenomeen mee te kunnen kakelen. Alsof de conventie bij de Browns thuis werd gehouden in plaats van in het Capitool, zo veel nieuwsgierigen kwamen eropaf. Uiteindelijk heb ik die arme schat gewoon bij de arm gepakt en bij haar belagers vandaan getrokken. Samen zijn we de straat op gegaan en in de richting gelopen waar het meeste rumoer vandaan kwam, maar we waren de hoek nog niet om of Mrs. Brown kwam ons achternagehold om niks te hoeven missen.

Zodra we op Congress Avenue kwamen, greep Cynthia Ann mijn hand vast. Zoals vroeger. Ze was nooit in een stad als deze geweest. Toen zij bij ons werd weggehaald bestond zoiets helemaal niet. Gebouwen van steen waren haar onbekend. De hoge muren en het straatgeluid dat ze weerkaatsten, maakten haar nerveus, evenals het drukke verkeer, want ruiters en wagens reden af en aan, maar ik probeerde haar te verzekeren dat alles wat wij deden voor haar bestwil was.

Een brede laan voerde naar de top van een heuvel waarboven drie verdiepingen hoog het Capitool torende, de kalksteen blinkend in de zon. Het werd bekroond door een enorme koepel, en we gingen er binnen door een voorportaal met vier zuilen zo hoog als bomen. Over een brede stenen trap werden we naar de tweede verdieping gevoerd. Daar werd ons gevraagd te wachten in een zaal met grote tafels en langs de wanden spiegels en gouden kroonlijsten, alsof we rondliepen in een van Holland Coffees Parijse illustraties. Cynthia Ann liep naar een schilderij dat een bos voorstelde met een waterval en mensen aan de rand van een meer, en heel voorzichtig legde ze haar handpalm tegen het doek. Met haar vingers gleed ze er lichtjes overheen. Het was alsof onze gedachten tussen die met zijdestof bedekte muren werden gedempt en al die weelde een belofte voor ons inhield, en ik zei tegen mezelf dat ik ondanks alles nooit mocht opgeven.

Een bediende opende twee deuren naar een balkon dat uitzicht gaf op de hal van afgevaardigden daaronder, waar de vergadering in volle gang was. We namen plaats, en ik probeerde de betogen te volgen, maar dat viel niet mee omdat de mannen voortdurend door elkaar heen schreeuwden.

Ik schreef een briefje en liet het door een bode aan Sam Houston brengen met de vraag of ik hem kon spreken. Ik had hem niet zomaar kunnen ontdekken in de menigte, en zelfs toen de bode mijn briefje aan hem overhandigde, herkende ik de staatsman niet meteen. Hij las mijn woorden en keek omhoog.

Oud was hij geworden. Er was me al verteld dat hij ziek was. Bijna vijfentwintig jaren waren verstreken sinds ik hem bij Washington-on-the-Brazos gezien had in zijn gloriedagen. Hij mocht dan nu de gouverneur zijn, omdat hij zich had verzet tegen deze bijeenkomst zat hij als gewone waarnemer tussen de massa en hield zich stil. Unionisten waren er sowieso nauwelijks en als er een durfde op te staan kreeg hij amper kans om te spreken. Soms werd er gejoeld en regelmatig vlogen hoeden door de lucht en erger.

'Wij hebben het toch met eigen ogen gezien, mevrouw.' Houston hijgde amechtig. Ik stond hem boven aan de trap op te wachten, maar de klim viel hem zwaar. 'U en ik. Met eigen ogen. Wij waren erbij. Toen dit land van ons almaar verder uitdijde vanuit de wildernis van Tennessee de Mississippi over.' Hij nam mijn arm en samen staken we de hal over. 'Terwijl het zijn grenzen oprekte van Texas tot de Rockies. En al die tijd is het binnen de vereniging van staten onafhankelijk gebleven. Rijker geworden, sterker. Zeg me, is er een vrijheid die we niet hebben? Zijn onze rechten soms aangetast, heeft de regering ons misschien onbeschermd gelaten? Nee! Wordt ons iets opgedrongen? Onze vrijheid van meningsuiting, persvrijheid, stemrecht, worden die aangetast? Welnee! En toch hoor je ze overal roepen om al die verworvenheden die ze allang hebben. Zo maken ze elkaar gek en nu staan ze op het punt hun werkelijkheid in te ruilen voor een waanidee. Daar, de menselijke geschiedenis in een notendop.' Hij zuchtte kreunend, alsof hij zijn gedachten met geweld van het staatsbelang moest losscheuren, en keek me aan. 'Nou vooruit, waar is ze?'

Cynthia Ann was gaan zitten, niet in een van de fauteuils maar in een hoekje op de plankenvloer, en had haar borsten ontbloot om Topsannah te voeden. Toen wij binnenkwamen toonde ze geen enkele schaamte.

'Het is goed,' zei Houston, die voelde hoe ik schrok, 'ik ben eraan gewend.'

Maakte dat mijn schaamte soms minder? Dat het er zo aan toe is gegaan in zijn jonge jaren tussen de Cherokees, maakte dat het minder ongepast? Is een schande minder schandelijk als hij vaker wordt bedreven?

Hij liep naar haar toe en boog even voorover. Hij aaide het kleintje over haar wang en glimlachte.

Mijn lieve meisje naakt voor de ogen van die oude man! Ik wilde niet hebben dat hij naar haar keek. Onverdraaglijk dat hij door haar vertederd zou raken zoals mensen vertederd raken door een varken dat net heeft geworpen. Ik was juist zo trots op haar. Zo trots. Ik wilde niet dat hij haar zag als de blanke wilde die ze was geworden, niet beklagenswaardig, niet als een bezienswaardigheid zoals al die anderen haar zagen. Hij moest haar zien zoals ik haar zag, als de jonge vrouw die ze misschien, met mijn liefde en zijn hulp, op een dag weer zou kunnen worden. De vrouw die ik van kind af aan in haar herkend heb. Slim en sterk, schoon en knap, iemand om lief te hebben, de vrouw die mij in gedachten al die jaren op de been had gehouden. Ik gebaarde naar Cynthia Ann dat ze zich moest bedekken en toen ze me niet snel genoeg begreep, ging ik breeduit voor haar staan. Ik pakte haar het kind af, zette het op de grond en trok met twee handen de bovenkant van haar jurk omhoog, in mijn zenuwen zo driftig dat ik de naden hoorde scheuren.

Op dat moment werd er door de afgevaardigden beneden in de zaal een nieuwe stemming uitgebracht, waarvan de uitslag flinke commotie teweegbracht. Ik merkte dat Cynthia Ann schrok van het gejoel. Misschien kwam het ook door mij. Ik had haar eerst gerust moeten stellen, mijn excuses moeten aanbieden, maar ja, mijn belang, al mijn gedachten waren bij het gesprek met Houston waarvan haar hele toekomst afhing.

Hij was aan tafel gaan zitten en nodigde me tegenover zich.

Ik zag wel dat Cynthia Ann de hele tijd gespannen Topsannah in de gaten hield, die inmiddels rondkroop over de vloer en zichzelf vermaakte met de zware kwasten van het tafelkleed, die ze telkens met beide handjes wegsloeg om dan te kirren van plezier als ze weer terugzwiepten. Misschien is me uit een ooghoek ook nog wel opgevallen dat ze haar kind oppakte en langzaam achteruitweek naar een hoek van de kamer om weg te komen uit mijn blikveld, maar ik richtte me op de man die onze enige hoop was.

Ik schetste hem haar onvoorstelbare lijdensweg en zei hem wat mijn droom was en wat mijn wensen waren voor haar toekomst. Hij herinnerde zich mijn man, diens zonen en ons verhaal, en toen ik hem mijn huidige situatie uit de doeken deed, zag hij in dat mijn kleindochter zonder ondersteuning geen mogelijkheid zou hebben het heft van haar leven ooit weer in handen te krijgen.

Ik kreeg de indruk dat het gesprek hem goed deed, misschien omdat het hem afleidde van zijn zorgen om het land. Tussen alle afbraak bracht ik hem een kleinigheid om op te bouwen. Wat dat betreft hadden we op geen beter moment kunnen komen. Hij was het met me eens dat het zaak was haar eerst haar taal opnieuw aan te leren, en kwam met ideeën voor haar scholing. Tot mijn vreugde stelde hij voor dat hij haar zaak persoonlijk bij de rekenkamer zou bepleiten, en bij dat idee lichtte zijn gezicht op. Hij ging er eens goed voor zitten en we begonnen te fantaseren over haar toekomst en alle geluk dat haar nog toe zou komen.

Opnieuw werd er in de assemblee gejoeld, zo hard dat we even moesten zwijgen omdat we ons niet meer verstaanbaar konden maken.

Toen moet het gebeurd zijn.

Cynthia Ann moet dat lawaai benut hebben om stilletjes de deur open te maken en weg te glippen. Op de trap is ze Mrs. Brown nog tegengekomen, maar die heeft zich natuurlijk laten overdonderen. Aan dat soort vrouwen heb je niks. Omdat ze nooit iets hebben meegemaakt, voelen ze niet aan wanneer er onraad is. Uit Cynthia Anns gebaren maakte ze op dat het kind verschoond moest worden, dus heeft ze haar laten gaan.

Zodra ze met Topsannah buiten was, heeft ze het op een rennen gezet.

Al die tijd was ik nog in gesprek met Sam Houston. Pas toen beneden in de vergaderzaal een aantal afgevaardigden op de vuist ging, Houston opstond en naar het balkon liep om te zien wat er aan de hand was, merkte ik dat mijn kleindochter was verdwenen.

De deur stond nog op een kier.

Houston keek hoofdschuddend en met gebogen schouders neer op de politieke chaos.

'Ach,' was het laatste wat ik hem hoorde verzuchten voor ik de gang op rende, 'als de mensen toch eens zouden leren hun leven te nemen voor wat het is.'

5

Van alle plaatjes in de Parijse bladen die Holland vroeger voor me meebracht uit Louisiana, waren die van schilderijen en beeldhouwwerken me het liefst. Veel kon je er niet aan zien. Iemand had ze nagetekend zodat ze konden worden afgedrukt. Af en toe zag je een stukje van de zaal van een of ander stadspaleis waar ze tentoon werden gesteld. Soms kon je iets van de draperieën ontdekken die eromheen hingen of hun reflectie in een spiegel met allemaal engelenkopjes en krullen. Verder stelde het niks voor. Ik denk niet eens dat het erg leek. Hoe al dat moois in het echt was, wist je eigenlijk niet. Ze hadden geen kleur, geen diepte, je zag geen glans. Hoe groot ze waren, waarvan ze werden gemaakt, geen idee. Van de steden waar ze zich bevonden had ik nog nooit gehoord, van de kunstenaars al helemaal niet en van de landen waar ze vandaan kwamen kon ik me amper een voorstelling maken. Ik wist dat ik er nooit zou komen, dat ik die fruitschalen en vergezichten, die bijbelse taferelen vol wulpse naakte lijven nooit in het echt zou kunnen zien. Maar ze bestonden! Daar ging het me om. Ik wist dat ze ergens op de wereld waren. Er waren mensen die dergelijke droombeelden in hun geest hadden gezien en ze daarna hadden verwezenlijkt, en andere mensen keken daarnaar, elke dag, en genoten ervan. Ik had míjn leven. Daar was niets moois aan. Maar die plaatjes drongen erin door. Berichten uit een betere wereld. Ze deden me goed, zoals Old Bet me goed deed toen ik klein was, omdat ze me eraan herinnerden dat het niet overal hetzelfde is.

Iets dergelijks heb ik met sommige gevoelens. Ik weet dat ze bestaan omdat ik er ergens een afschemering van heb gezien. Ik kan me er zelfs nog wel een voorstelling van maken, maar ik kan er niet bij. Zo weet ik best dat er zoiets is als vergeving, maar vraag me niet wat voor kleur het zou hebben en of het vrolijk glanst. Te vaag blijft het en te ver. Er zijn mensen die op het idee komen het anderen te schenken. Die brengen dat op. Ze kunnen zich overgeven. Ze berusten in alles wat hun is aangedaan en leven door. Dat ben ik me bewust, zoals ik nu weet dat er kerken zijn met plafonds waarop de hemel met God en alle engelen is afgebeeld. Ik ben blij dat het bestaat, maar het is iets voor levens die anders zijn gelopen.

Binnen een half uur was Cynthia Ann terug in het Capitool. In westelijke richting was ze gevlucht, zoals ik voorspeld had, en toen de soldaten die in alle haast waren opgetrommeld haar vonden, had ze de stadsgrens van Austin al verlaten. Met Topsannah op haar arm rende ze als een krankzinnige over de vlakte, roepend om hulp in haar indianentaal.

'Laat haar nu maar los,' zei Mr. Brown, die door zijn vrouw uit de conventie was gehaald toen Cynthia Ann bij ons binnen werd gebracht. 'Ze probeert het geen tweede keer.'

Haar begeleiders zetten haar op een stoel tegenover mij en vertrokken. Ik keek mijn kleindochter strak aan in de veronderstelling dat ze zich zou schamen, maar ze hield haar rug recht en keek terug zonder zelfs maar met haar ogen te knipperen.

'Het is een misverstand geweest,' lachte Brown. Hij had eerst een tijd met haar gesproken tot ze gekalmeerd was. 'Nietwaar meisje?'

Cynthia Ann gaf geen krimp.

'Omdat ze ons niet kan verstaan, heeft ze gedacht dat onze vergadering hier een of andere raad van oorlog was en wij een soort blanke opperhoofden die over haar lot vergaderden.'

'Wat ze ook is,' zei ik, 'ze is niet achterlijk. Dat kind weet donders goed dat ik nooit zou toestaan dat iemand ook maar een vinger naar haar uitsteekt.' Ik pakte haar handen en richtte me tot haar alsof ze me begreep. 'Niet nog eens. Dan zullen ze me eerst opnieuw aan de grond moeten spietsen.' Ik kneedde vol liefde haar vingers en streelde met mijn duim over haar handpalm, maar er kwam geen reactie en ik was het die mijn ogen neer moest slaan. 'Niet zolang ik het kan helpen,' vervolgde ik zacht en wendde me weer tot Brown. 'Haar geluk is de enige reden dat ik het allemaal heb doorstaan.'

'Zeker, zeker, en dat weet ze vast heel goed, maar zo had ze het kennelijk nou eenmaal begrepen. Er moet haar ooit eens zijn verteld dat ze, mocht ze ooit in blanke handen vallen, door haar eigen soort zou worden gedood.' Hij begon te zweten van ongemak. 'En nu dan, door de omstandigheden, met al die afgevaardigden, dacht ze dat het om haar ging. De zenuwen en alles, stel je voor, het is ook veel ineens.'

'Als u probeert me gerust te stellen door de zaken te verdoezelen, doe geen moeite. Ik heb voor hetere vuren gestaan.'

Dit zei ik, maar ik wist al wel dat het niet waar was.

'Hoe dan ook,' hakkelde Brown, 'alles is haar nu uitgelegd en ze is weer helemaal op haar gemak, een hele opluchting, nietwaar miss Parker?'

Die naam trok haar aandacht.

Brown knikte haar toe, zoals mensen doen om een lach af te dwingen, maar dat vertikte ze. Ongezeglijk was haar blik. Hij kromp ervan ineen.

'Ja, ja, het is allemaal niet niks,' zuchtte hij, 'om zoiets tot je door te laten dringen, dat duurt natuurlijk even.' Met een vinger wrikte hij zijn boord een beetje los alsof die knelde. 'Ik heb haar het goede nieuws ook alvast verteld. Ik heb namelijk snel met wat mensen overlegd en we zijn het erover eens dat uw kleindochter inderdaad een tegemoetkoming van de staat verdient na alles wat haar... Nou ja, gezien de dingen die ze heeft moeten... Kortom, wij dachten aan een pensioen van honderd dollar per jaar voor een periode van vijf jaren, te bestemmen voor haar heropvoeding, lering en rehabilitatie. Klinkt dat niet prachtig?'

Ik hoorde hem wel, maar zei niets want Brown leek op te lossen in de ruimte. Nu ging het enkel nog tussen Cynthia Ann en mij. Haar wil vulde de hele zaal. Ik zou hebben gezworen dat hij tastbaar was. Naar alle kanten straalde haar gelijk. Trots voelde ik eerst, omdat het ze dus in die jaren met zijn allen niet gelukt was om mijn lieveling te breken, niet echt, daarna paniek, omdat zij die weerbarstige hoorns van haar in de mijne had gehaakt, en toen toch weer vertedering omdat mijn kleinkind en ik zo aan elkaar gewaagd bleken te zijn. Juist in onze hardnekkigheid, die ons uit elkaar hield, waren wij één. Komt iemand met beter bewijs van onze bloedband? Ik weet gewoon dat zij op dat moment precies hetzelfde dacht: haar koppigheid is de mijne!

Browns lippen bewogen al die tijd gewoon door. Het zweet parelde eraf, maar wij lieten hem er niet meer tussen komen.

Mij schoot een van de gebaren te binnen die ik van Holland had geleerd. Ik wees op Cynthia Ann, wees op mezelf en bracht mijn gestrekte wijsvingers naast elkaar in een rechte lijn naar voren. Ze stáárde me aan. Je zag haar denken. Toen, voor het eerst, ontspande haar gezicht. Kennelijk had ik het goed onthouden, want ze glimlachte en herhaalde het gebaar: 'gelijk', twee paarden die zij aan zij gaan.

Die rit naar huis, zoals ik daarvan heb gedroomd! Waar het zou zijn, wanneer, in wat voor toestand: geen idee, maar ik heb altijd geweten dat het ervan komen zou, altijd. Zoals ik van anderen van begin af aan gevoeld heb dat ik ze niet meer terug zou zien, ook voordat ik er klaar voor was dat aan mezelf toe te geven. Vraag niet hoe dat soort dingen kunnen. Ze zijn zo. Je moet er niet te lang bij stilstaan. Ze zijn mijn enige bewijs dat leven net wat meer is dan we weten, dat er nog iets bestaat voorbij al dat baren en bloeden, en die troost laat ik me door niemand ontnemen. Vandaar dat ik altijd zo ben uitgevallen als iemand er voorzichtig op zinspeelde dat ik het zoeken naar Cynthia Ann misschien beter op zou kunnen geven. Och, zo goed bedoeld. Mensen die hoopten dat ik dan wellicht wat rust zou kunnen vinden. Rust? Terwijl ik wist dat ze nog ergens rondliep, zij als enige van iedereen die ik heb liefgehad. Durf het me nog een keer te zeggen, dan bezorg ik je rust!

Deze dag waarop ik haar op zou mogen halen om haar eindelijk thuis te brengen, altijd weer opnieuw nam ik hem door, van de allereerste aanblik en de omhelzingen die daarop zouden volgen, het uithuilen en bijpraten, tot het zomaar in de nacht stilletjes weer bij elkaar liggen. Die toekomst droeg ik altijd bij me, overal, als een dikke warme deken waar ik me helemaal in kon wikkelen als dat nodig was. Daar trok ik me in terug wanneer de eenzaamheid me aankleefde, taai en traag als zwarte stroop, maar net zo makkelijk wanneer ik volop in het vrolijkste gezelschap was en nodig even ergens moed moest putten. Elke stap waarmee wij elkaar weer nader zouden komen, had ik in de loop van de jaren voor mezelf in iedere denkbare variatie, van onstuimig tot omzichtig, doorgenomen. Nooit verveelde dat, natuurlijk niet, want altijd wel bedacht ik weer een of ander nieuw detail, de lichtval op het stof dat achter haar voeten opwolkte terwijl ze op me af kwam rennen, woordjes die ze me wou influisteren maar waarvoor ze van de zenuwen geen asem meer kon vinden, kleine, alledaagse dingen waardoor het weerzien nog weer echter leek, waarschijnlijker en dichterbij. Dit alles was nog troostrijker wanneer ik me bedacht dat zij, ergens ver weg, op datzelfde moment precies zo over haar thuiskomst fantaseerde.

Nou, daar had je het dan, ons grote moment. Ik heb het dus mogen beleven. Wij wáren onderweg naar huis. Míjn huis. Achter op een ossenkar reden we. Zebediah mende. Zijn paard, dat hij langszij had gebonden, sjokte naast ons mee. Ik kon zijn natte briesen voelen. Om de paar stappen klapte de gesp van zijn zadeltas tegen de bak. Eerst had ik er last van, maar na een tijdje vond ik in het ritme wat houvast. Met zijn hoofd vlak naast het mijne leek het dier Cynthia Ann en mij de hele tijd met één groot, schichtig oog in de gaten te houden.

Wij zaten met Topsannah op schoot boven op de voorraden die ik van de eerste staatstoelage meteen had ingeslagen: behalve allerlei kloskant, draad en kleurige stoffen voor de nieuwe jurken die ik in gedachten al voor haar in elkaar aan het zetten was, was er een pak met tien zijden directoires. Daar heb ik nog voor moeten lievemoederen. Die werden uitsluitend verkocht aan, zoals de fournisseur dat noemde, 'de dames die boven de bar wonen', maar ik wees op Cynthia Ann. Ik zei hem dat dat lijf van haar tot nog toe enkel hardheid had gekend en dat ik gezworen had dat ze voortaan alles zou hebben wat het leven kon verzachten. Daarop wikkelde hij ze zonder verder morren voor me in waspapier, zodat de vezels zo lang mogelijk soepel zouden blijven. Verder sloeg ik vooral meel in en allerlei andere proviand. In mijn onrust had ik van alles zulke ruime hoeveelheden besteld dat het er, eenmaal opgeladen, uitzag alsof ik een beleg verwachtte. Misschien was dat stiekem ook wel zo. In mij borrelde onaangenaam het voorgevoel dat de strijd nog niet was gewonnen. Dit overviel me. Had ik bij alle mogelijkheden waar ik in mijn dromen rekening mee heb gehouden, soms ook nog moeten verzinnen hoe het in werkelijkheid zou gaan? Ben je krankzinnig! Als een mens zo moet gaan denken houdt hij het niet vol.

Zwijgend schokschommelden we voort, vele lange uren door uitgesleten karrensporen en over ingedroogde ezelpaden, stevig ingepakt tegen de straffe winterwind, want er was geen huif. Zwijgend meestal, naast elkaar, altijd maar de blik gericht op de weg die al was afgelegd. Soms nam ik haar hand. Dat liet ze toe. Als de stilte me te veel werd, trok ik uit een van de manden een boek tevoorschijn. Zeven had ik er aangeschaft, drie met verhalen, één met kaarten van de wereld, een kookboek, een bijbel en een almanak. Die zouden me bij haar opvoeding te pas komen, had ik bedacht, maar hoe ik ze daarvoor het beste kon gebruiken wist ik niet. Ik begon met stukken voor te lezen, langzaam en nadrukkelijk, in de hoop dat ze er wat woorden van herkende. Af en toe wees ik haar dingen aan, plekken op een landkaart of voorwerpen die op de bijgevoegde platen stonden afgebeeld, soms gewoon dieren in de verte of gewassen langs de weg. Dan noemde ik ze bij de naam en liet haar die nazeggen. Ik wil best geloven dat ze haar best deed, maar het schoot niet erg op. Ondertussen overwoog ik hoe ik hierbij hulp zou kunnen vinden. Ik bedacht dat ik naar een van de missieposten bij San Antonio moest schrijven met de vraag of een van de fraters daar misschien bereid zou zijn mijn kleindochter haar oude taal opnieuw te leren. Zolang we onderweg waren zat er in elk geval niets anders op dan door te ploeteren. Dus las ik hardop verder, en als ik dacht dat ze niet oplette, stootte ik haar aan. Dan knikte ze en zuchtend herhaalde ze mijn laatste twee, drie klanken. Dit alles gebeurde zonder vreugde. Maar ik déédtenminste iets. Haar onbekendheid met haar eigen taal, prentte ik mezelf maar in, was het enige wat nog tussen ons in stond, niet meer dan een obstakel dat ik uit de weg zou kunnen ruimen. En bovendien, het was een vorm van contact. Zodra ik rusten moest en stilviel, al was het om even iets te eten, en helemaal in de avonden, als we beschutting hadden gevonden en gingen liggen wachten tot de slaap ons kwam verlossen van ons ongemak, restte ons niets om onze vervreemding mee te verhullen. Dan werd mijn teleurstelling aangesnoerd als een riem rond mijn hart en voelde ik dat ergens in mij ook een weerzin woedde. Om die te temperen moest ik al mijn liefde bij elkaar rapen, want hoe Brown en iedereen haar vlucht ook probeerden te verklaren, feit bleef dat Cynthia Ann was weggelopen. Best mogelijk dat ze angstig was. Vroeger zou ze dan bescherming bij mij hebben gezocht. Desnoods hadden we samen kunnen vluchten. Maar ze is alleen gegaan. Bij mij vandaan.

Al die jaren dat mijn kleindochter en ik in mijn gedachten samen optrokken tegen de wereld – ben ik dan niet één keer tot haar dromen doorgedrongen, heeft ze nou niet eens één keertje op een nacht mijn schim gezien en gevoeld dat ik voor haar veiligheid mijn leven wel had willen geven?

Drie, vier dagen waren wij op weg toen onze aandacht werd getrokken door iets aan de horizon wat nog het meest leek op een donkere wolk, die op de winden meebewoog.

'Gieren,' zei Zebediah meteen, en toen we dichterbij kwamen herkenden mijn ogen ze ook, honderden en honderden waren het er, die om de beurt voor elkaar opstoven, krijsend rondcirkelden en dan weer met gekromde klauwen op hun feestmaal aanvielen.

'Hier.' Hij wierp ons een paar lappen toe. 'Bind maar gauw voor.' Nauwelijks had hij het gezegd of de rotting sloeg al van het knekelveld. Links en rechts lagen de eerste beenderen, kaal gekloven, dorrend in de zon. Zebediah hield stil en ging op de bok staan om het terrein te overzien. Hij klakte met zijn tong en floot door zijn tanden als voor iets ontzagwekkends. Voor ons lagen, zo ver we konden kijken, de karkassen van gevilde bizons, twee kuddes waren het zeker, misschien wel meer, die op deze plek kort geleden in de val waren gelokt.

'Kunnen we er niet omheen?' vroeg ik, maar aan de ene kant was een rotswand en aan de andere kant liep een rivier. Zebediah is nog gaan zoeken naar een doorwaadbare plaats, maar de bedding bleek te diep, zodat er geen ontkomen aan was. Ik bedekte mijn neus en mond met een van de lappen, koos een andere van zacht katoen, opdat het haar huid niet zou schuren, en kroop ermee door de laadbak tot ik achter Cynthia Ann zat. Ik wilde haar haren omhooghouden zodat ze niet tussen de knoop zouden raken waarmee ik haar de stof zou voorbinden, en als vanzelf schoot ze me daarbij te hulp. Met twee handen streek ze even langs haar hals, wond de losse plukjes rond haar vingers en hield ze op, wachtend tot ik klaar was, een gebaar zo vanzelfsprekend, alsof onze intimiteit sinds haar kinderjaren niet was onderbroken. Ik drukte een kus op haar hals en zij keek even om, verrast, en lachte naar me. Zebediah legde de zweep over de trekdieren en in plaats van naar mijn plek terug te gaan, bleef ik zitten, achter haar. Ik sloeg mijn armen om haar heen, trok haar naar me toe en zo reden we verder, als een grootmoeder met haar kleindochter, dicht tegen elkaar aan, mijn kin rustend op haar schouder.

Mijlenlang zagen we niets dan dode bizons.
'Spijt me,' riep Zebediah naar achteren. 'Dit is geen schouwspel voor dames.'
'Maak je geen zorgen,' stelde ik hem gerust, 'ik heb het vaker gezien.'

Holland Coffee handelde in huiden. In de tijd dat ik met hem rondtrok heb ik meerdere bizonkuddes eraan zien gaan. Wat zeg ik, ik heb op het punt gestaan er zelf een neer te leggen. Hij gaf me zijn geweer en vroeg of ik het niet eens wilde proberen. Er is niks aan. Het zijn de domste beesten die er op Gods aarde rondlopen. Het enige wat je in één schot goed moet doen is de leider afschieten. Valt hij, dan rennen de anderen niet in paniek weg, integendeel, ze blijven rustig staan wachten. Alles wat je daarna nog te doen staat, is richten, de trekker overhalen en af en toe even wachten om de loop van je geweer te laten afkoelen. Dat heb ik mannen zien doen met water, maar als dat schaars is pissen ze eroverheen. Zodra de stoom eraf is, schiet je verder. Met tweehonderdvijftig kogels vel je tweehonderdvijftig van die runderen. Het is een fluitje van een cent.
'Het enige wat moed vergt,' zei Holland, 'is die minuut als je door je kogels heen bent en opnieuw moet laden. Dan is het zaak die stomme beesten niet aan te kijken. Voor je het weet realiseer je je wat je aan het doen bent. De stilte van zo'n kudde. Honderden van die koppen die braaf staan te wachten tot je zover bent om ze te doorboren. Dat kan zo zwaar op je drukken dat je bijna je arm niet omhoogkrijgt om opnieuw aan te leggen.'
Ik nam zijn geweer van hem over. Ik wou het gráág proberen. Voor mij waren bizons niets anders dan indianenvoer, en alles wat ik kon doen om mijn vijanden het eten uit de mond te stoten leek me de moeite waard.
Die eerste jaren, wanneer ik in mijn onmacht droom-

de van wraak, en geloof me, nadat alles wat je lief is je is afgenomen droom je nooit meer ergens anders van, vroeg ik me weleens af of er geen manier zou zijn om die beesten uit onze gebieden te verjagen. Zonder bizon geen Comanche. Misschien zon ik er zelfs weleens op om ze volledig uit te roeien. Kun je zien dat bij mij, op de plaats waar een ander zijn verstand heeft, alleen maar een koortsige wond zat, want zoiets leek waanzin, onbegonnen werk. Er was toen nog een eindeloze voorraad van die dieren. Met miljoenen tegelijk trokken ze over de vlakten en wij woonden hier met zo weinig. Bizonjagers waren er nauwelijks. Buiten Texas was er geen plek op de wereld waar je zo'n huid had kunnen slijten. Daar was toen nog geen mens die ze droeg. Vandaag de dag is een huid drie dollar vijfenzeventig waard. Veertigduizend huiden per dag verlaten Dodge. Anderhalf miljoen alleen al, zeggen ze, in de afgelopen twee jaar, maar in die jaren bestond er gewoon geen vraag naar. Bij de legerplaatsen kon je voor een soepel gewassen vel nog wel wat vangen, al was het minder dan voor een indianenscalp, maar de tong en de hoeven brachten geen cent op. Die hele handel moest nog van de grond komen. En niet te vergeten, je had de spoorlijn niet. Geen mens had kunnen verzinnen dat het ooit zover zou komen als tegenwoordig, nu de uitroeiing bijna gepiept lijkt en treinreizigers om een beetje afleiding te hebben op hun lange rit de laatste exemplaren gewoon afschieten vanuit hun coupé.

Holland stond toe te kijken hoe ik aanlegde. Voor de zekerheid wees hij me de leider nog eens aan, een enorme homp vlees die ons van onder zijn bultrug schuins in de gaten hield. Ik zette de kolf stevig tegen mijn schouder, spande de haan, stak mijn vinger achter de trekker en kneep één oog toe. Met het andere zocht ik mijn prooi. Een van de koeien schoof net voor hem langs met haar kleintje erachter, zodat ik moest wachten tot ik hem weer in het vizier had. In gedachten nam ik door wat me te doen stond: de aanvoerder liefst in één keer tussen de ogen, dan een tweede treffer door het hart, om absoluut zeker te zijn dat hij geen poot meer zou verzetten, iets waardoor de rest op hol zou slaan. Daarna zonder pauze nummer twee en drie schieten en zo verder en telkens tussendoor even laden zonder ze nog aan te kijken. Meer was het niet. Ik was er klaar voor.

Natuurlijk wist ik hoe het voelt om iets te doden. Iedereen zou het kunnen weten als ze de moed maar hadden om erbij stil te staan. Hoeveel hazen we de hersens inslaan, de vissen die we kelen, alle vogels die we de nek omdraaien, kippen die we de kop afhakken, de koeien, varkens, schapen, de herten en geiten die we de aderen openen en laten leegbloeden. Onvoorstelbaar hoeveel dood en verderf een mens gedurende zijn leven zaait. Bijen, mieren, vliegen die je irriteren, het is gewoon een tweede natuur, slangen, spinnen, schorpioenen, je zou wel gek zijn als je die liet leven. En de paar keer dát je erbij stilstaat omdat het je eens moeite kost, die dol geworden hond waarvan je zo veel hebt gehouden, dat paard van je dat zijn benen heeft gebroken, dan valt het altijd wel zo te draaien dat je ze met die kogel door hun kop eigenlijk een plezier doet. Zo krijgt alles nut.

In één opzicht zou het dit keer anders zijn: tot dan toe had het slachten altijd een doel gediend, dit keer echter ging het me nergens anders om dan om een levend wezen te zien sterven. Geen mooi praatje, geen honger, geen hinder, niks. Ik moest mezelf bewijzen dat ik even hard kon zijn als de wereld. Of liever harder.

Intussen bleef dat kalf voor zijn vader schuifelen. Ik prentte mezelf in dat het, als ik het niet zou krijgen, straks misschien een groep krijgers tot avondmaal zou dienen, jonge mannen die door de kracht van zijn vlees en het sap van zijn organen zouden opknappen van een uitputtende dag. Hij zou hun honger stillen. Ze zouden zijn bloed koken en door het op te drinken zouden ze weer helemaal aansterken zodat ze de volgende ochtend misschien met frisse moed weer een stel stakkers konden overvallen. Teerend op datzelfde kalf zouden ze een boerengezin van hun kinderen beroven en de rest van nek tot wenkbrauwen de hoofdhuid afsnijden. Op dat moment kon ik niets nobelers bedenken dan met een paar rake schoten het feestmaal van die schoften te bederven.

Dus kneep ik mijn ogen toe en gaf ze een ogenblik rust, rolde de spieren van mijn schouders een keer zodat ze soepel zouden blijven, schudde mijn hoofd even los en wachtte verder af.

Je hebt van die mensen met een rotsvast geloof. Mij was dat nooit gegeven. Er is zo'n deuntje dat John weleens voor me zong: 'Wat nou als God ook maar gewoon een drieletterwoord is, drie letters voor liefde?' Verdomd, dacht ik, als dat zo is dan ben ik eigenlijk diepgelovig, want van iemand houden, dat kon ik goed begrijpen. Toen hebben ze hem van me afgenomen. Het enige waar ik daarna nog in geloven kon was wraak.

Wraak moet het zijn geweest waaraan ik dacht toen ik die bizon op de korrel nam. Dat moment waarop ik die trekker zou overhalen, daar keek ik naar uit als een baptist naar zijn doop. Het leek me een eeuwigheid voordat dat kalf zijn kop liet zakken en verder graasde en het schootsveld tussen mij en zijn vader, voetje voor voetje, vrijkwam. Ik plantte mijn hielen nog eens stevig in de grond, verdeelde mijn gewicht en spande mijn spieren. Het beest keek op, niet schichtig, maar juist kalm, alleen benieuwd naar wat ik aan het doen was. Ik richtte tussen zijn ogen. Uit zijn bek stak een pluk gras waarop hij maar bleef kauwen, zo onnozel.

Ik schoot.

Ik kon het niet.
Ik miste.
De knal ketste na over de vlakte.
Achter me hoorde ik Holland vloeken.
Het beest waarop ik het gemunt had stond verstijfd, niet langer dan een tel, alsof het even tot hem door moest dringen dat hij niet geraakt was. Het volgende ogenblik week het terug, wierp het volle gewicht van zijn bult zijwaarts, zette zich met zijn achterpoten af en vluchtte van ons weg. De anderen volgden hem in paniek en binnen een minuut restte ons niets dan een stofwolk die op ons neersloeg en het nadenderen van hun hoeven.
'Beginnerspech,' zei Holland Coffee afgemeten. 'Volgende keer beter.'
Hij ging ervan uit dat ik niet goed gericht had.
Dat heb ik zo gelaten.

Armen en benen om haar heen geslagen, mijn hoofd tegen het hare, reed ik met Cynthia Ann door de velden waar de dood minder getwijfeld had dan ik. Stijf drukten we de lappen tegen onze mond om niet te hoeven kotsen. Hobbelend over de botten die onder onze wielen braken werden wij dooreengeschud, mijl na mijl na mijl. Al die tijd voelde ik haar flanken. Na een tijdje ademden wij in elkaars ritme.
Ergens halverwege schoot me dat jongetje te binnen, dat zoontje van haar dat zij had moeten achterlaten, en ik wist hoe haar gedachten bij hem waren. Op dat moment had ik alles willen geven als we terug hadden kunnen gaan om hem te zoeken, mijn achterkleinzoon, maar het was uitgesloten dat wij hem zouden vinden. Als hij zijn stam had weten te bereiken was hij nu met hen al ver in de vlakten verdwenen en zo niet...
Mensen zeggen wel dat iemand wraakgevoelens heeft, maar gevoel heeft er niets mee te maken. Het is juist iets

wat je beredeneert. Een berekening dat jouw verdriet minder wordt zodra je degene die het jou bezorgd heeft hetzelfde laat voelen. Alsof pijn een aftreksom is. Om dit voor jezelf vol te houden moet je ieder gevoel zorgvuldig uitsluiten. Dat kan een hele tijd goed gaan. Zolang je het leven maar niet in de ogen kijkt.

Topsannah sliep dwars door alles heen, ingerold in een paardenharen deken, waar alleen haar hoofdje bovenuit kwam. Ik greep Zebediahs paard bij de teugels en trok het naar me toe zodat ik bij de zadeltas kon. Op de tast vond ik daarin een van de stukken zeep, die ik op de valreep nog had ingeslagen. Het waren slecht gemaakte, korrelige hompen die onder je handen afbrokkelden, maar ze geurden naar citrus, munt en blauwe bessen. Ik wreef ze door mijn handen tot die er helemaal naar roken, en de rest van het traject, zo lang we door de rotting reden, bleef ik mijn vingers heen en weer bewegen vlak voor het gezichtje van de zuigeling, want zelfs het idee dat zij in haar slaap iets van de stank zou merken, leek me ineens onverdraaglijk.

6

Als je soms denkt dat het teleurstellend is dat toekomstdromen niet uitkomen, moet je eens proberen te dromen van een verleden dat je nooit gegund is. Dan weet je wat woede is. Voor morgen kun je nog een nieuw plan maken, maar alle kansen voor gisteren zijn bekeken. Ik heb me weleens afgevraagd of je zoiets nou niet gewoon over zou kunnen geven. Aanvaarden dat het gelopen is zoals het is gelopen, je wonden likken en doorleven.

Dat heb ik nooit gedurfd.

Ik was bang daarmee iemand tekort te doen.

Mijn doden in de eerste plaats, maar misschien ook gewoon mezelf.

De hoop op een beter verleden, kon je die maar laten varen!

God, wat hebben wij gedanst! Dit was een van de eerste dingen die we deden toen we thuiskwamen. Ik denk niet dat dit was waar de afgevaardigden aan dachten toen ze instemden met een toelage voor Cynthia Anns opvoeding, maar ik heb ervoor gezorgd dat ze altijd als ze wou muziek kon horen. Dit leek mij nog dringender dan sommen maken en woordjes stampen. Niet ver bij ons vandaan woonde een Duits boerengezin, dat ik een paar centen toestopte om af en toe ook eens bij ons te komen spelen. Een oude viool, een lekke klarinet en de blonde moeke met een ocarina, meer was het niet, maar het bracht vrolijkheid. Die is er ook geweest, laat niemand dat vergeten.

De eerste keer dat de muzikanten het erf op kwamen was voor iedereen onwennig. Wij hadden wat eten klaargemaakt, net alsof het een echt feest was, en zetten het voor ze neer op een houten tafel. We gaven ze te drinken en ik legde uit wat er met mijn kleindochter aan de hand was, dat ik zo veel mogelijk van vroeger bij haar naar boven wilde halen en hoop had dat het horen van wat oude liedjes misschien iets los zou maken. Kan me niet schelen wat ze daarvan dachten, maar erg happig om alleen voor ons tweeën te spelen leken ze niet. Zij hadden begrepen dat er volk zou zijn, zoals zij gewend waren, dronken koeienjongens, verliefde stelletjes en uitgelaten kinderen. In plaats daarvan zaten ze op een winderig kaal veld voor een afgelegen huisje tegenover twee eigenaardige vrouwen die elkaar niet eens verstonden. Het is dat ze wat geld kregen, maar eigenlijk hadden ze spijt, en in elk geval verdomden ze het om zomaar vanuit het niks te beginnen.

'Goed,' zei ik, 'dan zullen we eens zien hoeveel leven wij nog in ons hebben.' Ik liep naar Cynthia Ann, die ook niet wist hoe ze het had en maar op de veranda was gaan zitten. Ik wist niet dat haar lijf een beter geheugen had dan haar harses en was helemaal klaar om haar opnieuw te leren dansen, stap voor stap, zoals ik dat vroeger had gedaan.

Ik pakte haar bij de hand, trok haar mee naar het midden van het erf, waar de grond in de loop der jaren goed was aangestampt, en stelde me tegenover haar op. Ik knikte naar haar en glimlachte zo bemoedigend en hoopvol als ik kon, maar er gebeurde niks. Achter me hoorde ik die dikke met d'r ocarina gniffelen. Ik nam Cynthia Ann bij de polsen, legde haar handen op mijn heupen, een voor een, en stak mijn rechterbeen naar voren.

'Toe maar.' Zachtjes tikte ik tegen haar linkerenkel om aan te geven dat zij die naar achteren moest brengen.

'Én...' met mijn bovenlichaam probeerde ik de maat aan te geven, 'links en twee. Daar gaat ie, ja?'

De Duitsers waren intussen nog steeds aan het morren. Uit mijn ooghoek zag ik de fiedelaar al opstaan en aanstalten maken om zijn spullen weer in te pakken. Toen hield Cynthia Ann haar hoofd een beetje schuin, haar oor naar haar schouder, terwijl ze nadacht. En nadacht. Toen, voorzichtig, tilde ze één been op en boog het andere, keek me even aan, haalde diep adem en stapte naar achter.

'Goed zo. En nou... ja. En ja, rechts en draai. Dat is hem!'

Ze herhaalde die beweging nog eens langzaam naar de andere kant. Daarop rechtte ze haar rug alsof het nu pas echt stond te beginnen, lachte naar me, gooide zich erin en voerde mij mee in plaats van andersom.

Met een zucht gingen de Duitsers er dan toch voor zitten en zetten in. Veel stelde het niet voor, een boerenhoempapa, maar op dat moment leek alles mooier. Zo zwierden we en terwijl we rondtolden kwam alles terug, niet alleen bij haar maar ook bij mij. Dat eigenaardige ritmegevoel van haar, waarbij je altijd dacht dat een normaal mens het niet bij zou kunnen benen, de manier waarop ze haar hoofd in haar nek gooide en alles om zich heen leek te vergeten. Ik drukte me tegen haar aan en mijn haren raakten los en waaierden uit terwijl we, armen om elkaar, maar ronddraaiden en ronddraaiden, mijn kleindochter en ik, buik aan buik. Ik voelde hoe zij ademhaalde, en toen ze begon te neuriën, trilde haar stem door tot in mijn botten!

Ik vond een onderwijzeres, miss Hanna, die ik betaalde om op zaterdag, als zij in de stad geen les gaf, langs te komen om mijn kleindochter te leren schrijven. De eerste keer dat zij kwam, had ze een kleurige, Japanse tol meegebracht omdat ze uit mijn brief begrepen had dat het om een kleuter ging. Ik had inderdaad geschreven dat ik al een lei had aangeschaft en een schrift en dat wij al begonnen waren met de eerste woordjes, dus toen Cynthia Ann, twee keer zo breed als de juf zelf, tegenover haar stond en, zoals ik haar gezegd had te doen, beleefd maar met een strak gezicht een van die knoestige handen naar haar uitstak, de eeltige vingers kromgetrokken van jarenlange slavenarbeid en bultig van de littekens, wist het mens niet zo gauw waar ze haar cadeau zou laten. Uiteindelijk bleef ze bij haar plan en legde het voorzichtig in de uitgestoken handpalm. Cynthia Ann pakte het ding op, woog het, bekeek het en rook er eens aan. Ik was al bang dat ze er ook nog in zou bijten, toen miss Hanna hem weer afpakte, er zelf het touwtje maar om wond en voordeed hoe je het speelgoed met een zwiep moest weggooien om het over de houten planken van de veranda te laten rondtollen, zo snel dat de kleuren in elkaar overvloeiden.

'God sta ons bij!' zei miss Hanna, terwijl Cynthia Ann door haar knieën zakte om het spelletje van dichtbij te zien. 'Kinderen voorbereiden op het volwassen leven, daar heb ik wel zo'n beetje alles voor in huis, dat weet ik, dat doe ik elke dag, maar uw kleindochter... het ziet ernaar uit dat we die eerst eens zullen moeten leren wat het ook alweer is om een kind te durven zijn.'

'Het wordt een groot karwei,' zei ik, terwijl ik haar mee naar binnen nam om het hele verhaal onder vier ogen te doen, 'dat zal ik niet ontkennen, iets heel uitzonderlijks, en als het nodig is, weet u, dan kan ik het eventueel nog wel iets aantrekkelijker voor u maken. Er is niets wat ik niet zou doen om haar terug te krijgen.'

Miss Hanna hield stil en keek me aan.

'Terug te krijgen? Maar u hébt haar toch!'

Zo kwam er ritme in ons leven. Door de week werkte ik met Cynthia Ann, eigenlijk net als vroeger, een paar uur elke ochtend. Ik probeerde haar nieuwe woorden bij te brengen en werkte aan de uitspraak. Dit ging langzaam, maar ik bleef geduldig. Ik kreeg pas door dat er iets niet klopte toen Topsannah, die meestal wel bij een van ons op schoot zat of aan onze voeten met de puppy's aan het spelen was, mee begon te doen. Zij bleek heel wat sneller te leren dan haar moeder, en na een tijdje riep ze de antwoorden meestal als eerste, zonder zelfs maar op te kijken van de hondenmand. Wat verdriet ook allemaal met een mens doet, dommer wordt hij er niet van, en Cynthia Ann was altijd de slimste van het stel geweest. Veel moeite om haar oude kennis terug te krijgen deed ze kennelijk niet, dus pakte ik het anders aan en begon te doen alsof ik háár taal wilde leren. We namen een voorwerp en ik vroeg haar hoe zij dat noemde. Ik zei het na en deed ook echt mijn best het me in te prenten. Ook in gebarentaal probeerde ik nieuwe begrippen uit. Als dat misging moest ze soms erg lachen, maar uiteindelijk verbeterde zij mij altijd. Deed ik haar niet vaardig genoeg na of met de verkeerde hand, wat nogal eens gebeurde omdat het spiegelbeeldige me in de war bracht, dan kwam ze achter me staan en stak haar armen onder mijn oksels door, zodat het eruitzag alsof ik vier armen had. Haar rechterhand gaf dan mijn rechter het goede voorbeeld en haar linkerhand leidde mijn linker. Deed ik het goed dan omhelsde ze me soms van achter of ik greep haar polsen om even langer zo te mogen blijven staan. Zo werd het leren iets waarvoor we allebei ons best deden, en na verloop van tijd kreeg Cynthia Ann er zelfs lol in om op zaterdag met de dingen die ze door de week had opgepikt miss Hanna te verrassen, want die oude frik had zich niet laten afschrikken door de opgave waarvoor ze gesteld werd, integendeel, het was een uitdaging waarvan ze helemaal leek op te bloeien. Met hart en ziel stortte zij zich erop en ze heeft nooit een cent extra gevraagd.

Vier dagen nadat wij met de eerste betaling van Cynthia Anns pensioen op zak de stad Austin hadden verlaten, was er een of andere schermutseling geweest in South Carolina; een stel Confederates had in Fort Sumner een garnizoen van de Verenigde Staten beschoten. De nationalistische gemoederen liepen op, zoals dat hier gaat, en binnen een week hadden we onszelf onafhankelijk verklaard. Iedereen dacht dat de kous daarmee af was. Het leven in Texas zou gewoon doorgaan met als enige last dat we allemaal voor de zoveelste keer een nieuwe vlag moesten gaan zitten naaien.

Maar Abe Lincoln scheen zich te hebben vastgebeten in de eenheid en bleek bereid ervoor te vechten. Niet dat iemand hier dacht dat hij een kans maakte. De federale troepen waren uit Texas verdreven zonder een schot te lossen en alle eigendommen die de federatie in onze staat bezat, waren weer in de handen waar ze hoorden. Hoe hoog het conflict ook op zou lopen, geen mens dacht dat hiervoor ook maar een van onze soldaten de Mississippi zou hoeven over te steken.

Na een paar maanden kwamen de ronselaars. Het was alleen voor de zekerheid dat Frank Lubbock vrijwilligers begon op te roepen. Achtduizend zocht hij er, meer niet. Maar vrijwel al onze jongens tekenden bij. Hoe moesten die weten wat hun te wachten stond? Als je ze van hun boerderijen zag vertrekken, zingend en al, kon je toch niet bedenken dat een paar honderdduizend van hen niet zouden terugkomen. Dat die kinderen de bloedigste oorlog binnen marcheerden die de wereld ooit gezien heeft, vier jaren hel, wie met een gezond verstand had dat kunnen verzinnen?

Tegen de herfst begonnen we de effecten van de zeeblokkade te voelen. Ook al waren de oogsten dat jaar goed, graan en vlees, kleding en kaarsen werden toch steeds duurder omdat de boeren hun voedsel liever zelf bewaarden en de plantages, die geen inkomsten meer hadden, met de opbrengst in hun eigen onderhoud moesten voorzien.

Wij leefden al met al vrij moeiteloos, en wanneer het tegenzat, richtte ik mijn blik op de toekomst en putte moed uit Cynthia Anns vooruitgang. Ik had geen zoetigheid meer om haar mee te belonen, want suiker was er niet te krijgen, maar honger hebben we nooit gehad, want ik had altijd nog bataten van eigen grond. In plaats van koffie dronken we een aftreksel van okra, en van pijpenas kun je prima soda brouwen. Het werd heel gewoon om vrouwen in het veld het werk van hun mannen te zien doen, en je kon geen huis langsgaan of je hoorde het klossen van een weefgetouw, want behalve hun eigen kleren maakten alle moeders zelf de grijze uniformen voor hun zonen. Wat iedereen het meest verbaasde, was het gedrag van de slaven. Die namen de plaats van hun eigenaren in, verzorgden de oudjes en de kinderen en werkten drie keer zo hard als normaal, in en buiten het huis, allemaal uit vrije wil en vaderlandsliefde, want er was niemand om ze nog te dwingen, en als ze hadden gewild, hadden ze zo weg kunnen lopen. Nee, het enige wat ons uiteindelijk echt is opgebroken, was het verbod op de levering van medicijnen.

Topsannah was geloof ik de eerste wie het opviel. Op een dag kwam ze met die kleine pasjes van haar aangelopen, stak haar armpje naar me uit, opende haar vingers en liet me haar handpalm zien. Er lag een stuk schors van de creosootstruik op, zo'n taaie reep waar we wel op kauwden bij een beetje koorts of keelpijn, als opkikkertje of zomaar om even een ander smaakje te hebben. Ze bracht wel vaker iets wat ze ergens geplukt of gevonden had mee om het te laten zien, glunderend in afwachting van een knuffel of een complimentje.

'Dank je, schat,' zei ik en hees haar bij me op schoot. 'Is die voor mij?' Ik legde het voor me op tafel. 'Heerlijk, die bewaar ik voor straks, vind je niet, dan heb ik nog eens wat.' En daar bleef het liggen terwijl we een spelletje deden of een gek liedje zongen of zoiets, totdat ik moest hoesten. Ze pakte het stuk schors op en hield het tegen mijn lippen. Ik glimlachte en legde het weer terug, want ik had er geen zin in, maar vijf minuten later kwam ze er opnieuw mee aan. Het was waar, bedacht ik me, ik had alweer zo'n hoestbui.

Ik heb nooit gezeurd en ik ben niet van plan daar op mijn leeftijd nog mee te beginnen. Wil dat lijf niet, geef het een opsodemieter. Ieder pijntje gaat weer over en elk wondje trekt weer dicht. Tot het zover is, kun je twee dingen doen: eraan denken of er niet aan denken. Geloof me, ik heb het leven niet helemaal tot hier uitgezongen door aan ieder krampje aandacht te besteden.

Dus toen die rochel vast ging zitten, elk kuchje zich liet voelen en er soms wat bloed meekwam, heb ik nog een tijdlang gewoon mijn zinnen verzet en doorgewerkt. Cynthia Anns lessen waren mijn lust en mijn leven, zeker nu zij echt haar best begon te doen. Had ik daar de slof in moeten laten komen? Voor het eerst in vijfentwintig jaar kreeg ik weer het gevoel dat wij ergens thuis waren, een geschonden, haveloos hoopje gezin, maar toch twee volwassenen en een kleintje die elkaar nodig hadden. Na zo veel jaren waarin ik mijn liefde bij niemand had kwijt gekund, maakte dat mij uitgelaten. Alsof het allemaal in mij was opgestuwd en er nu bij het minste teken dat mijn klein- of achterkleindochter mij nodig had ergens diep van binnen een dam doorbrak.

Meeslepen liet ik me, ja, mocht dat eens na al die tijd? Als bij een verliefdheid voelde ik me jonger, sterker, of nee, ik was me eigenlijk helemaal niet zo bewust van mijn lichaam, het waren mijn hart, mijn ziel die opleefden. Het zal daarom zijn geweest dat ik er weinig aandacht voor had toen een of ander kwaaltje opspeelde. Die pijntjes hingen om me heen als kippen die gevoerd willen worden: je hoofd staat er niet naar en je verjaagt ze zonder erbij na te denken.

Het is wel zo dat ik op een gegeven moment de muzikanten heb gezegd dat ze niet meer hoefden te komen. Elke dag werd ik wat vroeger moe. Mijn vaste bezigheden hield ik, maar het idee daarna ook nog eens vrolijk een jig te moeten doen was me langzaamaan te veel geworden. Ik miste het wel, te zien hoe Cynthia Ann alles om zich heen vergat wanneer ze danste, de absurde melodieën die ze zong, dwars tegen alles in, terwijl zij haar hoofd schudde en haar haren als een halo uitwaaierden. Op een dag – het moet op een zaterdag na de lessen zijn geweest want miss Hanna was erbij, dat zie ik nog zo voor me –, toen we tevreden over alle vooruitgang en om na alle inspanning de zinnen te verzetten een beetje aan het dollen waren, nogal uitgelaten, heb ik Cynthia Ann nog een keer meegesleept en opgezweept, alleen maar om weer even te kunnen zien hoe prachtig ze eruitzag als zij haar verdriet vergat, zacht, sereen. Zo hadden we een tijdje rondgetold, ik net zo goed want dan laat ik me ook niet kennen, toen mijn duizeligheid het ineens verdomde weg te trekken, ook toen ik allang weer stilstond, steunend op de anderen naar een stoel was gebracht en daar iets te drinken had gekregen. Toen ik eenmaal toegaf en ging liggen voelde ik wel meteen dat het voordat ik weer op zou staan, eerst in de hel zou moeten vriezen.

Alles wat een zieke nodig had was door Lincoln op de lijst van smokkelwaar gezet. Wie toch medicijnen, ether of andere verdovende middelen naar het Zuiden probeerde te brengen, werd als verrader aangemerkt en terechtgesteld. Onze voorraden waren nagenoeg op en wat er nog opdook, werd naar het front gestuurd. Daar bevonden zich trouwens ook de meeste dokters om, hetzij met scalpel, hetzij met bajonet, onze troepen bij te staan.

Met niets om ze te remmen verspreidden de ontstekingen zich, en in de weken die volgden, vlamden ze door heel mijn lichaam op. Zwellingen verschenen onder mijn oksels en in mijn liezen, zo dik dat het witte striemen gaf als op een zwangere buik omdat het vlees er onderhuids van scheurde. Eten kreeg ik niet meer door mijn keel en ademen viel me ook steeds zwaarder. Al die tijd week Cynthia Ann niet van mijn zijde, en zaterdags, wanneer miss Hanna kwam, werden de lessen fluisterend gegeven aan het voeteneinde van mijn bed. Veel kreeg ik er niet van mee, want ik sliep almaar en zakte soms lange tijd weg.

Op een middag werd ik wakker en vond alleen miss Hanna naast me, verdiept in een boek. Toen Cynthia Ann na een tijd nog steeds niet was verschenen, probeerde ik rechtop te gaan zitten om uit het raam op het erf te kunnen kijken.

'Doe geen moeite,' zei miss Hanna. Ze duwde me terug en pakte ter geruststelling mijn hand. 'Ze is er niet. Die is vanochtend heel vroeg weggegaan.'

Ik had veel koorts. Ik zag en hoorde soms dingen die er niet waren en ik had mezelf aangeleerd dat ze weer weggingen als je maar kalm bleef, maar ik wist meteen dat dit van een andere orde was. Cynthia Ann weg! In paniek duwde ik de schooljuf van me af en wilde opstaan, maar zij was sterker dan ik.

'Het is niks, heus, die redt zich wel, ze is de vlakten in getrokken.'

Of ze nou niet begreep dat dit het alleen maar erger maakte of dat ze in haar zenuwen niet nadacht, dat weet ik niet, maar in elk geval begon ik te schreeuwen.

'Stil nou, Granny, die is daar thuis, ze weet echt wel wat ze doet. Ze zei het nog, je kleindochter, vanmorgen toen ze afscheid nam, dat het allemaal enkel en alleen maar voor jouw eigen bestwil is.'

Met mijn laatste kracht sloeg ik haar en hard ook want ze viel zijlings van haar stoel. Haar hoofd viel met een klap tegen de muur. Ik wist me op te hijsen en haalde het tot over de drempel, maar daar viel ik en bleef op de veranda liggen. Het enige wat ik daarna nog doen kon was zo hard mogelijk de naam van mijn lieveling roepen, maar ik geloof niet dat mijn stem veel kracht had.

'Mens toch,' hoorde ik miss Hanna zeggen, 'in hemelsnaam!' Ze boog over me heen en ik zag nog dat er een straaltje bloed langs haar oor liep. 'Ik zeg toch dat ze terugkomt.'

Iets kouds tegen mijn lippen. Dat was het eerste wat ik voelde. Koel en nat. Dorst! Toen ik ze vaneen probeerde te doen om het vocht te proeven, bleek mijn vel zo droog te zijn geworden dat ze aan elkaar kleefden. Ik opende mijn ogen en zag Cynthia Ann. Zij zat naast me en depte mijn mond met een natte wollen lap tot ze hem open had geweekt. Ze wrong de doek en liet wat druppels naar binnen sijpelen. Ik voelde ze naar mijn keel zakken, langzaam, langzaam, maar het leek of ze verdampten voordat ze daar aankwamen. Ik probeerde te slikken, maar dat leek ik wel te hebben verleerd. Mijn strottenhoofd schuurde als een ongesmeerde as. Maar Cynthia Ann hield vol. Om de paar minuten dompelde ze de doek in vers water en diende me er voorzichtig elke keer een klein beetje van toe tot ik een uiteinde vastbeet en er zelf op begon te sabbelen.

Er zat een smaakje aan. Telkens net wat bitterder of brakker. Ik begreep dat het bedoeld was om mij aan te laten sterken, en dat werkte, maar ik snapte veel later pas dat zij zelf deze medicijnen aan het trekken was, zoals ze dat bij de indianen had geleerd, van wortels en van bladeren. Om die te verzamelen, was ze eropuit gegaan en nergens anders om. Ze wist wat ze deed. Kennelijk had dat volk waar ze was opgegroeid haar in hun oude kennis ingewijd. Dit was niet hun gebruikelijke *poe-há* waar ze zogenaamd mee toverden, het waren degelijke, krachtige kruiden die ik nooit eerder iemand had zien gebruiken, en knollen en schorsen die ik niet herkende, maar waarvan ik mij door de manier waarop zij ze mengde en bewerkte zowat per slok voelde aansterken.

Dit alles deed me goed en natuurlijk ook de toewijding waarmee mijn kleindochter voor mijn leven vocht, maar waar ik nou eigenlijk het meest van opknapte, zonder dat wij hierover ooit een woord hebben gezegd, was te weten dat zij voor mij zorgde zoals ik ooit voor haar had gedaan en dat zij dit kennelijk had onthouden.

Binnen enkele dagen at ik weer en een week of anderhalf later was ik zover opgeknapt dat ik schuifelend een eerste rondje door mijn kamer durfde te maken. Met een teil en een lap kon ik mezelf wassen en dat deed ik meestal ook, maar af en toe zei ik dat ik me die dag toch wat te zwak voelde en liet ik het Cynthia Ann doen. Dit was niet helemaal eerlijk, maar ik genoot er zo van en ik zag op tegen het moment waarop onze dagelijkse nabijheid weer voorbij zou zijn. Hoe vaak in een mensenleven wordt de liefde tastbaar? Ik zweer je, nog voordat ze mijn huid raakten kon ik het leven in haar vingers voelen bruisen, zo duidelijk als je de kracht van het water voelt wanneer je in een stroomversnelling baadt.

Als mijn kleindochter dan met mij bezig was, zat haar eigen meisje meestal al te wachten, want Topsannah wist dat zij meteen na mij de teil in mocht, zodat het feest nog even doorging. Dan zat ik daar met een drooɡdoek om mijn haren op de rand van het bed te kijken hoe dat meisje in mijn sop rondspartelde. Soms had ik het te kwaad, omdat mijn Lucy nooit geweten heeft dat alles nog zo goed zou komen. Wat had ik het haar gegund haar kroost met elkaar zo in de weer te zien. Maar tegelijk was het alsof ik werd aangeraakt door iets groters, een verbond voorbij dit leven, iets wat je aan een vrouw die geen dochters heeft niet uit kunt leggen en wat voor wie zelf een schakel in die eindeloze keten is geen uitleg nodig heeft. Het mooist van alles vond Topsannah het altijd om met haar hoofd half onder water te verdwijnen als een otter, je met grote ogen aan te kijken en dan ineens bellen te blazen door haar neus.

Op een dag dook Zebediah uit de verte op. Hij reed met één hand. De andere was weggeschoten door de unionisten. In de rest van die arm had hij geen kracht meer. De elleboog zat met een touw aan zijn romp vastgebonden omdat die anders alle kanten uit sloeg zodra hij in galop ging. De afsprong kostte hem moeite. Ik was alweer sterk genoeg om hem tegemoet te lopen en te helpen met het vastbinden van zijn teugels, maar ik kon geen woord uitbrengen, want ik zag maar de hele tijd de jongen voor me die hij was geweest.

'Niet van dat zoete gedoe, Granny!' zei hij en omhelsde me. 'Dat kan ik er niet bij hebben. Geef me liever wat van dat venijn van je dat ik zo gemist heb.'

Toen we de veranda op kwamen en Cynthia Ann het gezicht onder de baard herkende, lichtten haar ogen op. Ik begreep dat toen niet. Zebediah was een van degenen geweest die haar tegen haar zin bij haar kinderen hadden weggevoerd, maar als je die blik van haar zag zou je hebben gedacht dat ze een oude vriend terugzag. Ze verborg die opwinding ook weer meteen, begroette hem enkel met een knikje van haar hoofd en maakte dat ze weer naar binnen kwam, maar ik had het duidelijk gezien.

De Burgeroorlog bleek een verloren zaak. Zebediah had eerst met de brigade van Ross en later met de Rangers onder Terry gevochten, zowel aan deze kant als ten oosten van de Mississippi. Van de oude eenheden was amper iets over. Ze zouden tot de laatste man vechten, maar toen Zebediah werd afgevoerd, waren er van zijn bataljon al te weinig over om zelfs maar de staak te verdedigen waaraan ze de laatste flarden van de veldvlag hadden vastgebonden.

'Veel hebben we niet in huis,' zei ik, en stond op om naar de keuken te gaan, 'maar ik zal eens kijken wat ik nog kan vinden. Het minste wat we terug kunnen doen is jou een stevige maaltijd voorzetten.'

'Zijn er intussen niet wat klussen die ik voor jullie kan opknappen?' Hij wapperde met zijn gezonde arm. 'Er is vast wel iets wat moet gebeuren.'

'Wat een aanbod!' zei ik laconiek, en om hem een plezier te doen keek ik zo venijnig als ik kon. 'Toen ik zei dat je altijd welkom was om een handje te komen helpen, Zebediah Grimes, had ik niet gedacht dat je dat zo letterlijk zou nemen!'

'Ik ga die kant weer op.' Zebediah nam een hap maïsbrood en goot een lepel aardappelsoep naar binnen. Ik dacht het wel, die jongen was uitgehongerd en kauwde door terwijl hij sprak. 'Over een dag of wat. Terug naar Camp Cooper of misschien Jacksboro.'

We zaten met zijn vieren aan tafel. Cynthia Ann weekte in haar kom wat stukjes brood en voerde ze aan

Topsannah, een voor een. Het kleintje had geen trek en zag bleek. Af en toe stopte ze wel een paar kruimels in haar mond, maar ze spuugde ze bijna allemaal weer uit.

'Alle westelijke forten zijn hard aan versterking toe. De indianen worden steeds brutaler. Die stelen het vee tegenwoordig zo van het land en hoeven er niet eens meer voor te vechten. Ze weten dat er op de boerderijen geen mannen meer over zijn. Dat is een plek waar zelfs iemand als ik nog van nut kan zijn. En bovendien, ik ken het gebied, ik spreek wat Kiowa, een paar woorden Crow en niet te vergeten...' Hij veegde zijn kin af aan zijn mouw en keek glunderend naar mijn kleindochter om te zien hoe die zou reageren, *'...tehcaró tzat mooguaht.'*

Cynthia Ann keek op. Haar mond viel open. Even leek het of ze blij was en zou gaan lachen.

'Ee-ma, mi mearo,' zei ze zacht. Dit herhaalde ze wel drie, vier keer, steeds dringender, *'Ee-ma, mi mearo,'* steeds harder, zodat Topsannah bang werd en begon te huilen. Maar haar moeder leek het niet te merken. Die stootte de tafel bijna om toen ze ineens opstond en Zebediahs arm greep. *'Ee-ma, mi mearo!'* Twee kommen vielen in stukken op de grond.

'Lieve God,' riep ik. 'Wat heb je tegen haar gezegd?'

'Niks bijzonders.' Zebediah was net zo geschrokken als ik. 'Dat ik goed eet voor iemand zonder hand. Meer niet.'

'En zij dan, wat is dat, wat zegt ze?'

Hij aarzelde maar durfde niet te antwoorden.

'Ik weet het niet,' loog hij.

'Cynthia Ann! Wat is dat wat je zegt? Vooruit, wat betekent dat?'

Ze viel stil en keek me even aan. Toen pakte ze Topsannah op, die zo krijste dat ze ervan begon te hoesten, en rende weg.

We geven nooit toe, wij vrouwen, niet hier. Op de hele aarde, wed ik, geen mensensoort zo koppig, zo standvastig als de dochters van Texas. Wij hebben geleerd voor elke stap te vechten. Soms verliezen we, maar dat betekent niet dat we opgeven. Soms, uit overmacht, moeten we toezien dat dingen anders lopen dan we willen. Vanaf dat moment leven we alleen nog om ze recht te kunnen zetten. Daarin ben ik niet de enige. Als het nodig is om ons gelijk te halen, schrikt zelfs de dood ons niet meer af. Daarvoor zijn we er te vertrouwd mee. Dat kun je hard noemen, het is niks anders dan pure noodzaak. Bekijk het eens van onze kant zou ik zeggen, voordat je oordeelt. Het is de les die wij uit dit land hebben getrokken. De enige die eruit te trekken viel. Iets wat je zo vijandig is, zo zonder mededogen, wie zou zich daaraan zomaar overgeven? Niemand heeft ons hier willen hebben. De wind, de grond, het ongedierte, de mensen, vanaf de allereerste dag heeft alles en iedereen ons naar het leven gestaan. Tegen God zelf hebben we het moeten opnemen. Wij waren niet voorbestemd om het te overleven. Het was nooit de bedoeling dat ook maar iemand van ons overbleef. Veel heeft het ons gekost, in sommige gevallen alles, maar wij zijn er nog! Cynthia Ann en ik, wij hebben het tot hier gered op onze wil.

Die zaterdag was miss Hanna jarig. Zij had niemand anders om het mee te vieren, en net als het jaar daarvoor kwam ze aanrijden met een vaatje zelfgestookte korenwijn. Dat was haar idee van feest. Het stond naast haar op de bok, en als ze door een kuil reed, hield ze het behendig met haar elleboog op zijn plaats, alsof ze nooit iets anders had gedaan dan goederen vervoeren. Ik waarschuwde dat Cynthia Ann de laatste dagen nogal teruggetrokken was geweest en zwijgzaam en dat ik niet wist of nu het lesgeven wel zin had, maar op datzelfde moment kwam mijn kleindochter naar buiten met een paar boeken onder haar arm, wuifde naar ons en zocht alvast een plekje voor hen beiden in de schaduw van een boom.

Ik stuurde Zebediah eropuit om bloemen te gaan plukken. Daar versierden we de tafel mee en ik spendeerde onze allerlaatste honing van dat seizoen aan een pompoentaart. Dit baarde me nog zorgen. Wat gebruik ik om te zoeten, dacht ik, als we binnenkort wéér iets te vieren hebben?

Je had er roest in kunnen oplossen, in dat brouwsel van miss Hanna, maar aangelengd met water kregen we het aardig weg. Topsannah, nog altijd in de lappenmand, dronk vruchtensap en voor het eerst in dagen at ze weer met smaak. Ze vroeg zelfs om een tweede stuk taart en ik sneed een flinke homp voor haar af in de hoop dat ze ervan aan zou sterken. Het meisje nam haar bordje op, klemde één kant met moeite in haar knuistjes en de andere onder haar kin en liep daarmee zo heel geconcentreerd bij ons vandaan naar de struiken achter de keuken. Ik dacht dat ze het daar ergens ging verbergen voor later, want dat deed zij met haar speeltjes soms, vraag me niet waarom, of als ze ergens een kleurige lap vond dan sleepte ze die mee als een hond zijn bot en na verloop van tijd vond je op de gekste plekken een hele verzameling van dingen die je kwijt was.

'Gaat mijn kleindochter goed vooruit?' vroeg ik aan miss Hanna.

Cynthia Ann hielp Zebediah feestkroontjes vlechten van gedroogde maïsbladeren, of liever: hij hielp haar, want veel meer dan ze afscheuren en pletten kon hij met vijf vingers niet.

'Het is een volwassen vrouw, Mrs. Parker, we kunnen haar niet dwingen.'

'Dwingen,' zei ik hartgrondig, 'nee, dat wil ik niet.'

Ze keek me aan of ze haar oren niet geloofde, maar toen ze zag dat ik het meende moest ze lachen. Ze hief haar glas naar me op en knikte goedkeurend alsof ik met een goed antwoord was gekomen op een moeilijke vraag.

De eerste kroon die klaar was, kreeg ik. Geen broddelwerk, maar echt kunstig gemaakt, zoals alles wat uit Cynthia Anns handen kwam. Het ding had twee verschillende motieven, de eenvoudigste voor de hoofdband, maar in de sierrand zat een ruitvorm waar de gele punten van de bladeren bovenuit staken als gouden lauweren. Trots liet ze hem zien en kwam hem mij toen zelf opzetten.

'Vertel eens, lieverd,' vroeg miss Hanna met een jaloersmakende vanzelfsprekendheid, 'wanneer deden jullie dit soort dingen? Dat is voor ons toch enig om te horen! Kijk nou toch hoe knap! Ook als het feest was zeker, wat voor feesten vierden jullie?'

Cynthia Ann begon te blozen.

Dit was ik vergeten, hoe haar hart het bloed naar haar konen kon stuwen als ze plotseling aan iets heerlijks dacht.

'Ja,' zei ze, 'altijd waren er dansen.' Ze pakte haar vlechtwerk weer op, maar haar vingers stonden er alleen voor. Af en toe liet ze haar blik even zakken om een kruisvlecht of een overslag te maken, verder bleef ze ons aankijken, glunderend bij alles wat haar weer te binnen schoot. 'Voor elke gelegenheid een lied, iedere terugkeer, elk vertrek was iets om te vieren.' Soms moest ze zoeken naar een woord en regelmatig vergat ze een vervoeging te gebruiken, maar verder sprak ze mijn taal heel goed, langzaam en nadrukkelijk, zodat ik alles van haar zou begrijpen. Over de terugkeer van geliefden hoorden we en bepaalde ceremonies bij een afscheid, over de saamhorigheid waarmee de vrouwen samen grote maaltijden bereidden en de opwinding van de kinderen als hun vaders terugkwamen van de strijd.

Tevreden gaf miss Hanna me een knipoog. Mij was het in al die tijd nooit gelukt mijn kleindochter zoiets simpels te vragen over haar verleden. Ik had het niet gedurfd. Ik dacht dat ik het niet zou willen horen of dat zij er overstuur van zou raken, maar ze straalde juist en ik genoot ervan haar zo te zien.

Op een gegeven moment viel er iets uit mijn feestkroon, rakelings langs mijn wang. Het was een mier die zich al die tijd tussen de maïsbladeren had verscholen. Nu alles rustig leek was hij tevoorschijn gekropen. Daarbij moet hij over een van mijn haren zijn gestruikeld want nu lag hij ondersteboven in mijn schoot. Hij spartelde als een krankzinnige en probeerde wanhopig zijn rug te krommen zodat hij om kon rollen. Het kriebelde, mijn duim was al op weg om hem te pletten.

Hij deed me denken aan die andere, dat verre familielid van hem, hoe dat onderkruipsel toen van mijn arm naar mijn borst rende om niet te verdrinken in Johns bloed! Het kan niet waar zijn, want bij God, ik zou niet weten waar bij zo'n beest zijn ogen zitten, en toch, ik zou zweren dat wij elkaar hadden aangekeken. In onze angst. Dat beest en ik. Ja, zo was het, en uit alle macht heb ik liggen bidden dat hij het redden zou, dat stuk ongedierte.

Ik probeerde deze soortgenoot van hem, dat spartelende mormel dat zomaar in mijn schoot gevallen was, zover te krijgen dat het houvast aan mijn vingers zou zoeken en op mijn hand zou klimmen, zodat ik het op de grond kon zetten, maar het wilde niet, dus blies ik het van mijn schort. Het tastte rond over de warme aarde op zoek naar een opening om in te schuilen.

Intussen was Cynthia Ann nog steeds vol geestdrift aan het woord. Ze lachte naar me.

Hallo, had ik bijna gezegd, hallo, hallo!
Ik bekeek die opleving in haar en wist wat me te doen stond.

'Topsannah!' riepen we.
Hoe dat er moet hebben uitgezien, ik weet het niet, vier volwassenen die door de bosjes struinen met een feestmuts op. Het was een van haar favoriete spelletjes, zich ergens verstopt te houden, en je laten zoeken totdat je een ons weegt. Cynthia Ann had de mooiste kroon voor haar gemaakt en we konden geen van allen wachten tot we haar gezicht zouden zien als ze hem kreeg opgezet.
'Topsannah!!!'
Miss Hanna, die voor het kippenhok gebukt stond om te kijken of het meisje zich daar soms schuilhield, gaf een gilletje toen de haan ineens tussen haar benen door naar buiten vloog. Ze wankelde. Het mens dronk anders nooit en met goede reden. Na een paar glazen van haar eigen bocht zagen we haar steeds al zijdelings van haar stoel glijden. Nu ze voorover stond was de alcohol naar haar hoofd gezakt en moest ze opgeven. Ze greep zich vast aan een voederbak, liet zich langzaam op de grond glijden en bleef met een gelukzalige glimlach zitten wachten tot Cynthia Ann haar overeind hees en naar binnen bracht, zodat ze wat kon liggen.
'Dit is nou waarom ik steeds weer langskom,' plaagde Zebediah terwijl wij met zijn tweeën verder zochten, 'een paar dagen in de buurt van Granny Parker en de rest van dit godvergeten land komt je als volstrekt normaal voor.'
Ik probeerde hem eens flink in zijn ribben te porren.
'Blijf dan, stuk ongeluk,' zei ik. 'Waarom ga je morgen, waarom vertrek je niet pas volgende week? Het is toch bepaald niet alsof er ergens ook maar iemand op jóú zit te wachten.'

Hij moest lachen en schudde zijn hoofd.

'Missen zal ik je, Granny, dat zal ik.'

'Topsannah!' riepen we, 'Topsannah!'

'Zeb, ik heb lopen denken...' Ik pakte hem bij zijn arm en hield hem tegen. 'Over wat ze tegen je gezegd heeft.'

'Wat ze gezegd heeft?' herhaalde hij afwezig en ontweek mijn blik door ineens in de verte te turen alsof Topsannah daarginds te vinden was.

'Cynthia Ann. Zij wil dat je haar meeneemt, nietwaar, de vlakten op, zo is het toch? Dat is wat ze jou vroeg. Van de week. Toen ze zich zo opwond.'

'Van de week, ik zou niet weten, misschien, ik...'

'Je kunt een yankee in de loop van zijn geweer kijken, dan kun je mij ook antwoord geven.'

'Zo is het,' zei hij. 'Ze zei dat ze met me mee wil. Ik heb haar nog uitgelegd, later, toen we alleen waren en ze er weer over begon, dat het absoluut niet kan.'

'En waarom niet?'

Hij keek me aan.

'Zeg het nog eens.'

'Waarom zou dat niet kunnen,' zei ik. 'Jij gaat die kant op. Waarom zou je ze niet mee kunnen nemen, een vrouw en een kind, wat heb je daar voor last van? Zij zal precies weten wanneer haar volk in de buurt is. Dan neem je afscheid en zij gaat haar eigen weg. Wat is daar zo ingewikkeld aan?'

'Als dit een van die grappen is,' hij schudde zijn hoofd, 'heel leuk dan, maar nou even serieus, want hier heb ik echt geen zin in.'

'Zie jij me lachen?'

'Ik begrijp het niet. Echt niet. Is dat echt wat je me vraagt? Na alle moeite die je voor haar hebt gedaan! Die iedereen gedaan heeft om haar terug te krijgen waar ze thuishoort.'

'Je hebt toch ook ogen in je hoofd, of niet? Heb je haar

soms niet gezien vandaag? Hoe ze aan het vertellen was.' Ik keerde me van hem af en haalde een paar keer heel diep adem, want nou zou ik doorzetten ook. 'Ze heeft dit allemaal al een keer meegemaakt. Wil je dan dat ik haar datzelfde nog eens aandoe?'

Zebediah legde zijn hand op mijn rug om me te troosten, maar ik schudde hem van me af.

'Thuis betekent nou eenmaal voor iedereen iets anders.'

Hij dacht even na en knikte.

'Een vrouw en een kind achterop, hoeveel last kan ik daar nou helemaal van hebben?'

Nog geen paar minuten later vonden we Topsannah. Zij lag tussen haar lappenpop, een van mijn oude onderhemden, twee tekeningen en het bord met de half aangevreten taartpunt in haar schuilplaats onder de planken van de veranda. Ze had overgegeven en was nog wel bij kennis, maar had al hoge koorts en baadde in het zweet.

*

Aan het einde van de strijd reed de zoon van Peta Nocona weg van zijn familie in de richting van Cañon Blanco. Hij trok de vlakte in zoals zijn vader dat eens gedaan had, lang voor zijn geboorte. Ook de zoon liet zijn paard achter aan de voet van een tafelberg en hij klom tegen de rotsen op, om op het plateau daarboven de nacht door te brengen. De beslissing waar de jongeman voor stond was de zwaarste die iemand van het volk ooit had moeten nemen. Zonder instemming van de voorouders zou het onmogelijk gaan. Hij sloeg een bizonmantel om, at een paar knoppen van de peyote en begon met de eerste van de driehonderd spreuken die zijn vader hem had ingeprent.

Op het ritme van zijn woorden trokken de wolken samen. Vanuit alle windrichtingen leken ze te komen, kolkend van verwachting, in vele schaduwen grijs en zilver van het maanlicht. Boven zijn hoofd verzamelden zij zich, dicht en stevig als het land waarover ze zweefden. Dankbaar blikte de jongen naar het gewichtloze dak dat hem beschermde, maar met zingen stopte hij nog niet, want onder hen die hij verwachtte waren er die van zeer, zeer ver moesten komen, helemaal vanaf de oorsprong van zijn volk.

Zolang hij zong bleven ze komen, en toen hij dacht dat iedereen er was viel de zoon van Peta Nocona stil. Zijn vader had hem verteld dat zij hem zouden vragen naar zijn naam, maar ze hadden hem allang herkend en vroegen niets.

Hij stond op, vatte moed en sprak hen toe. Hij vertelde dat het leven op de vlakten zoals zij dat hadden gekend, niet meer bestond. Velen van hun nazaten waren in de afgelopen jaren omgekomen in het gevecht tegen de blanken, die steeds meer land innamen en zo veel bizons hadden gedood dat er te weinig over waren om nog van te leven. Hij boog zijn hoofd en vroeg wat hij nu moest doen: zich overgeven en de weinigen die er van het volk nog restten in het reservaat leiden, of blijven vechten tot de laatste man, zodat iedereen binnenkort bij zijn voorouders zou zijn.

Hij zweeg en wachtte af, luisterend naar het gerommel en de slagen in de verte. Het duurde lang, want dit was een beslissing die van allen moest komen.

Uiteindelijk weerklonk het gejammer van een wolf. De lucht begon te kolken als een zee en enkele wolken die de maan hadden verduisterd gingen vaneen. Een lichtstraal viel op het dier dat beneden over de vlakte kroop. Het was een armzalig exemplaar, uitgemergeld en op sterven na dood. Het hief zijn kop naar de jongeman op de berg, en toen het zeker wist dat die naar hem keek, draaide het dier zich om en strompelde weg naar het noordoosten, in de richting van het fort waar de soldaten van de vijand op de zoon van Peta Nocona wachtten.

'Maar we zullen gevangen zijn,' zei de jongeman, die liever was gestorven. Hij beende driftig heen en weer en strekte zijn armen naar de hemel. 'Ze zullen ons dwingen om als boeren te leven en we worden volledig afhankelijk van wat de regering ons geeft.'

Toen moest hij denken aan zijn moeder, die ook had moeten leren wennen aan een nieuwe manier van leven nadat zijn vader haar als meisje had veroverd.

Op dat moment dook uit de wolken een adelaar tevoorschijn. Traag gleed de vogel rond, loom en lang-

zaam, veilig op de wind onder zijn vleugels. Van de ene luchtstroom op de andere cirkelde hij.

En toch, zei de jongeman in zichzelf, toch is het haar gelukt.

Hij keek naar de adelaar, die zijn kop wendde, zijn wieken met grote halen in beweging bracht en ervandoor ging in de richting van het fort.

Dit waren de tekens en Quanah gehoorzaamde.

7

'Heb je nou je zin?' zeg ik en haal mijn neus op. 'Een oud mens al d'r ellende nog eens laten opsommen, hebben ze daar bij jullie allemaal zo'n aardigheid in? Volgende keer als je me wilt kwellen, laat me dan liever spitsroeden lopen, of is dat uit de mode? Nou vooruit!' Ik steek mijn handen naar Quanah uit. 'Moet ik soms ook nog zelf overeind komen?'

Hij komt voor me staan en trekt me op van de bank, voorzichtig! Als je zo lang hebt gezeten moeten die gewrichten nou eenmaal eerst over hun dooie punt heen, dat kun je niet forceren. Als dat gebeurd is, staan we even oog in oog, buik aan buik. De brutaliteit, het is dat het mijn eigen vlees en bloed is! En hij lijkt niet eens van plan om zomaar los te laten. Zo onhandig staan we daar, en dan begint mijnheer ook nog eens met zijn vlakke hand over mijn rug te strijken alsof dat mijn botten nog zou baten.

'Ja, ja,' zeg ik voor hij op het idee komt me helemaal te omhelzen. 'Zo is het wel goed.' Ik maak me los en gebaar naar zijn paard in de hoop hem op een idee te brengen. 'Dit was het dus, zo is het gegaan, nu weet je het. Nou, wil je voor het donker in de stad zijn, dan mag je wel haast maken.'

'Ik heb de tijd,' antwoordt hij.

'Ja,' zeg ik, 'dat is het voordeel van de jeugd. Helaas, we hebben niet allemaal nog een heel leven voor ons en ik kan gewoon niet meer. Het is mooi geweest. Bedankt voor niks en tot ziens. Ik moet liggen.' Dus strompel ik demonstratief over de veranda, maar hij maakt helemaal geen aanstalten. Met mijn hand op de deurknop blijf ik staan en voel zijn ogen in mijn rug.

'Wat nou?' bijt ik hem toe. 'Kun je de rest zelf niet bedenken?' Woedend draai ik me om. 'Hebben ze jou soms toen je klein was niks verteld? Maak dat een ander wijs. Moet ik er soms in blijven, ben je dan tevreden? Ik ga hier geen dingen oprakelen die jij allang weet. Die lol gun ik jou niet. Jou niet, niemand niet. En anders vraag je het maar in de stad. Vraag het toch gewoon aan de eerste de beste, waarom niet? Er is geen mens die jou niet dolgraag uit de doeken zal willen doen hoe Granny Parker alles is verloren, die uitgedroogde cactus, alles! Door haar eigen koppigheid.' Ik ga naar binnen, smijt de deur achter me dicht, laat me op bed vallen en blijf liggen luisteren of ik hem hoor wegrijden.

Die stilte in mijn kamer! Ik ken die stilte. Ik heb hem al eens meegemaakt. Er is een leegte tussen het aanwakkeren van de vlammen en het aangezogen worden door het vuur. Vlak voor het onvermijdelijke. Het is dat ene moment waarin de wind draait. En ik betrap me erop, net als toen, dat ik aan het bidden ben. Om het niet mee te hoeven maken. En net als toen op de brandende vlakten wil ik maar één ding.

Maar dat gaan we niet doen, ik hoor het Holland nóg zeggen, dat gaan we niet doen, oké?

Als ik wakker schrik zit Quanah aan mijn bed, God weet hoe lang al.

'Dat ze blank was, mijn moeder, dat heb ik nooit geweten,' zegt hij zodra hij merkt dat ik mijn ogen open heb, 'niet in het begin, niet toen wij nog samen waren. Dat kreeg ik te horen nadat zij was weggehaald.'

'Van wie?'

'Van wie niet? Na de dood van mijn vader, Peta Nocona, heeft zijn tweede vrouw me nog een tijdje in bescherming genomen. Ik was dertien toen zij stierf. Wij hadden geen familie. Om te overleven heb ik gebedeld om voedsel. Veel dagen at ik niet. Ik droeg kleren die anderen tussen het vuil achterlieten als het kamp werd opgebroken. Gingen die kapot dan was er niemand die ze voor me wilde maken. Voor weeskinderen is er bij ons geen mededen. Voor mij was er nog minder. Verdriet heb ik daar niet om. Niet meer. Het heeft me gemaakt tot wie ik ben. Op een dag heb ik een van de volwassenen gevraagd waarom ik wreder werd behandeld dan de andere kinderen die geen ouders hadden. Hij zei dat dit was vanwege mijn blanke bloed en omdat mijn moeder het volk verraden had door bij ons weg te lopen. "Als iemand als zij jou al niet genoeg waard vond om voor te zorgen," zei hij, "waarom wij dan wel?" Kort daarna werden deze woorden mij door iedereen nageroepen.'

'Dat spijt me,' zeg ik.

Het is eruit voordat ik er erg in heb.

'Altijd heb ik haar verdedigd. Ik heb gezegd dat zij door onze vijanden was meegenomen. Dat ik dat met mijn eigen ogen heb gezien. Dat ik erbij was toen ze haar op een wagen laadden, hoe zij hen getrapt heeft, en dat ze haar met geweld hebben moeten tegenhouden omdat ze mij niet kwijt wilde. Hoe hard ze om mij heeft geroepen. "Quanah!' riep ze, dat heb ik zelf gehoord, "Quanah! Quanah!", maar ik heb me niet laten kennen en heb niet meer omgekeken.'

Hij staat op, loopt naar het raam en kijkt naar buiten, terwijl daar niets te zien is.

'Maar als iemand me vroeg waarom dat dan allemaal uitgerekend met haar gebeurd is, had ik geen antwoord. Ik wist niet wie die mensen waren die mijn moeder zo graag wilden hebben dat ze haar niet hebben afgeslacht zoals de rest. Dus geloofden de mensen wat ze wilden geloven. Dat zij uit vrije wil was meegegaan. Dat zeiden ze tegen me, dat je mensen die niet van het volk zijn nou eenmaal nooit kunt vertrouwen. Dat Na-udah blanke familie had van wie ze meer hield dan van mij. Ik was nog niet sterk maar met iedereen die ik dit hoorde zeggen heb ik gevochten.'

Hij draait zich om en kijkt me aan.

'Woorden zijn gevaarlijker voor je hoofd dan slagen. Na verloop van tijd wist ik niet meer wat ik moest geloven. Als het leven maar lang genoeg duurt, maakt het ook niet meer uit. Nu, als mensen naar haar vragen, zeg ik gewoon: "Zij is gestorven." Dat is makkelijker. Voor iedereen. Ik heb het vaak genoeg gezegd om het zelf te geloven. Maar of dit ook echt zo is, dat weet ik niet.'

Ik sluit mijn ogen.

De wind is gedraaid. Alsof hij de lakens van het bed zuigt, zo duidelijk kan ik de vuurstorm voelen. *Dit is die ene keer dat je moet ingaan tegen wat je voelt.* Alsof er uit alle macht aan de zoom van mijn rok getrokken wordt en alle lucht uit de kamer wordt gezogen.

Om niet gek te worden blijf ik nog even stil en bij wijze van aanloop spreek ik mezelf moed in.

Denk eraan, hou ik mezelf voor, *aan de andere kant is alles anders.*

Ik verman me en wijs Quanah op de dekenkist die in de hoek staat.

'Onderin,' zeg ik. 'Linkerkant, achter die grijze rokken. Een ijzeren kistje. Breng dat eens. Nee, daaronder nog. In van die glanzende stof zit het gewikkeld.'

Ik zorg dat ik stevig zit, trek mijn dek recht en haal diep adem. Met mijn vlakke hand klop ik een paar keer op de rand van het bed om de indiaan zover te krijgen dat hij bij me komt zitten.

Niks zo onwrikbaar als wraak. Je wordt erdoor overvallen als een kudde bizons door het eerste schot van de stroper. In die eerste momenten nadat je iets is aangedaan zou je je nog van je verdriet kunnen afwenden en jezelf in veiligheid kunnen proberen te brengen, maar dat komt niet bij je op. Je verlies heeft je verbijsterd. De klap heeft je versuft. Je blijft, zoals de bizons na het eerste schot, als een onnozele staan wachten op de rest van de slachting.

De waarheid is dat je niet anders wilt. Daar liggen je geliefden. Aan je voeten. In hun eigen bloed. Daar wil je niet bij weglopen. Integendeel. Je ziet het onheil nog eens aan en prent het je goed in. Vergeten, denk je, is verraden. Die woede is het laatste wat je nog hebt. Haat is een wanhopig soort houvast.

Vergeving, ik geloof best dat ik het in me had. Als ik eraan dacht was het als aan een laatste troef, iets wat ik achter de hand wilde houden. Het was het laatste waarover ik controle had in een leven waarvan de teugels mij uit handen waren geslagen. Ik mocht dan alles kwijt zijn, maar daar had ik nou tenminste nog iets wat ik iemand op een dag zou kunnen schenken.

Het is er nooit van gekomen.

Ik heb mijn woede verward met mijn verleden.

Als de bizons heb ik standgehouden, ook toen ik om mij heen de ene na de andere zag vallen. Onbeweeglijk ben ik gebleven, net zo lang tot ik als laatste over was. Ik heb het nou eenmaal niet bijtijds begrepen. Ik dacht altijd dat vergiffenis iets was wat je aan een ander gunde.

Wie weet was ik er eerder achter gekomen als Topsannah niet ziek was geworden. In de dagen nadat wij haar gevonden hadden, kreeg zij steeds meer last met ademen en uiteindelijk ook pijn bij het slikken. Het leek dezelfde kwaal die mij kort daarvoor te pakken had gehad. Ik vervloekte Abe Lincoln, die ervoor gezorgd had dat nu ook mijn kleine meisje geen medicijnen kon krijgen. Ik ging ervan uit dat haar ziekte ook zo zou verlopen als die van mij en dat zij met een dag of tien weer op zou staan, sneller misschien nog omdat zij jong en levenslustig was. Na zes dagen kreeg ze een ontsteking in haar longen. Dit was een aandoening die volgens Cynthia Ann bij indianen gewoonlijk niet voorkwam. Zij behandelde haar met zelfgemaakte zalven en brouwsels. Op het kleintje hadden ze echter nauwelijks effect. Op een nacht kreeg zij een hoestbui waarbij een ader moet zijn gescheurd. Toen ik haar oppakte in de hoop dat dat haar lucht zou geven, stierf zij in mijn armen.

Cynthia Ann nam haar van me over en liep naar buiten. Zij stond erop alleen te gaan. Ze liep het erf af, het land op en koos een vlak terrein. Daar veegde ze de grond schoon en legde haar kind daarop neer. Met een tak tekende ze in de aarde een cirkel en een kruis. Op het kruis maakte ze van een paar twijgen een klein vuur. Een voor een trok ze haar kleren uit totdat ze nagenoeg naakt was en knielde neer, pakte een mes en kerfde ermee in haar borsten tot het bloed eruit liep. Hierna stak ze haar pijp aan, een van de aandenkens aan haar oude leven die ze altijd bij zich droeg maar die ik haar nooit had zien gebruiken. Zij blies de rook in de richting van de zon en staarde het na, ook toen de laatste kringetjes allang waren verwaaid.

Terwijl wij rouwden bleven mijn plannen om Cynthia Ann binnenkort naar haar volk te laten terugkeren onveranderd. Met haarzelf had ik daarover nog steeds niet durven spreken. Dat had ik willen doen zodra Topsannah was hersteld en sterk genoeg was voor de reis. Nu we haar kwijt waren, durfde ik niet goed meer. Cynthia Ann en ik spraken sowieso nauwelijks nog en zeker niet over de pijn. Na verloop van tijd is mijn kleindochter gestopt met eten, gewoon van de ene dag op de andere. Alles heb ik geprobeerd, alles, maar je kon zien dat het er een van mij was. Als wij iets in onze kop hebben, hebben we het niet in onze kont.

Ik haal het geldkistje uit de doek waar ik het ter bescherming in had gewikkeld. Ik heb er lang niet in gekeken en krijg het maar moeilijk open. We hebben de grond er nooit meer helemaal uit gekregen sinds het onder de bitternoot begraven lag, en het slotje is altijd blijven roesten.

Quanah zit naast me op de rand van het bed. Hij heeft me zonder iets te zeggen aangehoord. Nu neemt hij me het kistje uit handen, wrikt het met zijn jonge vingers open, en geeft het me weer terug.

De tekening ligt onderop. Flink gehavend, maar als je weet wat het moet voorstellen en met een beetje goede wil...

'Die kringeltjes, die zwarte slangetjes,' zeg ik en wijs ze aan, 'dat zijn de vissen. Dit blauwe hier moet de rivier voorstellen. Die liep langs ons fort. Die bruine krassen, dat was onze omheining. Daarbinnen lag ons land. En dat ben ik. Zo heeft ze me getekend. Kijk. In de rivier. Kun je dat zien? Met mijn handen in de lucht. Wij zijn zo vaak samen gaan zwemmen. Dan stond ik in het water te wachten tot zij erin kwam. Zo heb ik daar vaak gestaan, hoor, kijk maar, met mijn handen in de lucht van plezier!'

Ik vouw het papier weer op en geef het hem.

'En dan nog iets.'

Het kistje heeft een dubbele laag, een soort lade die je eruit kunt tillen. Ik zoek tussen de rommel die ik daarin bewaar.

'Dit hier.'

Ik blaas het stof van de grijze veer, laat hem zacht

door mijn vuist glijden zodat hij kriebelt over mijn handpalm.

'Die droeg ze. Zou nog van je vader zijn geweest.'

Als je het uiteinde tussen je vingers heen en weer laat rollen is het of aan de andere kant het dons heel licht begint te zoemen. Dat geluid komt van binnen uit de pen. Het is lucht die door de ziel stroomt.

'Gehoord?' zeg ik. 'Hier. Voor jou.'

Nou goed, je vergeeft of iets wat daarvoor door moet gaan, prachtig allemaal, en dan? Hoe hadden ze zich dat voorgesteld? Die jarenlange haat, als die wegvalt, wat moet daarvoor dan in de plaats komen? Want vergis je niet, er blijft gewoon een gat achter. Leeg voel ik me. Letterlijk, alsof er ineens ruimte is gekomen, hier net onder mijn maag. Daar hoor je ze nooit over, de heilige boontjes. De kalkoen ligt naast zijn darmen op tafel als een leeggelopen zak, terwijl de vulling bij lange na niet klaar is. Niks lekkers om erin te proppen en niet genoeg tijd meer om er nog iets van te bakken. Waarmee zal ik dan mijn hart eens volplempen, met spijt soms? Daarvoor is voortaan plek genoeg! En dan? Gaan zitten jammeren om alle jaren die ik aan mijn venijn heb verdaan? Zodat ik dat laatste beetje tijd dat me rest tenminste nog iets heb om van binnenuit aan me te knagen? Dat zouden ze wel willen, dat ik mijn hersens ga lopen pijnigen of ik misschien minder had verloren als ik het anders had gedaan. Of er nog iets te redden was geweest als ik voor mezelf had gekozen in plaats van te blijven strijden voor iedereen die ik toch al had verloren. Wel, ik heb het zo gedaan zoals ik het gedaan heb. En kom me er nou niet mee aan dat dat geen liefde was.

Ik ben opgestaan en heb hem uitgezwaaid. En waarom niet? Aan deze kant van het vuur blijkt alles wat nog branden kon toch al te zijn afgefikt. Het is veel te laat natuurlijk om nou nog helemaal naar de stad te willen rijden, het wordt al donker. Ik zeg nog: 'Blijf toch slapen. Dat ene nachtje.' Maar niks. Hij moet zijn spullen pakken en zijn vrouwen bij elkaar zien te krijgen. Morgen is de grote dag. Mijnheer is er dus vandoor met in zijn zadeltas die veer, die tekening en dat hele leven van me.

Zo gaat dat. Ze komen tegen je zin en vertrekken gewoon als je ze nodig hebt. Oud worden is niks voor slappelingen.

Maar goed, hij redt het wel.

Het wordt een mooie nacht, dat voel je.

*

De zoon van Peta Nocona, Quanah, leider van de Quahada-Comanche, reed die dag voorop. Hij droeg alle eretekenen en het magische schild waarop al zijn heldendaden stonden vermeld. Honderd strijders volgden hem met daarachter nog eens driehonderd vrouwen, kinderen en bejaarden. Velen droegen hun verentooi of buffelhelm en de meesten hadden hun lichaam met veel kleuren versierd, maar zwart droeg niemand. Ieder had de veren en de kralen omgehangen die hem het liefst waren, oorringen, armbanden en andere versierselen van koper, tin en zilver, waarin het zonlicht naar zo veel kanten weerkaatste dat de karavaan van grote afstand kon worden gezien als een lichtend pad over de prairie. De avond tevoren hadden zij nog eenmaal op hun eigen grond gedanst en ze verlieten de grote vlakten nu als laatsten.

Rond het middaguur werden zij opgewacht door blanke soldaten. Aan hen overhandigde de zoon van Peta Nocona zijn wapens en hij droeg zijn volk op hetzelfde te doen. De krijgers werden gevangengenomen. Alle anderen werd het terrein gewezen waarop zij ongestraft mochten leven en de grenzen waarbinnen zij voortaan dienden te blijven. Ten slotte moesten zij hun laatste ezels en paarden inleveren.

Quanah stemde toe en steeg af.

Nu kwam iedereen die hem lief was om hem heen staan.

Zij wilden hem steunen bij wat hem volgens de traditie nu te doen stond. Hij moest, zoals iedere Comanche die zich overgeeft, zelf zijn eigen paard doden.

De zoon van Peta Nocona keek het dier in de ogen en prevelde een gebed. Vervolgens liep hij een paar maal om hem heen. Hij blikte naar de hemel in de hoop dat de voorouders hem te hulp zouden komen, maar hun taak zat erop en zij lieten zich niet meer zien. De beslissing waar hij voor stond moest hij zelf nemen. Het duurde even voor hij de moed daarvoor verzameld had.

Toen, plotseling, slaakte hij ijselijk een harde, hoge gil en haalde ongenadig uit.

Met grote kracht sloeg hij zijn paard, maar zonder wapen, enkel met zijn blote hand, zodat het dier steigerde en met grote ogen van angst op de vlucht sloeg.

Tevreden wees Quanah naar de stofkolommen die omhoogwervelden terwijl het dier in wilde galop van hem weg rende, terug naar de grote vlakten.

'Kijk,' sprak hij, 'dáár gaat de geest van de Comanche.'

Nawoord

Gehoorzamend aan de tekenen die hij van de dieren had ontvangen tijdens de nacht die hij doorbracht op de *mesa*, leidde Quanah, bijgenaamd De Adelaar, zijn volk in het reservaat. Daarmee kwam, bijna vier eeuwen na het begin van de Europese invasie, voor altijd een einde aan de vrijheid van de laatste Amerikaanse indianen. Dit was de uitkomst van het verhaal dat bijna veertig jaar daarvoor was begonnen met het vastspietsen van Granny Parker en de ontvoering van Cynthia Ann.

In de jaren die volgden speelde Quanah Parker een prominente rol in de politiek van de Verenigde Staten. Hij maakte fortuin, onder andere door te investeren in de spoorwegen, woonde op zijn ranch met zijn zeven vrouwen in een huis met tweeëntwintig kamers, gaf regelmatig interviews en commentaar aan landelijke bladen en rekende vele prominenten, onder wie president Theodore Roosevelt, tot zijn vrienden. In december 1910 gaf Quanah zijn moeder een herbegrafenis. Drie maanden later nam hij zijn plaats naast haar in. Nog tweemaal werden hun lichamen verplaatst en vandaag rusten zij, samen met Topsannah, in Fort Sill bij Lawton, Oklahoma.

Deze roman is voor een belangrijk deel gebaseerd op gebeurtenissen die zich relatief kort geleden in de geschiedenis voltrokken. Toch zijn de bronnen uit het Texas van die tijd vaak verbazingwekkend tegenstrijdig. Niet alleen vond vrijwel alles plaats buiten het zicht van enige overheid of andere waarnemers, ook duurde het soms maanden voordat een bepaald voorval buiten de kring van de direct betrokkenen bekend werd. Veel van deze informatie werd vervolgens nergens vastgelegd. Verhalen en verslagen die wel werden overgeleverd verschillen vaak sterk op belangrijke punten, al naar gelang het begrip van betrokkenen bij een chaotische situatie, en niet te vergeten de visie van de verschillende partijen op hun conflict.

De overlijdensdatum van Sallie (Granny) Parker is onbekend. Zij verdwijnt uit de geschiedenis van de familie rond 1840, maar de reden daarvoor of de manier waarop is onbekend. Een enkeling speculeert dat ze rond die tijd moet zijn overleden, een ander suggereert dat zij in 1882 nog in leven zou zijn geweest, wat rijkelijk laat lijkt.

De indiaanse namen verschillen, niet alleen in uitspraak en in interpretatie, maar ook komen bijvoorbeeld de kinderen van Na-udah/Cynthia Ann onder diverse namen voor. Er wordt melding gemaakt van de dood van kleine John door een infectieziekte, zoals Cynthia Ann zelf ook altijd geloofd heeft dat haar broertje was gestorven, maar er is ook een verhaal dat hij ontsnapt zou zijn naar Mexico. Captain Ross meldt zelf dat hij Peta Nocona heeft gedood, maar volgens andere bronnen overleefde die de aanslag en stierf hij pas drie jaar later tijdens een epidemie.

Nadat zij door Ross en zijn mannen bij de Comanche was weggehaald heeft Na-udah tot haar dood nog bij verschillende blanke familieleden gewoond, maar zonder ergens te kunnen aarden.

Vanaf de vierde generatie komen de nakomelingen van Quanah en de afstammelingen van de andere Parkers regelmatig bijeen op de graven van Quanah, Cynthia Ann en Topsannah, om te vieren dat hun lot en ras verweven zijn. Nog altijd worden bij bepaalde Comanche-ceremoniën de adelaarsveren gebruikt die Quanah bij zich droeg op de dag van zijn overgave.

Zoals altijd is de historische werkelijkheid extremer dan ik zou kunnen bedenken en in dit geval zelfs gruwelijker dan ik heb durven gebruiken. Naast de verliezen die wel door mij beschreven zijn, sterven bijvoorbeeld in de naaste omgeving van de hoofdpersonen voortdurend mensen door honger en uitputting, door ziektes als gele koorts, tyfus, kinkhoest, dysenterie, mazelen en door moord (bijvoorbeeld Holland Coffee, die in oktober 1846 werd neergestoken door een handelaar uit Fort Washita). De geschiedenis van de Parkers is, zoals die van veel pioniersfamilies, zo overvol van drama dat ik me, omwille van de geloofwaardigheid, heb moeten beperken zowel in de keuze van personen die ik opvoer als in de gruwelen die hun zijn overkomen. Daarnaast heb ik me alle speculaties en vrijheden veroorloofd die eigen zijn aan het genre van de roman, en ik wil nergens pretenderen dat de levens die ik beschrijf samenvallen met de levens zoals die zijn geleefd.

> *'Hun pijlen zijn gebroken en hun bronnen opgedroogd. Hun vuren zijn al uit en hun oorlogskreet draagt niet ver meer. Zo meteen bestaan ze alleen nog in de liedjes en kronieken van degenen die hen hebben uitgeroeid. Laten die dan tenminste recht doen aan hun rauwe menselijke waarden en eer betonen aan het ongelukkige lot van hun volk.' (Sam Houston in een toespraak tot de Senaat)*

Aangezien Granny Parker degene is die in het grootste deel van deze roman aan het woord is, worden ook het leven en de gebruiken van de Comanche voornamelijk beschreven vanuit haar optiek en gekleurd door haar ervaringen. De wreedheden waarover zij vertelt zijn echter allemaal ook te vinden in historische geschriften, waaronder verslagen van slachtoffers, zoals dat van Granny's kleindochter Rachel, en andere ooggetuigen. Dat deze niet objectief zijn ligt voor de hand, al bestaat er geen twijfel over dat de Comanche bloediger en meedogenlozer met hun vijanden afrekenden dan vrijwel alle andere indianenstammen.

BRONNEN

Enkele jaren geleden belandde ik nagenoeg bij toeval in Quanah, Texas. Daar werd ik geraakt door een opschrift van een standbeeld op het centrale plein. Die avond in Santa Fe, op mijn kamer in La Fonda, de herberg aan het eind van het pad, op dezelfde plek waar Rachel Plummer ooit verbleef, krabbelde ik de allereerste opzet neer van *De overgave*. Van alle boeken en bronnen waarmee ik mijn kennis sindsdien heb verrijkt en waaruit ik voor deze roman dankbaar heb geput noem ik hier de belangrijkste: *Vocabulario del idioma Comanche* van Garcia Rejon (1808), vertaald en uitgegeven door Daniel J. Gelo, University of Texas Press 1995; *The last Comanche Chief* van Bill Neeley, John Wiley & Sons 1995; *Quanah Parker, Comanche Chief* van William T. Hagan, University of Oklahoma 1993; *Old Bet and the Start of the American Circus* van Robert McClung; *Lone Star, a history of Texas and the Texans* van T.R. Fehrenbach; *Frontier Blood, the saga of the Parker Family*, Jo Ella Powell Exley, Texas A&M University Press 2001; *Our Stories Remember*, Joseph Bruchac 2003; *The world of the American Indian*, Wallace L. Chafe e.a., National Geographic Society 1974; *The Great Plains*, Walter Prescott

Webb, University of Nebraska Press 1931; *Indian Sign Language*, W. P. Clark, L. R. Hamersly & Co 1885.

Het slaapliedje 'Kleine pootjes drijfhout' stamt van de Kiowa-Apache, evenals het verhaal over de oude vrouw die de warmte bewaart. Het verhaal over de deken die Peta Nocona's grootvader meekrijgt om onder te sterven is gebaseerd op een legende van de Mohawk, en de Seneca kennen een parabel over de inperkingen van hun vrijheid waarbij een van hen zijn blanke vriend vraagt steeds iets verder op te schuiven. De zusters die hun overleden broer bewenen komen in de verhalen van tal van stammen voor. Het beeld van de handen in de grot is ontleend aan het gedicht 'Hands' van Robinson Jeffers.

De beschrijving van Peta Nocona's uiterlijk komt van Captain Sull Ross. Het verslag van zijn identificatie en de moord op hem is van Frank Gholson, die er niet bij aanwezig was, maar het direct van Ross heeft gehoord.

Enkele van Sam Houstons zinsneden zijn overgenomen uit zijn *Unionist rally speech*, en de beschrijvingen van de stad Houston als vroege nederzetting zijn ontleend aan een studie van het Bureau of research on the social sciences of the University of Texas uit 1942, en aantekeningen van de natuurkenner John J. Audubon, die de stad bezocht in 1837. Kennis over de veerkracht van de dieren op de prairievlakten komt uit *The Hunting Grounds of the Great West* van Colonel Dodge, en voor een beeld aan het begin van deel twee, hoofdstuk vier ben ik schatplichtig aan Annie Proulx. In zijn pamflet *Defence of James W. Parker, against Slanderous Accusations Preferred against Him* verdedigt James zichzelf tegen een aantal van de aantijgingen, waaronder de moord op Mrs. Taylor.

De ervaringen van enkelen van de gevangen vrouwen staan beschreven in *A Narrative of the Life of Mrs. Mary Jemison* (James E. Seaver, 1824) en in Rachels eigen *Rachael Plummer's Narrative, reproduced from the only known copy issued in Houston in 1838* (Jenkins Publishing Company, Austin 1977). Dergelijke verslagen van indiaanse gevangenschap worden beschouwd als de allereerste Amerikaanse literatuur van eigen bodem.

Stamboom

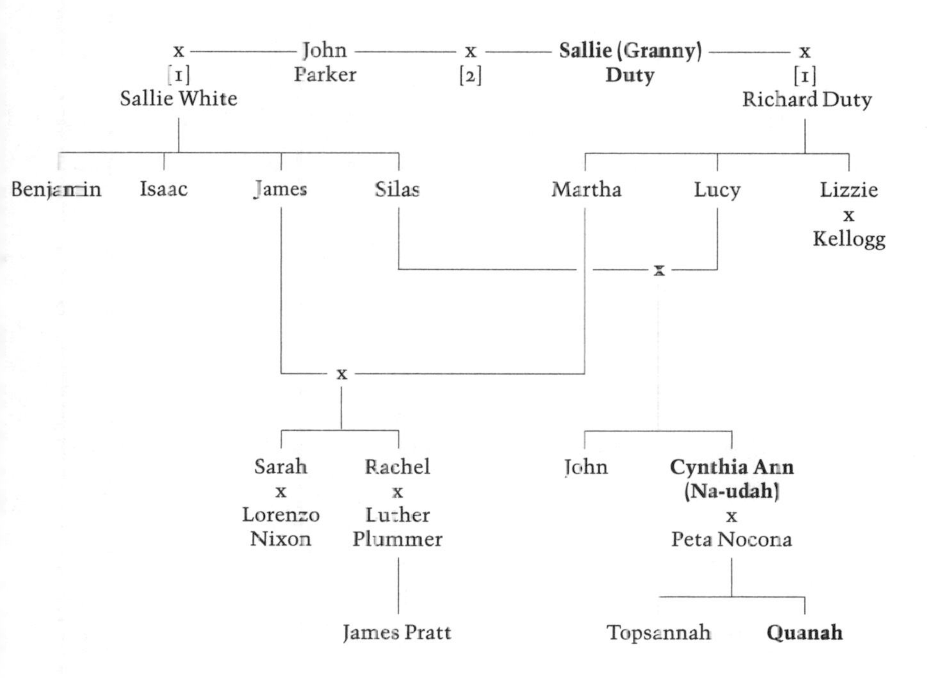

In deze stamboom zijn alleen de voor dit boek relevante personen opgenomen.

Tijdbalk

1825
Sallie Duty (Granny) hertrouwt met weduwnaar John Parker. Zij is weduwe en moeder van Lucy (gehuwd met Silas Parker), Martha (gehuwd met James Parker) en Lizzie.

ca. 1826
Geboorte van Cynthia Ann, dochter van Lucy en Silas Parker.

1830
De Mexicaanse overheid verbiedt immigratie vanuit de Verenigde Staten.

1831
Eerste bloedige schermutselingen tussen de Mexicanen en de Texanen.

1833
De Parkers claimen land in Texas en vertrekken uit Illinois.

1835
De Parkers bouwen een nederzetting, Fort Parker, aan de Navasota.
De provisionele regering van Texas richt de Texas Rangers op. Silas Parker wordt een van de officieren.

2 oktober – Begin van de Texas Revolutie, de strijd om de onafhankelijkheid van Mexico.

1836

23 februari-6 maart – Dertiendaags beleg van The Alamo in San Antonio, waarbij generaal Antonio López de Santa Anna alle Texaanse verdedigers doodt.

2 maart – Texas verklaart zich officieel onafhankelijk.

De Parkers verlaten hun nederzetting en vluchten voor de troepen van Santa Anna naar de Trinity.

27 maart – Santa Anna laat driehonderdvijftig Texaanse gevangenen executeren nabij Goliad.

21 april – Sam Houston verslaat het Mexicaanse leger tijdens de achttien minuten durende slag van San Jacinto. Hij wordt president van de republiek Texas.

De Parkers keren terug naar Fort Parker.

De Republiek Texas wordt door de Verenigde Staten erkend.

19 mei – Aanval op Fort Parker tijdens de gevreesde Comanche Moon, de periode van het jaar waarin jonge Comanche-krijgers hun moed dienden te bewijzen. Zij nemen vijf mensen gevangen: Cynthia Ann en haar broertje John Parker, Rachel Plummer met haar vijftien maanden oude baby James, en Elizabeth Kellogg-Duty (Lizzie, Granny's derde dochter).

20 augustus – Elizabeth wordt teruggevonden in Nacogdoches.

1837

19 juni – Rachel wordt teruggekocht in Colorado. In de winter onderneemt ze de tocht naar huis via Missouri en Santa Fe.

1839

19 maart – Rachel Plummer sterft.

1845
Texas wordt de achtentwintigste staat van de Verenigde Staten

1846
Slag bij Palo Alto, begin van de tweejarige Mexicaanse oorlog.
Martha Parker-Duty sterft.

1848
Begin van de Goldrush, verdere inperking van het gebied van de Comanche.

ca. 1850-1852
Quanah wordt geboren, de oudste zoon van Peta Nocona en Cynthia Ann Parker, aan Elk Creek, net onder de Wichita Mountains.

1852
Lucy Parker-Duty sterft.

1860
Begin van de aanleg van de spoorwegen, versnelling van de uitroeiing van de bizon.
18 december – Texas Rangers overvallen het kamp van Peta Nocona en nemen Cynthia Ann mee. Officieel worden Isaac D. en Benjamin F. Parker aangesteld als haar voogden.

1861
8 april – Texas geeft $ 100 per jaar en land aan Cynthia Anns voogden.
12 april – Fort Sumter (South Carolina) aangevallen: begin van de Amerikaanse Burgeroorlog.

Texas scheidt zich af van de Unie. Als protest legt Sam Houston zijn gouverneurschap neer.

1864
Cynthia Anns dochtertje Topsannah sterft.

1865
Vrede tussen Texas en de Verenigde Staten.

1867
oktober – In het verdrag van Medicine Lodge worden bepalingen vastgelegd met betrekking tot reservaten voor diverse indianenstammen. De Quahada-Comanche, waartoe de jonge Quanah behoort, weigeren hun 'teken' daaronder te zetten.

1869
Nieuwe Texaanse grondwet.

ca. 1870
Cynthia Ann sterft.

1874
juni – Begin van de Red River War, een reeks gevechten tussen het leger van de Verenigde Staten en de Comanche, Kiowa, Southern Cheyenne en Southern Arapaho, nadat de regering de verplichtingen niet nakwam zoals afgesproken bij het verdrag van Medicine Lodge. De Comanche-medicijnman Isa-Tai organiseert het verzet samen met de jonge leider Quanah.
27 juni – Quanah leidt de mislukte aanval op Adobe Wall Fort.

1875
2 mei – Quanah spreekt in de raad van Comanches. Die

nacht brengt hij door op een tafelberg bij Cañon Blanco, waar de tekenen van de natuur in de richting wijzen van Fort Sill.
4 mei – De Comanche houden voor de laatste maal een medicijndans op hun vlakten
11 mei – De Quahada, Quanahs groep, slaan hun kamp op bij Tepee Creek onderweg naar Fort Sill.
13 mei – Quanah arriveert in Fort Sill om zich over te geven.
19 mei – Quanah vraagt kolonel Mackenzie om nieuws over zijn moeder en zusje. Er wordt een oproep in de krant geplaatst.

1910
Cynthia Anns lichaam verplaatst naar Post Oak Cemetery, nabij Quanahs ranch Star House bij Cache, Oklahoma.

1911
23 februari – Quanah sterft.

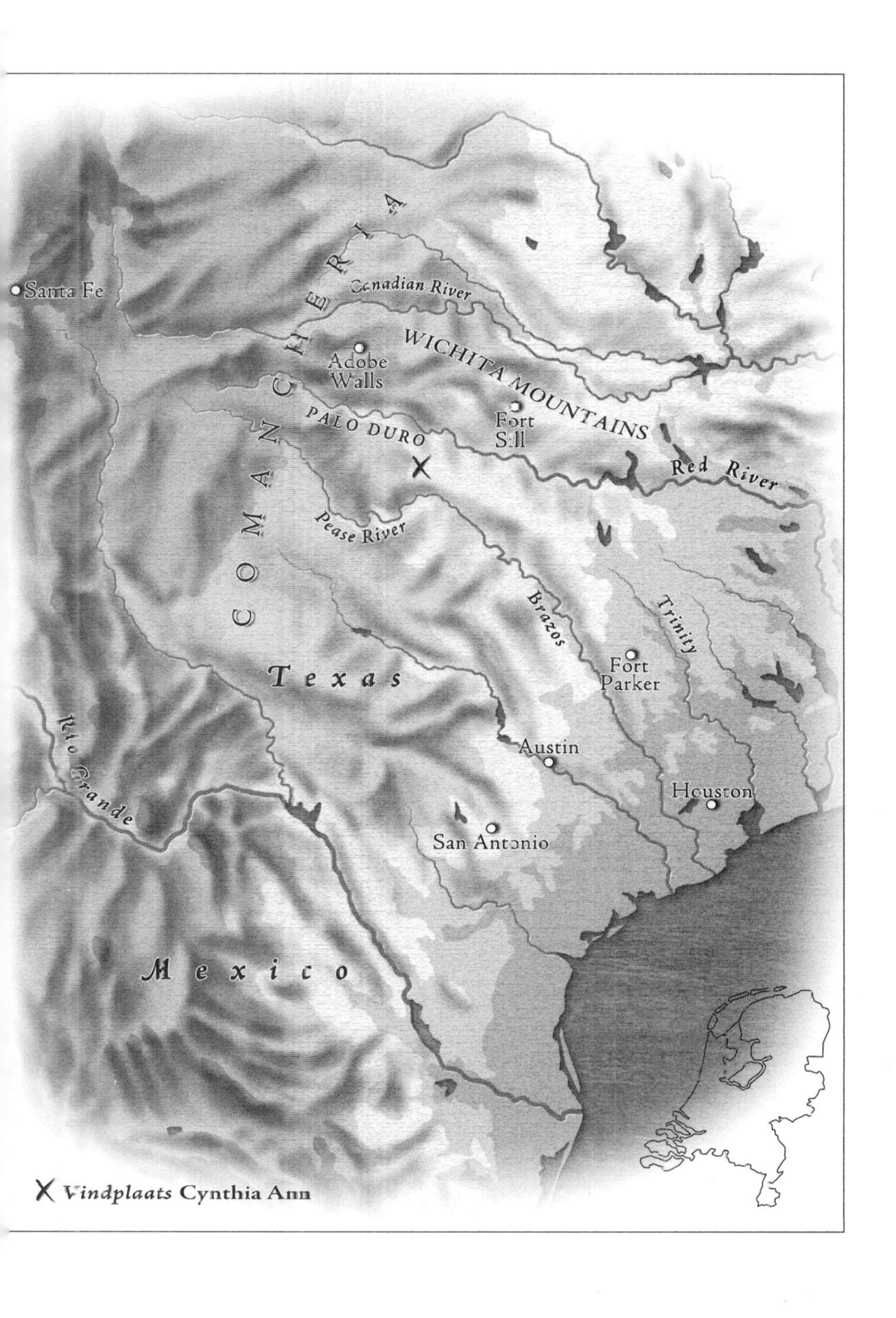
Santa Fe
COMANCHERIA
Canadian River
Adobe Walls
WICHITA MOUNTAINS
Fort Sill
PALO DURO
Red River
Pease River
Brazos
Trinity
Fort Parker
Texas
Rio Grande
Austin
Houston
San Antonio
Mexico
X Vindplaats Cynthia Ann